KB171802

사랑의 발견 1

사랑의 발견 1

발 행 | 2024년 05월 27일
저 자 | 김용수
펴낸이 | 한건희
펴낸곳 | 주식회사 부크크
출판사등록 | 2014.07.15.(제2014-16호)
주 소 | 서울특별시 금천구 가산디지털1로 119 SK트윈타워 A동 305호
전 화 | (02) 1670-8316
이메일 | info@bookk.co.kr

ISBN | 979-11-410-8676-3

www.bookk.co.kr
ⓒ 김용수 2024
본 책은 저작자의 지적 재산으로서 무단 전재와 복제를 금합니다.

사랑의 발견 1

김용수 지음

이 책 쓰면서

-또 다른 '젊은 나' 꿈꾸며-

생태계는 조화로움을 통해 건강해진다. 어느 한 부분이 건강해진다는 것은 전체가 건강해지는 것임을 알아야 한다. 생태계는 독립적인 한 종만을 위해 존재하는 것이 아니다. 남녀의 사랑도 마찬가지다. 여성이 강해진다고 해서 남성이 위축되는 것은 아니다. 조화를 통해 전체가 성장하는 것이다.

요즘 사랑에 뛰어든 청년들을 보면 젊은 날의 나를 보는 것 같다. 나는 이들에게 이런 얘기를 해 주고 싶다. 지금껏 우리가 배워 온 이분법적 사고에서 벗어나 다양한 색깔로 세상을 보아라. 나와 다른 사람과 사고가 존재하는 것이지, 그것이 틀림은 아니다.

자기에게는 관대하고 남에게는 가혹한 것이 인간 심리의 기본인 이기심이다. 그게 대표적으로 두드러진 것이 외도 심리다. 내가 하면 아름다운 로맨스(romance; 남녀 사이의 달콤한 사랑 또는 그와 관련된 이야기나 사건)가, 상대가 하면 파렴치한 불륜이고…….

나는 외도에서 자유로워질 수 있는 사람은 아무도 없다고 생각한다. 예수님은 마음으로 간음(姦淫; 결혼한 사람이 배우자가 아닌 이성과 성관계를 맺음)하는 것도 간음이라 했지만, 인간이 마음으로 간음하지 않으려면 더욱 오랜 진화를 겪어야 한다.

지금까지의 문명의 진화로는 외도의 강한 본능적 러시(ush; 어떤 현상이 갑자기 왕성해지거나 무엇이 한꺼번에 세차게 몰려드는 일)를 막을 수 없다. 외도를 좀 더 자유로워지려는 우주의 본능과 자기 씨를 많이 부리고 좋은 유전자를 받으려는 생명의 본능이 역사로서는 그 강한 에너지(energy; 일을 할 수 있는 힘이나 능력)의 관성을 막을 수 없다. 그렇다고 방치만 했다가는 인간으로서의 삶이 무너지기 때문에 더욱 슬기로운 지혜가 요구된다.

"인간은 배를 채우고 어느 정도 입을 옷을 갖게 되면 그 다음으로 성애(性愛)를 생각하게 된다." 일찍이 공자가 한 말이다. 그렇지만 굶주리고 헐벗은 사람들 역시 머릿속에 오로지 그 생각만 갖고 있는 것 같기도 하다.[1]

근대의 가정은 가족의 생계 부양을 위해 밖에서 돈을 벌어 오는 남성(bread-winner)과 가사와 육아를 담당하며 가정을 꾸리는 여성(home-maker)으로 이루어져 있었다. 우리는 이를 '젠더 분업 체제' 라고 부른다. 탈콧 파슨스(Talvott Parsons) 등 많은 사회학자들은 이것을 근대의 가장 이상적인 가족 형태로 보았다.

하지만 여성의 사회 경제적 지위 향상이 그들 삶의 선택지를 넓혔다고 생각했지만, 실제 삶은 그렇지 못한 경우가 많다. 결혼을 결심한 일하는 여성에게 일과 가정 중 하나를 선택해야 하는 순간이 반드시 도래하기 때문이다. 그들은 이런 양자 택일의 고통을 마주하느니, 결혼도 연애도 거부하고 싱글로 남는다. 여성에게 연애나 결혼이 낭만적이지만은 않은 이유다.[2]

글을 쓰는 과정서 늘 심리적 압박에 휘달리기 일쑤다. 잘 써지지 않을 땐 몇 줄의 진척도 없이 글은 천리 밖으로 달아나고 만다. 심지어 뭔가에 쫓겨 전전긍긍하는 꿈에 부대끼는 것도 숱하다. 또한 글을 쓸 땐 사람들에게 좋은 영향을 주고, 생각할 거리를 주자는 마음이었다. 그러나 본의 아니게 당사자들에게 내용상 상처가 됐을 수 있기에 회한으로 다가온다.

100세 시대라는데 그저 반갑지만은 않다. 나이 칠십이 되고 보니 항산(恒産)은 불안정해지고 고뇌는 깊어진다. 은퇴 시점을 종착역

으로 받아들여야 할지, 이모작을 시작하는 출발점으로 잡을 것인지는 오롯이 나의 몫일 터다.[3]

돌이켜 보면 20대 후반 패기 하나로 홀로 섰다. 이순(耳順)이 된 지금은 마음을 나눌 내 편이 곳곳에 포진해 있지 않은가. 이쯤에서 만절(晩節)이라는 말을 반추해 본다. 나이 들어서도 절개를 잃지 않고 더욱 소중히 여긴다는 그 의미를 가슴속에 새긴다.

부정하는 것보다 긍정하는 법을 배워라. 생각이 말이 되고 말이 행동이 된다. 스쳐 지나는 사람, 꽃, 날씨 하나에도 호기심과 경이로움을 멈추지 않는 것이 중요하다. 경이로움은 주변에 대한 사랑을 만든다. 미래는 예측할 수 없지만 그래도 만들어가는 것이다.[4]

항상 호기심을 가져라. 책을 통해 상상력을 키워라. 어제와 똑같이 생각하고 행동하면서 내일은 더 나아질 것이라고 생각해서는 안 된다. 오늘은 어제와 다르게 생각하고 행동하도록 노력하는 것, 그것이 중요하다.[5]

정년 후 오늘 십 년 동안 습작해 온 글을 끝으로 펜을 내려놓고 사랑이야기를 썼다. 오랫동안 초름한 저를 성원해준 가족과 친구, 동료 여러분 그리고 독자들께도 감사드립니다.

이 책을 사랑에 한 맺힌 영혼들의 천도제(薦度祭; 천도제는 죽음의 부정을 풀고 죽은 사람의 넋을 위로하여 저승으로 인도하기 위해서 행해진다)에 바친다.

2024년 5월

海東 김용수 씀

차례

Ⅰ. 들어가는 글

근대 이후 개인은 미리 정해진 신분적 운명이나 전통 등으로부터 자유로워졌지만, 그 자유는 무한정의 불확실성과 선택지들 앞에 내던져질 자이기도 했다. 봉건제도로부터의 해방은 개인에게 성찰의 기회를 열어주었지만, 동시에 안전감의 토대인 확실성의 뿌리를 제거해버리는 결과를 빚었다.

현대인은 이러한 불확실성의 세계를 소속도, 전통도 다 떨쳐낸 오롯한 '나'로서 항해해 나가야만 한다. 그럴 때 어딘가에 정박하고 싶은 마지막 희망, 그게 사랑이었다. 신분이나 계급, 직장이나 국적 같은 것이 비록 나를 결정하는 주요한 요소이긴 하지만, 내가 왜 나인지, 나의 정체성을 모두 설명할 수는 없는 법이다. 그러한 가운데 내 존재를 확인시켜 주는 최후의 보루가 바로 사랑인 것이다. 누군가가 나를 사랑한다면, 나는 분명히 존재하는 것이며, 비로소 가치 있는 존재가 되는 셈이니까.

그래서 현대사회는 사랑에 관해 이상한 신화를 갖게 된다. 반드시 사랑에 '성공'해야 한다는 이상한 신화 말이다. 사랑에 실패하면 마치 내 가치와 정체성이 사라지는 것처럼. 심지어 사랑이 실패로 끝나더라도, 내가 진짜 짝을 못 만나서 이런 거지, 제대로 만나기만 하면 그 사랑이 나를 구원할 거라는 희망을 다시 품게 된다. 이처럼 오늘날의 사람들은 사랑의 문제를 대상의 문제로 가정하고 있다. 즉 사랑은 누구에게나 자유롭고 쉬운 일인데 비해, 사랑할 만하거나 사랑받을 만한 대상을 발견하기 어렵다는 태도를 보이는 것이다.[6]

연애가 점차 보여주는 데 익숙하고 자랑거리가 되어가고 있는데, 대중문화 콘텐츠에서 소수자의 사랑은 여전히 잘 다뤄지지 않는다. 특정한 주체의 로맨스만 긍정하는 사회는 건강한 사회가 아니다.

나는 평생에 세 여자를 사랑했다. 첫사랑의 여자, 아내, 그리고 영혼의 일치를 느끼게 해준 한 여인! 물론 이들 말고도 마음을 동(動)하게 한 여자들은 많았지만 한순간 운명이 스쳐 갔을 뿐 사랑이라고는 말할 수 없다.

그 세 여인을 한때 나는 누구보다 사랑했었다. 사랑이 뭔지는 모르지만 첫 키스와 동정과 영혼의 교감은 나의 모든 것을 그들에게로 쏠리게 했고 그 쏠림이 이루어지지 않았을 땐 걷잡을 수 없는 분노와 아픔이 가슴을 에며 파고들었다. 상처를 아물게 할 수 있는 길은 온갖 방법을 써도 찾아지지 않았다. 아마도 깊은 상처는 밖에서 절개(節介)해 들어가 적극적으로 수술해야 하는 데 사랑의 상처만은 그런 방법을 쓸 수 없기 때문일 것이다.

사랑이란 워낙 개인적이고 조심스러운 것이기 때문에, 또 잘못 노출되었다가는 사회적으로 매장되기 때문에 수술만은 절대 금지(absolute contrain dication)였을 것이다. 그렇다면 지금까지 골심장을 앓아 온 사람들은 어떤 방법으로 상처를 치료했을까? 그냥 시름시름 앓다가 한 맺힌 세상을 하직했을까? 아마 대부분은 그러했을 것이다. 마음 깊은 상처를 차마 밖으로 꺼내 수술하지도 못하면서 속만 부글부글 끓인 채 한평생(限平生)을 보냈을 것이다. 지옥 같은 그 고통을 가라앉히지 않고서는 생존 자체가 불가능했을 테니까. 그중에는 미친 작가처럼 죽어라 글을 쓰기도 했겠고, 포레스트 검프처럼 몇 년을 계속 달리거나 클레어처럼 어디론지 여행가 고생하는 방법도 있었을 게다.

그렇다면 내게는 어떤 식이 맞을까? 하염없는 떠들고 끄적거리는 것이 가장 잘 어울릴 것이다. 게으른 나에게는 그것이 최선이니까. 그러나 혼자 긁적거린다고 깊은 상처가 없어질 것 같이는 않기 때문이다. 그렇다면 수술 외에는 방법이 없다. 정말 지난날의 사랑을 정리하고 나머지 일생을 신비로운 고독 속에서 살고 싶다면 위험을 무릅쓰더라도 과감히 수술을 해야 한다. 그리고 그 수술은 나같이 밝힘증이 있는 사람이 먼저 시도해 보는 것이 좋을 것이다. 밝힘증이 있으면 망신당하는 부작용이 생긴다하더라도 비교적 잘 견딜 테니까.

육욕의 꿀단지를 핥으려는 사람들은 그 대가로 엄청난 어리석음을 범하고, 욕망에 눈이 멀어 자신의 미래와 품위를 위험에 빠뜨려 세간의 우스갯거리가 되는 수모를 겪은 경우가 허다하다.

그래서 나는 고독과 순수한 사랑, 그 영혼의 토대를 위해 그 환부들을 수술하려고 결정했다. 수술 기법으로는 깊이 파묻혀 있는 사랑의 상처를 가능한 한 생생하게 도려내는 방법을 썼다. 대개 사랑의 상처는 세월에 덮이면서 겉으로는 둔감해지고 흐려지는 것 같지만 그것에 속았다가는 언제 마음의 암세포가 퍼져 뒤통수를 갈길지도 모르기 때문이다. 수술 도구로는 마음 아픈 일기나 편지, 글들을 그대로 수술 도구로 사용했다. 그래서 이 책은 내 사랑의 상처의 수술 기술이기도 하다.

부언할 것은 이 책에서 시도한 수술 부위는 이성 간의 사랑만은 아니라는 것이다. 내가 사랑하는 사람은 자라면서 부모님, 친구, 연인, 배우자, 자식 등을 바꾸고 그들은 사랑의 환희와 가슴이 찢기는 고통과 함께 주었기에 나이에 따른 다양한 아픔도 함께 다루었다. 물론 지금까지는 섹스가 가장 강한 본능이었기에 여인과의 사랑과 아픔이 가장 많이 남아 이 책의 상당 부분을 차지하고 있음을 부인할 수 없다.[7]

II. 사랑이라는 것들

힘이 약한 쥐나 토끼, 바퀴벌레 등은 왕성한 번식을 통해 자연계에서 생명을 이어간다. 반면에 힘이 강한 사자나 호랑이는 가족만 형성해도 자연계에서 생존할 수 있다. 그 중간에 해당하는 생명체는 적당한 무리를 형성해서 자기 힘의 약점을 보완하며 생명을 이어간다. 인간은 이 중간에 해당하는 무리였으나 문명의 발달로 만물의 영장까지 발달할 수 있었다.

그러나 인간도 약한 쪽이나 후진국 등은 가족 중심으로 생명을 이어간다. 그런데 유독 한국에서는 기현상이 발달하고 있다. 세계에서 최고로 잘사는 것이 아님에도 불구하고 세계 최고의 저출산율을 보이고 있기 때문이다. 거기에는 아마도 한국 특유의 원인들이 작용하기 때문인 듯하다.

우리나라 경제 규모는 후진국을 넘어섰지만 너무 단시일 내에 성장을 이루어서인지 생활 양태는 정으로 끈끈한 무리 문화가 뿌리 깊게 남아 있는 것 같다. 그래서 여유 있게 자기 삶을 즐기며 살 수 있는 사회경제적 여건이 돼도 비교하고 경쟁하고 질시하면서 자기 속을 끓이는 것 같다.

이런 사회 분위기에서 교육은 큰 부담이 된다. 남에게 뒤지는 것도 남이 앞서가는 것도 못 견뎌 하기 때문에 교육에 극성일 수밖에 없다. 이는 자녀 양육에 큰 부담으로 작용하고 더 나아가 자녀 출산까지 기피하게 만든다. 아이를 낳는 것이 문제가 아니라, 일단 태어난 아이를 잘 키우는 일이 너무 힘들기 때문이다. 아이를 적게 낳더라도 잘 키우자는 분위기가 저출산에 크게 기여하고 있다.

또 우리나라만큼 여자를 안기 쉬운 나라도 없다고 한다. 도처에 널려 있는 룸살롱, 단란주점, 안마시술소 등이 그러하다. 여자를 쉽게 안을 수 있다는 것은 그만큼 순수하고 진실한 사랑의 토양이 척박하다는 것이다. 순수하고 진실하게 사랑을 해야 저 사람의 아이를 낳아 키우고 싶은 마음이 들텐데 그런 마음이 엷어지니 낙태는 할지언정 출산까지 가고 싶지는 않은 것이다. 우리나라 여대생만큼 날씬한 여대생도 없고, 그럼에도 불구하고 다이어트[8](diet: 본래 식단(食單)이라는 뜻의 어휘로, 특정 목적을 위해 정해 놓은 식사 계획을 이르는 단어다)를 열심히 한다는 보고도 있다. 우리 젊은이들의 가치관이 외모에 치중되어 있는 것은 그만큼 내면이 취약해질 우려를 불러온다.

아이를 하나나 둘만 낳는 것은 부부관계에서는 별로 바람직하지 않다. 아이 둘까지는 혼자서 키울 수 있기 때문이다. 아이 셋을 낳으면 혼자서는 영 못 키운다. 우리 팔과 다리, 눈이 두 개밖에 없어 셋까지는 혼자 담당하는 것은 무리이리라. 내 생각에는 아이는 셋이 있어야 부부관계가 사랑에서 정으로 옮겨가면서 끈끈하게 엮이는 것 같다. 정말 저 여자를, 저 남자를 놓치기 싫으면 애를 많이 낳으면 된다. 애들을 낳으면 어떻게든 키우게 되고 또 낳은 만큼 기쁨은 커지기 때문이다. 나의 가능성이, 젊음이.

또 하나 늘어난다는 것은 얼마나 보람찬 일이겠는가. 우리 사회에서 이혼률이 급증하는 것은 그만큼 출산률이 급감하기 때문일 것이다.[9]

"만일 우리 인간에게 번식 본능이 존재한다면, 우리의 삶은 달라질 것이다. 여성들은 최대한 아이를 많이 갖고자 노력할 것이고, 남성들은 많은 아내를 얻기 위해 모든 재산을 사용할 것이며, 정자은행이 커다란 정치적 현안으로 오를 것이다." [10]

1. 사랑이란

— 사랑은 다른 사람을 애틋하게 그리워하고 열렬히 좋아하는 마음, 또는
그런 관계나 사람을 뜻하는 단어이다. 성관계를 완곡히 표현하는
말이기도 하다 —

사랑의 자전적 의미는 다른 사람을 애틋하게 그리워하고 열렬히
좋아하는 마음 또는 그런 관계나 사람을 아끼고 위하며 소중히 여
기는 마음이나 그런 마음을 베푸는 일이다.

사랑만큼 정의하기 어려운 것도 드물다. 남자가 여자를, 여자가
남자를, 남자와 남자가, 또 여자와 여자가 사랑을 한다. 연인이 되
면 서로 껴안고 입술을 맞대거나 몸을 섞기도 하는데 사람들은 그
런 행위를 보고 또 사랑을 나눈다고 한다. 그런데 가만 보면 그것
만 사랑이 아니다. 부모가 자식을, 자식이 부모를 아끼는 걸 보고
도 사랑한다고들 한다.

'뜻이 하늘에서 이루어지신 것같이 땅에서도 이루어지이다.' 주
기도문의 이 구절을 떠올릴 때마다 의문에 사로잡히곤 이란 뜻이
하늘에서 어떻게 이루어졌다는 것이고 땅에서 이루어짐은 어떻다
는 걸까? 이를 나는 다시 한번 이렇게 공상해 보았다.

뜻이 하늘에 이루어졌다는 것은 영혼의 세계를 완성했다는 것이
고 땅에서도 그 뜻이 이루어짐은 땅 위에서의 삶 또한 영혼의 삶
같은 형태를 이루는 것이라고. 그렇다면 영혼은 무엇일까? 그것은
아마도 어떤 자연의 변화에 의해서도 침범당하지 않는 생명의 세
계일 것이다.

사십육억년 전 지구가 탄생했을 때, 이 땅 위에서 오랜 세월에 걸쳐 원시 생물이 출현했다. 그러나 그 원시 생물은 험난한 자연계에서 오래 버티지 못하고 곧 스러져 버렸다.

그러나 원시 생물은 오랜 세월에 걸쳐 다시 태어나고 또 태어나고 했다. 그러면서 그 원시 생물은 자기는 죽어가지만 자기와 똑같은 생물을 새롭게 탄생시키는 비법을 탄생시켰으니 바로 자손을 낳는 복제 방법이다. 그러나 그 방법도 험난한 자연계 앞에서는 맥을 못추고 스러지고 멸종하곤 했다. 그러다 생물체가 드디어 어떠한 자연의 변화 앞에서도 견디는 생명의 형태를 발견했으니 그것이 바로 영혼이다. 영혼은 빙하기나 화산 폭발 등 어떠한 자연의 변화에 의해서도 멸망하지 않고 다음 세대로 생물을 이어 줄 수 있는 힘을 가졌다. 이러한 생명의 형태를 발견했다는 것은 그야말로 경하할 일이었다. 생명체는 드디어 자기들의 생명의 영속성을 유지할 수 있는 방법을 찾은 것이다.

그 영혼의 세계라는 불가사의한 업적을 이룬 존재를 우리는 신이라 부르며 무한한 칭송을 바쳤다. 그러나 그 영혼이 땅 위에서 자기 자리를 잡기는 힘들었다. 땅에는 워낙 많은 위험과 알 수 없는 변화가 도사리고 있기 때문이다. 그래서 영혼은 땅 위에서 자리 잡지 못하고 하늘에서 자리를 잡게 되었다. 생명을 영속하려는 모든 생명체의 '뜻이 하늘에서 이루어진' 것이다. 그러나 영혼은 자기같이 어떠한 변화 앞에서도 불변하는 생명체를 땅 위에서도 이루고 싶었다. 하늘에서 영생하는 삶은 반쪽짜리 삶으로 그것은 진정한 영생이 아니기 때문이다. 그래서 영혼들은 땅 위에 강한 영혼들을 보내어 그 뜻을 이루려고 했다. 그러기 위해 땅 위의 생명체로 태어나려는 영혼은 가혹한 시험의 관문을 통과해야 했다. 그래서 인간은 오억 마리의 정자 중에 앞서 달린 한 마리가 난자와 만나냐 생명을 얻을 수 있는 가혹한 영혼의 경쟁을 해야 했다. 정자의 모양이 우리가 보통 영혼의 모양과 유사하다는 것은 상징적 의미가 있다고 하겠다.

그래서 인간 세상에 태어난 사람들은 투사로서의 과업이 있다. 그들은 첫째로, 자기 생명을 소중히 하고, 둘째로, 자기보다 우수한 자손을 낳아 잘 키워야 하고, 셋째로 영혼 같은 어떠한 자연의 변화에 대해서도 불멸의 생명을 가질 수 있는 삶의 형태를 만들어야 하는 것이다. 이러한 과업이 성공적으로 수행되는 날 비로소 하늘의 영혼과 땅 위의 육체가 만나는, 즉 영혼의 세계가 땅 위로 안전하게 내려 앉으며 "뜻이 하늘에 이루어지신 것같이 땅에도 이루어지는 것" 이다. 이것이 바로 하늘에서 영혼의 세계를 이룩한 신의 소망일 것이다.

그러나 이러한 생명의 영속성이라는 과제에 대해 반대하는 세력이 있으니 바로 악마이다. 신의 뜻에 따르자면 인생은 한평생 자손과 생명을 위해 희생하는 고달픈 삶이 되어야겠기에 악마는 영원한 생명보다는 주어진 한 번의 삶을 최대한 누리고 사는 삶을 주장하다가 신의 세계에서 추방당했다. 땅 위에 내 팽개쳐진 악마는 영원한 생명보다는 한 번 살 동안의 지고의 쾌락을 주장하며 인간들을 유혹한다. 신나게 살다가 맘 편하게 무생물로 돌아가지 뭐 하러 고달프게 사느냐는 것이다. 그러한 악마의 주장은 약한 인간들의 마음을 휘어잡으며 커다란 위력을 발휘했다. 그 위력은 자본주의 체제와 맞물리면서 지금은 세기말적으로 극에 달하고 있다. 자본주의는 보이는 것을 중시하는 이데올로기로 한 번의 삶에만 최선을 다해 보자는 악마의 가치관과 잘 부합하기 때문이다.

그러나 악마의 주장은 일견 보기에는 그럴듯하나 그의 주장을 따랐을 때 결국 마주치는 것은 영원한 죽음이다. 어렵게 태어난 인생을 한 번의 주어진 삶에 치중하다 말 것인지 아니면 보다 영원한 삶을 희구할 것인지는 각자의 선택에 달렸다.

그러나 악마가 등장하는 동화에서도 볼 수 있듯이 악마는 어떤 대가를 치르더라도 인간들의 영혼을 사려고 애쓰는 것을 보면 영원한 생명이란 그만한 가치가 있나 보다. 그래서 인간은 찢어지는 고통이 있더라도 사랑을 소중히 해야 하는 것이다. 사랑이 곧 영원한 생명이기에……[11]

"이런 게 사랑이라면, 다시는 하고 싶지 않아요." "대체 사랑이란 뭔가요? 저도 제 마음을 모르겠어요…."

사랑에 빠지면 왜 아프고 외로울까?

사랑에 빠지면 마냥 행복할 것이라고 말한다. 사랑하고 있는 동안에는 전혀 외롭지 않을 것이라고 생각한다. 하지만 우리는 사랑할 때 가장 아프고, 사랑할 때 가장 외롭다. 도대체 사랑이란 무엇일까? 장점은 단점이 되고, 사랑하던 이유는 미워하던 이유가 되는, 나를 이해하지 못하고 상대를 끌어안지 못해 천국과 지옥을...[12]

『도대체, 사랑』이 책은 심리학자 곽금주 서울대 교수가 사랑에 대해 설파한 에세이집이다. 저자는 그동안 만나온 다양한 남녀들의 이야기를 통해 남자와 여자가 사랑하면서 주고받는 수많은 말과 행동, 그리고 남녀 사이에 일어나는 여러 상황을 '심리학적으로' 풀고 있다. 오페라 '투란도트', 영화 '연애의 목적' '결혼은 미친 짓이다' '이터널 선샤인', 소설 '부석사' '오만과 편견', 문정희의 시 '응' 등 다양한 작품들을 예로 들면서 인생 최고의 관심사이자 끊임없는 갈등을 불러일으키는 사랑에 대해 흥미롭게 파헤치고 있다.

저자(도대체, 사랑/곽금주 지음/쌤앤파커스) 특유의 담백한 문장과 논리적인 심리학적 근거를 통해 진지하면서도 깊은 통찰을 담아냈다.

이 책은 결국 '누구와 사랑하는가'가 아닌 '어떻게 사랑하느냐'에 초점을 맞추고 있다. 이를 통해 저자는 우리에게 사랑에 대한 해답은 '너'가 아니라 '나'에서 찾아야 한다는 깨달음을 전한다.[13]

섹스는 행복한 운동이고 예방의학이다. 서양인들은 섹스를 스포츠로 생각한다. 그래서 서양인에게 섹스는 건강을 증진하고 따라서 자신을 위한 일이라고 생각하는 영향이 있다. 섹스에 대한 동양적인 생각은 다르다. 섹스를 체력 소모라 생각하고, 상대를 위한 일이라고 생각한다.[14]

「당신이 섹스에 대해 알고 싶었던 모든 것(Everything You Always Wanted to Know About Sex. But Were Afraid to Ask)」[15]은 유명한 코메디 영화로 우디 알렌(Woody Allen)은 매력적인 젊은 여성을 침대로 끌어들이려고 애쓰는 시드니라는 인물의 두뇌 속을 들여다본다.

'당신이 섹스에 대해 알고 싶었던 모든 것'은 양치기 사내는 양과 관계를 가진 후 사랑에 빠지지만 얼마 뒤 양이 변심한 것 같다며 양을 병원에 데려간다. 한편 데이트 도중 분위기가 무르익자

남자의 머릿속이 분주해진다. 모든 기관은 바짝 긴장하고, 섹스에
대비해 정자들은 당장이라도 뛰쳐나갈 태세에 돌입한다. 이외에도
오르가슴을 느끼지 못하는 아내, 여자 옷을 입고 즐거워하는 남자
의 이야기 등 섹스에 대한 7가지 에피소드가 이어진다.

하나. 최음제(催淫劑)는 잘 듣는가. 궁정 전속 광대는 자신의 유
머가 사람들에게 먹히질 않아 괴로워한다. 왕비의 아름다움에 정신
을 뺏긴 광대는 최음제를 구한 뒤 왕비에게 먹이는 데 까지는 성
공하지만 왕비의 옷을 벗기는 순간 왕비가 철로 만들어진 데다가
자물쇠까지 채워진 팬티를 입고 있는 걸 발견한다. 질투심 많은 왕
이 왕비가 바람피지 못하도록 미리 수를 쓴 것이다.

둘. 수간(獸姦)이란 무엇인가. 닥터 더그 로스의 병원에 괴짜 사
내가 들어온다. 양치기인 그 사내는 산 속에서의 외로움을 참지 못
해 양과 관계를 가졌는데 의외로 기분이 좋았고 결국엔 양과 사랑
에 빠졌다는 것이다. 하지만 최근에 양이 차가워졌다면서 양을 진
찰해 달라며 양을 놔두고 간다. 사내의 말에 코웃음을 치던 닥터
로스는 양을 만져본 뒤 그녀에게 빠져 버리고 호화로운 호텔에서
관계를 가진다.

셋. 왜 몇몇 여자들은 오르가슴을 느끼지 못하는가. 아름다운 아
내와 결혼한 파브리지오는 모든 것이 만족스러우나 단 한 가지, 아
내가 오르가슴을 느끼지 못하는 게 걸린다. 처음이라 그런가 보다
하고 넘어가던 그는 관계를 가질 때 아내가 계속 반응을 보이지
않자 자신도 즐겁지가 않다. 고민 고민 끝에 파브리지오는 아내가
공공장소에서 관계를 가지면 흥분한다는 사실을 알게 된다.

넷. 복장도착자는 동성애자인가. 사랑하는 젊은이들의 부모들이
만나는 자리. 딸 쪽의 아버지는 식사 도중 화장실에 간다면서 2층
에 올라가더니 불쑥 침실로 들어가서 여자 옷을 입어보고 즐거워

한다. 그러던 중 인기척 소리에 그만 창밖으로 나갔다가 마당으로 떨어지고 길에서 어쩔 줄을 모르고 있던 그는 소매치기에게 핸드백까지 뺏긴다.

다섯. 변태(變態)란 무엇인가. 잭 배리가 진행하는 '내 변태 성향은 무엇인가' 시간. 한 사람이 나오면 세 명의 출연자들이 돌아가면서 그에게 질문을 하고, 그 질문의 답을 정리해서 어떤 변태 행위를 즐기는지 알아맞추는 게임이다.

여섯. 성에 대한 학자들의 연구 결과는 사실인가. 빅터는 성에 대한 연구로 유명한 로스 박사를 만나러 가던 중 역시 그를 취재하러 가는 길이라는 글로브지 기자 헬렌과 동행한다. 박사의 집에 도착한 두 사람은 로스 박사를 만나고, 그의 결과물들에 놀라지만 곧 그가 미치광이라는 사실을 깨닫고 격투 끝에 건물에서 가까스로 빠져나온다. 하지만 박사의 연구실이 터지면서 거대한 여자의 가슴 한 쪽이 만들어졌고, 이 가슴은 사람들을 위협하는 존재가 된다.

일곱. 사정(射精) 시에는 어떤 일이 일어나는가. 화면은 한 남자의 머릿 속. 이곳에서는 신체에 관한 모든 것이 관리, 통제되는 곳이다. 현재 남자는 여자와 데이트(date) 중이고 머릿속의 오퍼레이터(operator)들은 과연 이 여자와 오늘 밤 관계를 가질 것인지 아닐 것인지에 온 정신이 집중되어 있다. 남자가 먹는 음식을 위에서는 열심히 부수고, 좀 더 아래에서는 정자들이 남자가 섹스할 때를 대비해서 완전 무장하고 대기 중이다. 결국 차 안에서 분위기가 무르익을 무렵 몸 속의 모든 기관들은 긴장하고 특히 정자들은 나갈 태세에 돌입하는데 정자 하나가 자신이 나가서 과연 잘 할 수 있을지, 길을 잃거나 나가자마자 죽는 건 아닌지 하면서 나가지 않으려고 한다(씨네필님 제공).

홍매화 가슴보다 더 깊이 자랄 때

채운

치열히 바라보던 봄바람
쏟아지던 꽃가루'
그대 영혼은
홍매화 가장 부드러운 하얀 뿌리로
푸른 수액을 모아 나의 아침을 이슬처럼 씻겨줍니다

회색빛 가지에 새순이 피어
붉은 꽃잎 겹겹이
나의 핏빛 날개를 감싸
바람의 향으로 나의 이마를 짚은 그대는 푸른 여름입니다

메마른 입술에
새순의 이슬 받아 적셔주고
눈부신 눈빛으로 어여삐 보시는 그대의 품에 안겨 있습니다

내 병고가
홍매화 가슴보다 더 깊이 자랄 때
희망의 꽃잎 열어 붉은 강물 위
빛을 안은 그대 바라봅니다

생의 극한 가을
생성과 소멸, 부활의 옷 입혀준

그대의 사랑으로 나의 눈은 눈부십니다

고독한 몸을 뚫고 자라나는 겨울
바람이 숨 쉬어
눈꽃으로
스스로 몸을 던져 날리 우는 자유
온몸 빛으로 사로잡혀 깊은 평온함에 빠져 있습니다

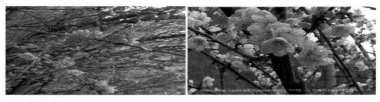

"연애의 등장!"
우리나라에서 '연애' 라는 표현이 처음 사용된 시점은 20세기 초반으로 거슬러 올라간다. 1912년『매일신보』에 연재된 소설『쌍옥루』에 '연애는 새롭고도 신성한 일' 이라고 말하는 인물이 등장하면서 '자유연애' 의 준말로 사용되었다.

> 묘령의 남녀가 비로소 세상사를 분별할 지경에 이르러 미래를 상상하는 마음으로 남녀 간 연애의 즐거움을 상상하는 것같이 즐거움은 없는 것이라.
>
> 주중환,『쌍옥루』, 1912.

근대 이전까지 '남녀상열지사(男女相悅之詞; 남녀가 서로 사랑하면서 즐거워하는 가사라는 뜻으로, 조선 시대에 사대부들이 '고려 가요(高麗歌謠)' 를 낮잡아 이르던 말)' 에서 연애의 등장은 전통적인 관계와 질서가 변모하기 시작한 역사적인 징표하고 할 수 있다.[16]

사랑이란 이름의 향기

오영록

사랑이란 따스함을 지닌 성질이 있습니다. 그래서 사랑은 늘 따스하다 말합니다. 그래서 사랑이란 어느 것보다 아름답다 말하는가 봅니다.

사랑 그래서 사랑 안엔 그윽하게 젖어가는 꽃처럼 달콤한 향기가 피어 있습니다.

사랑은 누구에게나 향긋한 꽃향기처럼 서로에게 맑은 성품을 키워내는 따스한 힘을 가져다줍니다. 그래서 사랑이란 언제나 달콤한 눈빛만으로도 서로에게 따스한 향기를 그려줍니다

사랑 안엔 아름다움과 포근함을 함께 그려가는 따스한 공감대가 형성됩니다. 그래서 사랑이란 어떤 말로도 다 표현할 수 없지만 서로에게 따스함을 표현해 낼 때 가장 큰 힘이 되는 힘입니다

이렇게 솟아져오는 그 맑은 향기로부터 무언가의 자극적인 상처로 마음이 아파 치유가 필요할 때 우리에겐 따스한 행복이야기들로 서로를 안으며 식어져가는 그 마음에 빛을 열 때 가슴엔 긍정의 씨앗을 아름답게 키워내며 사랑은 서로에게 큰 위로 자가 되며 사랑은 서로에게 가장 큰 동반자가 되어주는 따스한 마음 그려가는 아름다운 눈물뿐일 것입니다

그래서 사랑은 목마른 가슴에 촉촉이 젖어드는 단비로 늘 푸름을 속삭여 주는 힘 그 따스한 기운 안에는 햇살처럼 아지랑이처럼 피어나는 새싹처럼 언제나 우리에게 따스한 행복이 되어주는 참된 열매 요게 사랑이란 이름으로 키워가는 꽃향기라 말하는 것 같습니다.

"이런 게 사랑이라면, 다시는 하고 싶지 않아요." "대체 사랑
이란 뭔가요? 저도 제 마음을 모르겠어요….."

사랑에 빠지면 마냥 행복할 것이라고 말한다. 사랑하고 있는 동
안에는 전혀 외롭지 않을 것이라 생각한다. 하지만 우리는 사랑할
때 가장 아프고, 사랑할 때 가장 외롭다. 도대체, 사랑이란 무엇일
까? 장점은 단점이 되고, 사랑하던 이유는 미워하던 이유가 되는,
나를 이해하지 못하고 상대를 끌어안지 못해 천국과 지옥을...(도대
체 사랑, 곽금주).

사랑은 다른 사람을 애틋하게 그리워하고 열렬히 좋아하는 마음
또는 그런 관계나 사람이다.

사랑이라는 것은 관심이자 배려이다.

사랑이라는 것은 다른 말로 보면 관심이자 배려이다.

내가 내 자신에게 관심이 없으면 내가 그냥 싫어지고 무덤덤해
진다. 밥을 안 먹었는데도 그냥 한끼 두끼 굶어 버린다.

자꾸 스트레스를 받아서 몇 날 며칠 동안 잠을 못 자도록 스스
로 괴롭히곤 한다.

내 몸이 망가지고 있는데 단지 다이어트를 위해서 자신을 학대
한다. 매일 거울을 보면서 자신의 못생긴 얼굴을 혐오스럽게 쳐다

보기도 한다.

하루 종일 자신의 삶을 한탄하고 어떻게 하면 나를 괴롭힐까 고민을 하기도 한다. 자존심이 상했다는 이유로 "이 바보야" 라는 독설을 퍼붓기도 한다.

내가 이 세상에 태어난 것이 원망스럽다면서 자신을 부정하기도 한다.

위의 방법들은 자신을 사랑하는 방법인가? 자신을 미워하는 방법인가?

자신을 진정으로 사랑하고자 한다면 반대로 하면 되는 것이다. 나를 사랑한다는 것은 그만큼 나에게 애절한 관심과 보살핌이 중요하다. 그러면 내가 사랑스런 내 자신을 그렇게 미운 오리새끼처럼 취급하지 않을 것이다. 당연히 나만큼은 내 자신을 멋진 백조로 여겨야 할 것이다.

내가 나를 미운오리 새끼로 여기면 세상 모든 사람들도 나를 미운 오리로 여기게 된다. 그러면 미운 오리새끼는 왜 세상 사람들이 자신을 미워하냐고 울부짖게 된다.

이처럼 자기 사랑은 자기로부터 시작됨을 우리는 알아야 한다. 타인에게 아무리 사랑을 받으려고 애를 써도 그 공허함과 외로움은 달래지지 않는다. 그래서 바람을 피는 사람은 항상 만족하지 못하고 자꾸 피는 것도 그 이유 때문이다.

바람을 피는 사람들의 사랑은 순수한 사랑이 아니라 아내나 남편에게 엄청난 폭행을 주는 아주 위험한 사랑이다. 그래서 그것은 사랑도 아닌 도덕적 결함일 뿐이다.

우리 인간이 그 정도의 사리 판단을 하지 못한 상태에서는 사랑을 논할 수가 없다고 생각한다.

내가 나를 사랑한다면 다른 사람에게 상처와 피해를 주는 것을 하지 않는다. 왜냐하면 그 사람의 아픔을 볼 수 있는 인간적인 배려의 마음이 있기 때문이다.

가. 사랑 성격

사랑은 누구에게나 소중하지만 모든 사람들이 다 똑같은 정도로 사랑에 집착하고 빠져드는 것은 아니다. 어떤 사람은 사랑을 심드렁하게 스쳐 보내기도 하고 어떤 사람은 사회적 성취나 야망에 자신의 모든 것을 걸기도 한다.

그러나 유독 사랑에만 깊게 빠지고 오랫동안 집착하는 성격이 있다. 바로 구강수용성 성격(oral-receptive personality)이 그러하다. 구강수용성 성격이란 사랑을 너무 많이 받아 사랑에 대한 갈구가 그치지 않는다. 마치 배가 나오고 살찐 사람은 몇 끼 굶어도 잘 지낼 것 같지만 오히려 조금만 굶어도 더 보채는 것과 같다. 그에게는 성공도 이데올로기도 사랑에 비하면 아무것도 아니다. 오직 엄마 젖과 같은 여자의 사랑만이 필요할 뿐이다. 그래서 이 성격을 가진 사람들은 모성애를 자주 자극하는데 대개 동안(童顔)의 남자들 중에 이런 성격이 많다.

이 성격은 사랑하는 여자와 잘 풀리면 행복한 가정을 이루나 그렇지 않을 경우에는 사랑 싸움이 잦고 바람이 날 우려가 많다. 워낙 사랑을 많이 받고 자라 한 여자의 사랑으로는 만족하지 못하는 것이다. 그러나 이 성격의 사람들은 모질지도 못하다. 바람이 나도 가정을 버릴 만큼 용단을 내리지 못하고 몰래몰래 바람만 피운다. 기껏해야 두 집 살림이 최선이다.

이 성격이 사랑에서 좌절이 되면 그야말로 하늘이 무너진다. 그래서 다른 것은 모두 제쳐두고 오직 사랑에만 매달린다. 그러다가

정녕 그 사랑이 회복되지 않으면 오랜 시간 사랑의 상처에 방황한다.

그러나 그렇다고 그들이 폐인이 되거나 잘못되는 경우는 그렇게 많지 않다. 바로 그들의 토대에 사랑과 인간에 대한 믿음이 굳건히 뭉쳐져 있기 때문이다. 그들은 좌절의 끝에는 인간에 대한 신뢰를 바탕을 다시 재기를 한다. 그를 사랑한 어머니는 한 번도 그를 배신하지 않았기에 그는 기본적으로 인간에 대한 신뢰와 애정이 있는 것이다. 그래서 이 성격을 가진 사람들은 사랑의 상처를 딛고 크게 성공하기도 한다. 그들은 사랑의 아픔을 잊기 위해 부지런히 일하고 인간을 신뢰하는 그들을 주위 사람들은 예쁘게 봐 주기 때문이다. 이런 심리를 잘 그린 영화가 「시네마 천국(Cinema Paradiso)」이다.

알프레도는 토토에게 엘레나의 사랑을 이루지 못하게 하면서 진한 사랑의 아픔을 주는데 바로 토토가 그 아픔으로 공지에 불이 붙게 열심히 살게 하기 위함이다. 만일 토토가 엘레나와의 사랑을 이뤘으면 그는 행복에 겨워 시골의 영사기사로 일생을 마쳤을 것이다. 가장 소중한 사랑을 이뤘는데 그 이상 욕심을 부릴 것이 없기 때문이다.

알포레도는 사랑을 잃고 아파하는 토토를 객지로 보내면서 "절대로 이 고장으로 돌아오지 마라. 돌아와도 난 너를 안 보겠다."라고 마지막 탯줄을 끊는다. 그 후 토토는 마음은 뻥 뚫렸지만 사회적으로 대성공을 거둔다. 사랑 이외는 관심이 없었기에 사랑이 없어진 마당에는 오로지 자기 일에만 몰두할 수 있었던 것이다. 그것이 마지막 남은 자기의 유일한 사랑이기에.

아마도 세계를 이끌어 간 수많은 영웅들 중에는 사랑의 깊은 상처를 입은 후 열심히 달려서 위대한 성취를 이룬 사람들이 많을

것이다.[17]

한편, 미류, 이종걸 두 활동가가 차별금지법 4월 내 제정을 목표로 밥을 굶으며 '투쟁'하고 있다는 소식을 전해 들었다. 벌써 5월 중순이다. 여론 지형을 살필 때 구글 알고리즘이 어떤 정보를 상단에 띄워 주는지를 본다. '차별금지법'을 검색하니 취지는 이해하지만 다른 의견도 들으며 가야 한다는 중앙일보 논설위원의 칼럼이 상단에 있다.

맞다. 유별나게 '성소수자 반대'를 외치며 부채춤을 추는 사람이 아니더라도 의문이 있을 수 있다. 나는 '보통 사람'이라, 차이가 있는 사람들과 여러모로 접점을 만들고서야 내가 편협했다는 것을 알게 되는 일이 많았다. 다른 생각이 궁금한 누군가에게 이 글이 도움이 되기를 바란다.

차별금지법이 트랜스젠더(transgender)를 보호하면 여성의 안전과 성취를 위협하게 된다는 주장이 있다. 그런데 이 문제는 반대로 접근해야 한다. 성역할이란 시대마다 문화권마다 다르고 애매모호한 것인 만큼, 트랜스젠더는 그 구조 위에 자연적으로 있을 수밖에 없다는 사실이 중요하다. 우리 동네에 트랜스젠더는 몇 명이나 살까? 공식적으로 알 수 없다. SBS 이슈취재팀이 작년 5월 지자체 정보공개청구로 만든 추정 데이터에 따르면 국내 트랜스젠더 수는 약 6000명이다. 그중 65%가 서울에 산다니 대략 2500명 중 한 명, 내가 사는 동의 인구수를 보면 10명 내외의 트랜스젠더가 우리 동네에 산다. 제도의 사각지대에 있지만, 이들은 존재한다.

트랜스젠더에 대한 흔한 곡해는 이런 것이다. 남자로 살던 사람이 어느 날 여자라고 '선언'하는 게 트랜스젠더란 것이다. 그러나 성차별적 사회 구조 속에 내가 원하는 여성으로 살아가는 건 어떤가? 페미니즘 인식론을 알고 부모, 선생, 직장 상사에게 새로

운 나를 받아들이라고 선언하면 가능했나? 내 자신의 머릿속에서
조차 내가 원하는 여성으로 살아가는 로드맵이 그냥 펼쳐지는 일
은 없었다. 어딘가에서 떠나고, 어딘가에선 받아들여지며 관계망을
다시 짰다. 이걸 내 용기와 객기로 했다고 생각했는데, 돌이켜보니
여성운동을 바탕으로 언론과 제도, 법 영역에서 성차별이 문제시되
어 온 토대 위에 일어난 일이었다.

트랜지션이 상호작용이란 건 경험을 통해서도 알게 됐다. 트랜스
젠더 '선언' 후를 살아가는 데 무지하기는 당사자인 식구나, 그
옆의 나나 마찬가지였다. 페미니즘이 내 삶을 뒤집어놓았듯 트랜지
션은 내 식구의 삶을 뒤집어놓았고, 격동을 받아들이는 건 개인뿐
아니라 관계망의 몫이었다. 연구와 활동의 결과물들을 참조하며 상
호작용해, 나는 머릿속에 식구를 새롭게 이해하고 받아들이는 '모
듈'을 만들었다. 우리들은 모두 처음과 다른 사람이 되었다. 비슷
한 과정이 영화 「너에게 가는 길」[18]에서도 그려진다. 차별금지법
의 입법과 시행 과정에 참조되는 연구활동의 결과물, 논의 과정을
통해 만들어지는 담론, 가시화되는 사례들은 트랜스젠더와 주변인
간의 조율과 공존을 도와줄 것이다. 세부적인 것은 차금법 이외의
틀로도 논의될 수 있다. 트랜스젠더의 어떤 언행에 성적 불쾌감을
느낀다면? 성폭력은 형법에서 처벌되는 문제다. 스포츠대회 순위에
영향을 준다면? 트랜스젠더의 출전이 허용된 영역에서 공정성 확
보는 논의 과정에 있다. 사람과 사회는 상호작용을 통해 변해간다.
그것이 자연스럽다.[19]

전족(Foot Binding, 纏足)은 여자아이의 발을 묶어 성장하지 못하
게 했던 중국의 과거 풍습이다.

전족이 성행하게 된 이유에 대해서는 많은 논란과 분석이 있다.
아래의 가설 중 어느 하나만이 이유가 아니라 복합적인 이유 때문

이었을 가능성이 크다.

전족을 통해 지배층이 우월감을 표출하려 했다는 설. 전족이 된 여자는 걸어다니는 것도 힘들어서 지팡이를 짚고 종종걸음으로 다녀야 한다. 따라서 가내수공업을 제외하고는 전족이 된 여자는 노동력이 없다. 그 때문에 전족이 된 아내 = 부의 상징이 되어 부자들이 자신의 재력을 과시하기 위해 전족이 된 아내를 선호했으며 이것이 유행으로 번져 평민들까지 전족을 좋게 여겼다는 것이다.

여자가 도망가지 못하게 하려고 했다는 설. 이 가설은 이제 거의 폐기되었다. 지금의 중국은 남아 선호 사상과 계획생육정책의 영향으로 극심한 남초 현상을 겪지만 중국 역사상 남자가 여자보다 많았던 기간은 별로 없었다. 중원국가 간의 내전은 물론, 외부 이민족의 침략 때문에 남성인력의 전투손실이 상당했기 때문이다. 전근대 중국은 아내가 도망가면 새로 아내를 들이면 되는 시대였고 정실 아내만이 아닌 첩도 둘 수 있었다. 더구나 전족은 상류층에서부터 시작되었는데 못 걷게 만들 만큼 상류층 여자들이 혼하게 가출했을 리가 없다.

예상 외로 전족된 발이 아름다웠기 때문에 선호했다는 설. 현재 남아있는 전족 관련 자료의 대부분은 중년 혹은 노년의 여인들의 발을 찍은 사진들이 대부분이다.[20] 이는 발을 성기와 마찬가지로 생각하여 젊고 어린 여자들이 노출을 극도로 꺼렸기 때문이다. 실제로 어린 여자의 전족된 발은 대부분 아기처럼 부드럽고 야들야들했다고 한다. 또한 방중술 관련 도서인 소녀경에 따르면 이러한 어린 여자의 전족된 발을 이용하여 성교에 활용하기도 했다고 한다.

전족이 여자의 질 조임을 향상시켰기 때문에 주요 기득권인 남자들에게 인기가 좋았고, 유행처럼 번져나가 사회 풍습이 됐다는

설. 전족을 하면 발이 기형이 되어 뒤뚱거리며 걸을 수 밖에 없는
데 이렇게 자란 여자는 허벅지 근육이 약해져 다리가 매우 부드러
워지고 허벅지 근육보다 회음부 근육이 단련되어 성교시 남자가
여자에게서 느끼는 성감이 더 좋아졌다고 하지만 이 설은 질 근육
이 전족을 통해 뒤뚱거리며 걷는 것으로 단련될 수 있는지에 관한
정확성이 불분명하다. 가장 좋은 확인법은 전족을 한 여자가 걸을
때 사용하는 근육과 정상인이 걸을 때 사용하는 근육을 비교하는
것이겠지만, '전족을 한 여자'라는 표본 자체가 계속 줄어들고 있기
도 하고 민감한 주제기 때문에 현실적으로 어려울 듯하다. 최근 연
구에서는 여자를 소녀 때부터 장시간 앉혀 가족을 위해 직물을 짜
고 옷을 만들 수 있게 하기 위해서 전족을 만들었다는 설이 제기
됐다

　폭 5cm, 길이 3m 정도의 천으로 엄지발가락을 제외한 네 발가락
을 발바닥에 닿을 정도로 구부러질 때까지 아래로 감는다. 그리고
나서 천을 뒤꿈치로 돌려 발의 앞과 뒤꿈치가 서로 마주보도록 단
단하게 묶어 올린다. 발등이 활처럼 위로 구부러질 때까지 점점 더
세게 묶는다. 통증이 계속되고 피와 고름이 천에 배어든다. 살이
마르고 벗겨져 나간다. 때론 발가락이 한 두개 물러서 떨어져 버리
는 경우도 있다. 보통 전족을 마치면 발의 크기는 10cm 안팎이 됐
다. 아주 '잘 만들어진' '금련(金蓮)'은 발꿈치에서 발가락까지
겨우 7.5cm (극단적인 경우 5cm) 밖에 안돼 정상크기의 절반에도
크게 못미쳤다. 이후 고통은 완화되지만 전족을 한 여성은 일생동
안 절뚝 거리며 제대로 움직이지 못한다. 집에서 멀리 떨어진 곳에
가는 것은 누군가의 도움을 받지 않고서는 불가능한 일이다.

　보통 5살 때 시작돼 뼈가 성장을 멈추는 18살 때 완성되는 전족
은 십여년의 세월을 요하는 발에 극단적인 고문을 가하는 자연산

하이힐이었다. 이에 따라 평생을 고통 속에 눈물로 보내며 어머니와 자신을 원망하는 글들도 적잖이 전해져 내려온다.

당말, 오대시대 궁정 무희로부터 유래했다는 전족은 전통시대 중국의 여자들에게 있어 어른이 되는 가장 고통스런 첫 단계였다. 이들 여인들은 보통 어머니에 의해 발이 묶이기 시작해 결국 평생 남의 도움 없이는 제대로 거동조차 할 수 없는 존재로 자라날 수밖에 없었다.

원래 처음 무희들 사이에서 전족이 도입됐을 때는 예술적 효과를 노려 가볍게 발을 묶었다고 한다. 하지만 작은 발을 지닌 여성에 대한 기호가 높아지면서 전족 행위는 궁정 여성에게 퍼져나갔다. 궁정여인들이 발을 묶기 시작하면서 무희들과 경쟁하기 시작한 것이다.이같은 전족 관습이 일반민에게 확대된 것은 원나라 시대로 추정되며 명초에 이르게 되면 크고 자연스런 발을 지닌 여성은 조소의 대상이 될 정도로 대중화된다. 심지어 19세기에 이르면 중국 여성의 50~80%가 발을 묶게 될 정도로 초대박 유행을 타게 된다. 한마디로 전족은 들에 나가 일할 필요가 없는 '있는' 여성의 상징이 됐다.

반면 전족을 하지 않는 여성은 가난한 신분의 여성이던가 만주족이나 묘족 같은 소수민족인 경우가 대부분이었다. 심지어 전족이 가장 활발하게 진행됐던 하남이나 섬서에선 "걸인이나 물장수도 전족을 했다" 고 전해진다.

이처럼 중국 여인들이 전족을 한 이유는 주로 성적 매력 때문이었다고 한다. 남자들은 전족을 한 여성이 신고 있는 수놓인 작은 신발에 열광했고, 전족한 여성이 절룩거리며 걷거나 흔들리는 엉덩이를 보고 흥분했다고 한다. 전통시대 중국 남성들에겐 미모의 얼굴 못지않게 발이 작은 것이 절묘한 아름다움으로 통했다. "전족을 하면 못생긴 얼굴의 4분의 3은 보완할 수 있다" 는 말도 나왔다. 또 '금련(金蓮)' 이란 표현에서 알 수 있듯 여성의 성기를 상징하던 연꽃처럼 전족은 19금 행위에서도 핵심적인 역할을 했다고 한다. 결국 중국에서 여성의 발은 남편만을 위해 보관돼야 했고, 오직 남편만이 아내의 신을 벗기고 발을 보고, 애무하고 씻기고 향을 입힐 수 있었다고 한다. 이어 작은 발은 아름다움의 대상에서 멈추지 않고 멋과 사회적 지위, 교양의 상징으로 까지 격상됐다.

이같은 전족 보편화의 이면에는 여성의 행동범위를 크게 제한해 격리하려는 12세기 신유학의 이데올로기가 작용했다는 해석도 있다. 전족으로 가정에 묶일 수 밖에 없는 여성은 교육을 받을 필요도 없고, 집밖의 세상을 체험하지도 못하기 때문이다. 결국 무식해지고 시야가 좁아질 수밖에 없는 여성은 남성보다 열등하고, 남성에 종속되는 존재가 될 수밖에 없었다. 이처럼 쓸모없는 노리개를 먹여살릴 수 있는 남성의 부는 더욱 두드러져 보이는 효과도 있었다.

기상관측 이래 최고의 폭설로 서울시내 교통이 한때 마비에 가까울 정도로 교통란을 겪었다. 지난 이틀 동안 미끌미끌한 언덕길을 어기저기 어정쩡하게 기어가듯 내려가고, 빙판길에서 휘청거리기도 여러 번 했다. 무게중심을 최대한 낮추고 땅바닥만 보고 조심스레 걷고 있는데 문득 내 앞에서 젊은 여성분이 하이힐을 신고 총총 걸어가고 있는 놀라운 '신공' 을 목격하게 됐다. 날카로운 힐로 마치 겨울 얼음벽 등산시 아이젠을 찍듯 빠르게 찍으며 흔들림 없이 눈길을 통과하는 모습은 '설악산을 하이힐 신고 올랐다' 는 전설을 무색하게 할 지경이었다. 그 여성분이 왜 빙판길에 하이힐을 신고 나왔는지 연유는 모르겠으나, 나로선 하이힐 신공을 보면서 문득 전통시대 중국의 전족의 모습이 떠올랐다. 전족한 여인은

혼자서 돌아다닐 수 없지만 '현대판 전족'이라는 하이힐의 여인
은 빙판길을 유유히 지나갔다는 게 차이겠지만 말이다.[21][22][23][24][25]

'투규주인(偸窺主人)'. 글자 그대로는 주인을 몰래 엿본다는
뜻이지만, 주인의 무슨 행동을 엿보느냐에 따라 문맥이 달라진다.
대상이 주인의 섹스 행각이라면 이런 행동을 하는 사람은 요즘 정
신의학계에서 쓰는 관음증 환자와 비슷할 수 있다.

18세기 말에서 19세기 전반 무렵 중국 청나라에서 제작된 채색
판화 화첩 '화영금진(華營錦陣)' 중 한 장면을 보면 투규주인이라
는 제목 아래 정사를 나누는 두 남녀와 그들을 훔쳐보는 여인이
등장한다. 그림으로 보면 '투규주인' 하는 주체는 하녀인 셈이다.

이런 구도는 동시대 조선의 화가 신윤복이 그린 풍속화 몇 장면
을 연상케 한다. 예컨대 목욕하는 여인들을 숲속에 몰래 훔쳐보는
아이들을 그린 신윤복의 그림이 투규주인 위로 오버랩하는 것이다.

중국의 춘화(春畵)인 화영금진 속 여인들은 성행위 중임에도 한
결같이 전족을 한 발에 빨간 신발을 신은 모습이다. 당시 중국 여
인들은 섹스 중에도 신발을 신었을지 모른다.

그에 비해 동시대 일본 춘화는 대체로 훨씬 더 노골적이라는 느

낌을 준다.

화정박물관, 한·중·일 'LUST' 전 개최

에도시대를 대표하는 화가 중 한 명인 가쓰시가 호쿠사이(葛飾北齋.1760~1849)가 1812년에 그린 '쓰비의 방식'이라는 제목이 붙은 춘화를 보면 나체로 나뒹구는 남녀 한 쌍 앞에서 역시 교미 중인 쥐 한 쌍이 발견된다. 이들 남녀의 머리 쪽에 앉아있는 고양이 한 마리가 더 해학적으로 다가온다.

이 그림 제목에 들어간 '쓰비'는 쌍, 혹은 짝을 뜻하기도 하면서 여자의 음부를 지칭하는 말이기도 하다.

가쓰시가와 비슷한 시대에 활동한 기타가와 후지마로(생몰년 미상)의 12폭 연작 판화인 '춘정제색(春情諸色)'이라는 춘화 중 여섯 번째 장면에는 한여름 남녀 한 쌍이 사랑을 나누는 모습이 등장한다. 정사는 모기장 안에서 시작됐을 법하지만 얼마나 정사가 격렬했는지, 한데 엉긴 두 몸은 모기장을 절반가량 벗어나 있다.

서울 종로구 평창동 한빛문화재단 산하 화정박물관이 한국과 중국, 그리고 일본의 동아시아 3개국 춘화 61건, 114점을 한자리에 모은 특별전 'LUST'를 마련해 오는 14일 개막한다.

12월 19일까지 계속될 이번 특별전은 비록 아주 오랜 작품들이라고는 하지만 여러 가지 이유로 국공립박물관이라면 쉽사리 시도하지 못하는 포르노그라피 전문 기획전으로 마련했다는 점에서 주목을 끈다.

동시대 중국이나 일본에 비해서는 이상하리만치 남아있는 춘화가 많지 않은 한국 작품 중에서는 국립중앙박물관이 소장하고 있지만 단 한 번도 이 박물관에서는 전시된 적이 없는 '사시장춘(四時長春)'이 선보인다. 사시장춘은 신윤복 작품이라고도 하지만 확실치는 않다.

화정박물관은 8일 이번 특별전이 "본격적으로 춘화를 조명해 보는 최초의 전시로서 감상의 대상으로서 뿐만이 아니라 학술 연구의 대상으로 춘화를 외부로 끌어내고자 했다"고 말한다.

하지만 전시작 거의 대부분이 노골적 성행위 장면을 담았기 때문인지 외부 시선을 고려해 관람객을 '19세 이상'으로 제한하는가 하면, 수간(獸姦) 같은 소재를 한 그림은 내놓을 수 없었다고 한다.[26]

나. 가을 사랑! 가을 미움!

"가을엔 편지를 하겠어요. 누구라도 그대가 되어 받아 주세요. 낙엽이 쌓이는 날……."

가을이 되면 자주 듣는 곡이다. 가을만 되면 부쩍 사랑 노래가 많이 흘러나온다. 그러나 그 사랑의 노래는 대개 애조를 띠고 있어 열정적인 사랑과는 거리가 멀다. 내 기억으로는 대개 열정적인 사랑은 봄에 이루어지고 가을에는 낭만적인 사랑이나 이별이 더 많은 것 같다. 가을에 이별이 많은 이유는 아무래도 기후 탓을 들 수 있다. 인간은 태양의 자손이라 태양이 많이 비칠 때는 힘을 많이 얻어 사랑에 열심히 빠지지만 태양빛이 줄어드는 가을에는 괜히 생각이 많아지면서 신중해지는 것이다.

여름이나 가을이 아니고 봄과 가을에 사랑과 이별이 특히 많은 것은, 여름엔 태양이 모든 것을 다 해 주니 게으르고 늘어져서 사랑과는 멀고 겨울에는 너무 움츠러들어 마음앓이를 하느라고 이별 같은 현실적인 결단까지는 잘 못 내리는 게 아닐까 한다.

아무튼 가을이 되면 광활한 푸른 하늘과 함께 괜히 몸과 마음이 새로워지면서 진지하게 생각을 하게 된다. 사랑이란 뭘까? 사랑은 우리 의지로 가능한 걸까? 언젠가 우리 마음은 심장이나 뇌 등의 우리 몸 안에 있는 것이 아니라 몸 밖에 있다는 말을 인상적으로 들은 적이 있었는 데 사랑 또한 우리 밖에 있는 것이 아닐까? 그래서 우리 힘으로 모르게 사랑에 빠지고 자기도 모르게 이별을 하는 것이 아닐까? 그리고 그 몸 밖의 사랑 때문에 빚어지는 여러 가지 딜레마나 비극을 우리 힘으로 조정할 수 있다고 너무 진지하게 파고들기 때문에 스스로 비극과 고달픔 속으로 뛰어드는 것이 아닐까? 아마도 그럴 것이다. 나를 봐도 내가 사랑에 빠지는 것은 현실과는 거리가 머니 말이다.

옛날 우리 아파트로 들어오는 뒷골목에는 조그만 만화방((漫畫房; 만화책을 갖추어 놓고, 돈을 받고 빌려주거나 그곳에서 읽게 하는 가게) 이 하나 있었다. 그 만화방 앞을 지나갈 때면 나는 나도 모르게 소년 시절의 감상에 젖어 가슴이 두근거리곤 했다. 그 만화방 여주인이 너무 미인이기 때문이었다. 유리문을 통해 엿보게 되는 그녀의 모습은 다소곳하고 지적이고 성실하고 아름다워, 나는 멍하니 그 모습을 훔쳐보거나 행여 눈이라도 마주칠세라 시선을 돌리곤 했다.

가슴 속의 흑심 때문인지 나는 오히려 그 만화방을 잘 못 들어가고, 들어간다 해도 그 여주인은 감히 쳐다보지도 못하고 만화만 열심히 고르곤 했다.

　이상하게 미인 앞에서 주눅들고 열등감을 느끼는 것은 예나 지금이나 마찬가지다. 그러다 그 미인하고 사랑이라도 빠지면 어떨까? 아마 눈에 뵈는 게 없을 것이다. 그러다가 그 미인으로부터 상처를 받으면……. 아마 지옥이나 무저갱에라도 떨어질 듯이 아플 것이다. 그런데 문제는 비단 그 만화방 여주인만 그렇게 예쁜 여자는 아니라는 것이다. 세상에는 미녀도 많고 미남도 많다. 내가 아무리 예쁜 여자와 사랑에 빠지고 결혼했다고 하더라도 세상의 미녀들은 내 마음을 동하고 혹하게 한다. 그것은 비단 나뿐만이 아니라 어느 누구도 다 마찬가지일 것이다. 세상의 비극은 예쁜 여자와 멋진 남자, 아니 여자와 남자가 너무 많고 주위에 가깝게 있다는 데 있다. 그만큼 마음은 많이 동하고 그로 인해 과거에 사랑에 맹세했던 사람들에게는 진한 아픔을 주게 된다.

　내가 한 사람만을 사랑하고, 그 사람이 나만을 사랑한다면 사랑의 비극이 왜 생기겠는가? 그러나 그것이 내 의지대로 안 된다는 데 문제가 있다. 그리고 그러한 것은 나뿐만 아니라 다른 사람 또한 마찬가지이기에 나 또한 믿었던 상대로부터 상처 입는 일이 많은 것 같다.

　그러나 이렇게 가슴에 차오르는 사랑과 저미는 미움도 세월이 지나고 보면 한바탕 꿈에 불과하기도 하다. 이런 사랑과 미움에 유달리 깊이 빠지는 것은 아무래도 가을 날씨 탓이 큰 것 같다. 적당히 살기 좋으니 좀더 완벽해지고 많이 가지려고 욕심내다 보니 인생이 고달파지는 것이다.[27]

　여성 파트너를 제대로 이끌어가지 못하는 남성일수록 오히려 자신이 과녁 '적중' 시켜서 제대로 목표지점을 향해 나아가는 듯한 느낌을 갖는다. 여성이 성교로 인한 통증 때문에 속임수를 써서 비상 제동을 걸면 그것이 남성을 자극하여 고통스러운 여행을 계속하게 만들기도 한다.

때로는 남성이 적절하지 않은 순간에 "당신은 어땠어?" 라고 눈치 없는 질문을 해대는 것이 문제라고 성치료사 캐럴 달링(Carol A. Darling)이 지적한 바 있다.[28] 솔직하게 대답해 주기를 바라는 듯한 질문이지만 그것이 여성을 불안하게 만들 수 있다. 다시 말해서 여성의 입장에서는 상대방이 자신의 성교 기술을 확인하고 싶어서 묻는 것인지, 아니면 단지 성관계가 어떠했는지를 알고 싶어서 묻는 것인지, 아니면 단지 성관계가 어떠했는지를 알고 싶어 묻는 것인지 고민하게 된다. 달링(Darling) 병원에 찾아온 여성 환자들 중에는 그런 질문을 "앞으로는 오르가슴 연기를 더 잘해달라" 라는 의미로 해석하는 여성이 많았다.

그렇지만 긴장이 풀리고 화기애애한 분위기가 되었을 때 남성이 상대 여성의 쾌감을 중요시한다는 것과, 여성 쪽에서도 더 잘해주고 싶다는 뜻을 주고받으면 바람직할 것이다. 성행위가 진행하는 동안에는 그런 대화를 나누기에 적절한 시점이 아니라고 달링은 지적한다 "성과 관련된 대화는 중립적 시점에서 이루어져야 한다"

남성은 여성에게 "오르가슴을 느꼈어?" 라는 식으로 노골적인 질문을 던질 것이 아니라 "우리들 성생활이 재미있지?" 라고 일반적인 질문으로 운을 떼기 시작한 다음에, 편안한 표현을 써서 "당신을 더 즐겁게 해 주려면 내가 어떻게 해야 좋겠어?" 라고 구체적인 단계로 넘어가야 한다고 조언하면서 다음과 같이 결론을 맺는다.

"결국 여성의 오르가슴은 남성 책임이 아니라 여성 자신에게 달려 있다. 그러므로 여성은 자신의 성생활에 관하여 남성 파트너에게 이해시켜야 한다. 이때 중요한 것은 오르가슴이 아니라 함께 누리는 즐거움을 중심에 두어야 한다는 점이다." [29]

베를린의 플레이보이로 알려진 중년의 롤프 에덴은 으리으리한 디스코 장의 소유주로서 수많은 섹스 행각을 벌인 인물로 유명했는데, 그는 순간의 죽음과 영원한 죽음을 일치시키려고 모든 재산을 걸었다. 자신과 함께 생의 마지막 순간을 침대에서 지낼 여자에게 25만 유로를 상속하겠다고 공언했던 것이다. 그는 『빌트 차이퉁』과의 인터뷰에서, 30세 미만의 매력적인 여인의 품안에서 죽는 것 이상으로 더 아름다운 죽음은 상상할 수 없다고 고백했다. "나는 인생의 가장 아름다운 순간에 숨을 거두고 싶다. 우선 아름다운 여인과 실컷 즐기고, 격렬한 섹스를 나누면서 최후의 오르가슴을 맛볼 것이다. 그런 다음에 심장마비로 모든 삶을 마감하고, 나는 사라질 것이다." [30]

섹스(Sex)[31]는 왜 스포츠인가. 섹스를 하면 살이 빠진다는 점에서 그것은 매우 유익한 스포츠다. 운동을 하면 숨이 차면서 심장이 일을 하게 되는데, 이때 흘린 땀에 의해 콜레스테롤이 녹아 나오고, 근육이 단련된다. 심장에 부하가 걸리면서 몸 구석구석에 혈액순환이 잘되고, 노폐물이 빠져 나온다. 더군다나 헬스클럽(health club)에서의 운동처럼 지루하지 않고, 즐거우면서 행복한 여가생활이다.

개인차에 의해 소모열량은 다양하긴 하지만 한 번의 섹스에는 대체로 200~1000 킬로칼로리의 열량이 소모되는데 이것은 여성이 하루에 섭취하는 열량의 절반 정도에 해당된다. 특히 " '열정적인 30분간의 섹스'는 800 킬로칼로리의 열량을 소모한다"는 것이 성학자들의 일반적인 견해다.

옷을 벗기는 데 12 킬로칼로리, 클리토리스를 찾는 데 8 킬로칼로리, G-스폿(G-spot; 여성의 생식기인 질의 일부분으로 자극에 특별히 민감한 부위)[32][33]을 자극하는 데 92 킬로칼로리, 오르가슴을 느낄 때 소모되는 칼로리는 112 킬로칼로리가 된다고 한다. 평상시 운동처럼 40~60정도 하는 것이 좋은데, 전희 스트레칭 25~30분, 삽입 섹스 15~25분, 후희 5~10 분으로 나눠 자신의 최대 운동 능력의 40~60퍼센트 정도를 발휘하는 것이 좋다.[34]

섹스는 신이 내린 최상의 보약이고 예방의학이다. 그 뿐인가. 섹스는 심장질환도 예방하고, 통증 완화 효과도 있으며, 자궁질환 예방 효과와 우울증 치료와 노화방지 효과까지 있다. 이렇게 좋은 섹스를 하지 않다니. 매일 돈 안들이고 할 수 있는 운동을 열심히 하자. 남녀의 행복은 친밀감, 열정, 섹스가 어우러져야 비로소 완성되는 것이다.[35]

여자는 성적으로도 남자처럼 금세 반응이 오지 않는다. 남자와 여자는 불과 물의 성질을 가지고 있기 때문이다. 남자는 불처럼 금세 뜨거워졌다가 금세 꺼져 버리고, 여자는 물처럼 서서히 뜨거워졌다가 서서히 식기 때문이다. 그래서 여자와 남자는 반응이 다르다. 육체적으로도 마찬가지다.

남자는 성적 자극에도 빨리 쉽게 반응한다. 한참 애무를 해야 클리토리스(clitoris)에 피가 몰린다. 또한 남자는 흥분한 것을 숨길 수가 없다. 발기되면 바로 알기 때문이다. 하지만 여자들은 흥분해도 숨길 수가 있다. 절대로 본인 외에는 알 수가 없기 때문이다. 얼마든지 마음만 먹으면 흥분한 것처럼 속일 수도 있고, 흥분하지 않은 것처럼 행동할 수 있다. 따라서 남자와 여자는 시간차 공격을 해야 한다. 만약 여자가 남자 스타일로 진도를 나가면 항상 서로에게 상처를 준다. 남자는 여자가 자신을 사랑하지 않는다고 생각해 서운

해하고, 여자는 이제 뜨거워졌는데 남자의 흥미기 다른 데로 가버려 서운하다.

그래서 남녀의 결합이 쉽게 이루어지기 어려운가 보다. 만약 반은이 같다면 많은 사람과 결혼을 해야 하거나, 여러 사람과 눈이 맞아서 평생 파트너를 바꾸면서 사랑을 해야 할텐데 그것이 얼우니까 평생 한 두 명밖에 사랑할 수 없나 보다.

100 미터 달리기를 상상해 보자. 이미 남자는 50 미터 앞에 서 있다. 여자는 50 미터 뒤에 처져 있다. 그러면 그 차이는 쉽게 줄어들지 않는다. 계속 진도를 나갈 수 없다. 무슨 말을 해도 들리지 않고, 서로 갈증만 더해 간다.

이럴 때 남자는 여자가 50 미터 지점에 올 때까지 기다려 주면 된다. 여자는 남자의 배려에 고마워하고, 그때서야 어느 정도 몸이 뜨거워진다/ 이 지점에서야 남자는 여자와 같이 대화도 할 수 있고, 사랑도 할 수 있다. 절대로 남자들은 서두르지 말자. 여자가 뜨거워질 때까지 기다려야 한다. 남자는 여자를 좀 기다려 줘야 한다. slow slow slow.....[36]

다. 홍매화 핏빛 바람

그림인가…. 글씨인가…. 송계 박영대님의 홍매화 작품이다. 노련하게 붓을 휘둘러 쓴 女자가 화폭에 비스듬히 누워있다. 그 품으로 남자를 상징하는 子자가 몸을 기울여 들어오며 검은 꽃가지를 형성했다. 흐르다 멈칫, 흐르다 멈칫, 드리운 가지들이 결국 동체를 이룬다. 피어난다…. 정점에 이른 가지들 사이로 붉은 홍매화 이파리들이 점점이 피어난다. 고매한 미술작품이 감성을 적시며 아련한 기억의 문을 열고 달린다. 홍매꽃 이파리처럼 붉은 핏빛 사랑을 했던 큰언니가 생각난다.

친정집 뒤란 샘가에 홍매 나무가 있었다. 어느 봄날, 서울 언니가 내려왔다. 나는 큰언니를 서울 언니라고 불렀다. 언니는 봄날 내내 안방 뒷문을 열어 놓고 매화나무를 바라보았다. 언니는 말을 안 했다. 돌멩이도 기왓장도 아닌데 왜 말을 안 하냐고 엄마가 큰언니를 흔들었다. 그러다가 "세월보다 좋은 약은 없는 겨….." 하고 이해할 수 없는 말을 가만가만한 어조로 말씀하셨다. 이해할 수 없는 건 그뿐이 아니었다. 서울서 돈 버는 언니 남편감이 보냈다면서 식구들 선물을 가지고 온 날, 부모님은 좋은 사람 만났다며 기뻐하셨다. 나는 그때 받은 분홍 줄무늬 원피스를 잘 때도 입고 잤다. 그런데 아버지 손에 끌려서 짐보따리를 싸서 집으로 내려온 거다.

큰언니는 죽음 같은 사랑을 했던 거다. 언니가 그 검은 강에 빠져 있을 때 나는 여섯 살이었다. 내게 큰언니 이야기는 금기였다. 철없는 나는 언니에게서 풍기는 분 냄새가 좋아 언니 주변을 맴돌았다. 어느 날 흑백사진을 언니가 보여줬다. 사진 속에 눈이 똘방한 사내 아기가 누워서 장난감을 빨고 있었다. 누구냐고 묻자 언니는 울면서 어른들께 사진 이야기를 하지 말라는 말만 했다. 나도 그냥 따라서 울었다.

홍매화 꽃잎들이 날려 샘으로 들어가 빙빙 돌다 물결을 따라 고랑을 타고 수채로 떠갔다. 떠가는 꽃 이파리들과 매니큐어를 바른 언니 손톱 색이 같았다. "언니 손톱하고 똑같다." 했더니 내 머리를 쓰다듬었다. 언니는 홍매화 꽃잎처럼 붉게 멍든 가슴을 봄날 내내 삭이며 울고 울더니 봄날이 가듯 홀연히 집을 나갔다. 그리고 엄마 말씀처럼 세월에 상처가 아물었는지 새로운 동반자를 만나 늦은 결혼을 했다.

작은 언니에게도 눈물 바람 봄날이 있었다. 하지 말아야 할 사랑

을 했던 큰언니와 달리, 작은 언니는 너무도 이른 사랑을 했다. 그
해 봄날, 한 청년이 우리 집 마당에서 밤새 무릎을 꿇고 있었다.
죄목은 중학교를 갓 졸업한 열일곱 살 언니에게 임신을 시킨 거였
다. 바위 같은 아버지 마음을 녹지게 한 건, 몸을 뒤틀면서 밤을
새운 청년이 아닌, 홍매화 꽃잎처럼 붉은 눈물을 베갯잇에 뚝뚝 떨
군 작은언니 눈물 바람이었다. 언니는 그 봄날이 가기 전에 면사포
를 쓰고 어린 신부가 됐다.

사랑을 하는 일은 하늘을 나는 숭고함이다. 나뭇잎 하나 풀잎 하
나까지 핑크빛으로 보이는 심상이다. 마음에 물든 사랑은 아름답지
않은 게 없다. 별처럼 휘황한 감정은 이성을 제압한다. 밀물이 갯
벌을 덮듯 서로를 삼켜버린다. 가슴엔 시냇물이 넘치고 정서는 강
을 따라 물결친다. 작은 풀벌레 움직임에도 생각은 날개를 단다.
쏟아지는 달빛을 받으며 둘이 걸으면 습지대도 자갈길도 황금 길
이 된다. 하지 말아야 할 사랑이어도, 현실적인 계산을 못 한다. 그
저 사랑하다 진심이 됐을 뿐이다.

한 나무가 내나 똑같은 새싹이 없고 똑같은 이파리가 없듯, 사랑
이야기는 사람마다 다르다. 나의 언니들도 각기 다른 방식으로 사
랑을 했다. 금단의 사랑을 했던 큰언니는 죽음의 강을 건너야 했
다. 그리고 허허벌판에서 만난 무너진 성전을 바라보는 것처럼 쓸
쓸함을 안고 산다. 작은 언니는 급히 떨어진 별똥별이 몸과 마음을
일시에 태워 삼켜버리듯 급한 사랑을 했다. 이도 저도 사랑이요,
세월이라는 수직 절벽을 타고 유장하게 흐르는 물처럼 그 이름은
변하지 않는다.

봄날은 간다. 간다는 건 유익한 일이다. 가면서 이름과 달리 사
랑은 견딜 만큼 퇴색한다. 그렇지 않으면 삶의 행간에서 만나는 아
픔이나 유쾌하지 않은 일들을 어찌 다 견디어 내겠나.[37]

영국 시인 토머스 엘리엇은 '황무지'라는 작품에서 4월을 '가장 잔인한 달'이라고 했다. 죽은 땅에서 라일락을 키워내고, 잠든 뿌리를 봄비로 깨우는 4월이 오히려 눈 내리는 겨울보다 더 춥다고도 했다. 이를 두고 문학평론가들은 다양한 해석을 쏟아냈다. '황무지'보다 약 500년 전에 제프리 초서가 지은 '캔터베리 이야기'에 대한 패러디이자 반작용으로 보는 견해도 그중 하나다. '캔터베리 이야기'에서 4월은 '감미로운 소나기'를 내리는 달이다. 달콤한 서풍이 밭과 숲의 어린 가지에 생명의 입김을 불어넣는 달이기도 하다.

그러나 사랑에 목마른 사람에게 봄은 겨울보다 더 춥게 느껴질 수도 있다. 몸의 추위는 집에서 따뜻한 난로로 피할 수 있지만, 마음의 추위는 날이 좋으면 좋을수록 더욱 깊어질 수밖에 없다. 엘리엇이 4월을 잔인한 달로 표현한 것이 이 때문이라는 해석도 있다.

즉 초서의 4월과 엘리엇의 4월은 똑같다. 모두 꽃이 향기를 뿜어내고 나무는 새순을 틔우며 세상이 생명으로 고동치는, 그래서 미치도록 사랑하고 사랑받고 싶은 때다. 그것을 초서는 눈에 보이고 피부에 와닿는 느낌 그대로, 엘리엇은 반어적으로 표현했을 뿐이다.

이런 4월을 대표하는 꽃 가운데 하나가 라일락이고, 라일락이 영미문학의 대표작에 등장하는 만큼 라일락을 외국산 꽃으로만 생각하기 쉽다.

하지만 요즘 우리가 흔히 보는 라일락은 한국산에 가깝다. 과거 미국의 한 식물채집가가 우리 고유종 '수수꽃다리'의 종자를 미국으로 가져가서 품종을 개량했고, 이를 역수입한 '서양수수꽃다리'가 현재 국내에 퍼진 라일락이다. 그 식물채집가의 일을 도운 한국인 직원의 성이 김씨여서 서양수수꽃다리를 '미스김라일락'으로도 부른다는 얘기가 여러 백과사전에 실려 있다.

아무튼 엘리엇이 '죽은 땅에서 4월이 키워냈다'고 한 꽃은 유럽이 원산지인 라일락이다. 하지만 요즘 우리 주변에서 흔히 보이는 라일락은 한국 고유종 수수꽃다리를 개량한 꽃이다.[38]

삶의 영역 중에서 사랑과 성생활이라는 원초적인 힘만큼 인간에게 행복에 대한 희망과 만족을 주는 영역은 없을 것이다. 그러나 고대 철학자들은 성적 행복이란 그 안으로 진입하는 순간에 사라진다는 사실을 이미 간파하고 있었다. 최고의 희열은 그 안에 이미 종말을 품고 있어서, 순식간에 황홀감과 만족감을 날려버리고 다시

금 새로운 욕구를 자극한다.

따라서 행복한 삶을 영위한다는 것은 최대의 희열을 얻어내는 것 이상을 의미한다. 그럼에도 삶의 기쁨과 신체적·정신적 건강을 도모하는 데 성적 욕구충족이 무시할 수 없는 역할을 한다는 사실을 뒷받침하는 과학적 자료들은 갈수록 늘어나고 있다. 죄를 짓는 사람은 잠을 이지 못하는 대신에 삶을 구성하는 원칙들 중의 하나를 유지하고 있다.

과거의 사상가들 중에는 육체적 쾌락을 행복이 아닌 저주라고 인식한 사람이 많았다. 로마의 철학자 세네카(Lucius Annaeus Seneca)는 "욕망이 가난한 자가 가장 부자" 라고 설파했다. "쾌락을 누리며 살아온 자는 불쾌하게 죽는다" 라는 격언도 같은 의미를 담고 있다. 그렇다면 인간이 과연 성생활 전체를 통해서 진정한 기쁨을 얻는 것인지 묻지 않을 수 없다.

시카코 대학의 사회학자 에드워드 라우만(Edwrd O. Laumann)이 미국인의 성생활에 관해 실시한 연구에 의하면, 성욕 충족감은 파트너의 수와 반비례하는 것으로 나타났다. "육체적 쾌락과 정서적 만족을 얻으려면 파트너를 여러 명이 아닌 한 명을 두는 것이 더 바람직한데, 특히 부부라야 더욱 좋다."

따라서 행복감을 가장 많이 느끼는 그룹은 섹스 파트너가 한 명으로 한정된 사람들이고, 여러 명과 교제하는 사람은 행복감이 다소 떨어지는 것으로 나타났다.

성적 만족감은 삶의 행복 전체에 영향을 미친다. 성생활에 만족감을 느끼는 사람들은 모든 부분에 거쳐서 즐겁다고 대답하는 비율이 높게 나타났다. 그들은 스스로 "건강하다" 라고 말하는 경우가 많고 고독을 느끼는 사람은 드물었다.[39]

미국 전문잡지『아메리칸 데모그래픽스』의 분석에 의하면 잦은 성교는 정신건강상 바람직한 것으로 나타났다. 성교 횟수가 많은 사람일수록 행복한 삶과 행복한 결혼 생활을 영위한다고 대답할 가능성이 많다. 주목할 만한 것은 이러한 경향이 여성에게서 특히 강하게 나타난다는 점이다. 성행위를 자주 하는 여성들일수록 생활 전체를 활기차다고 여길 뿐만 아니라 권태를 느끼는 경우가 아주 드물었다. 성교를 통해서 오르가슴에 도달하는 능력은 여성의 삶의 만족도에 강한 영향을 미친다. 정기적으로 절정감을 맛보는 여성들이 매우 또는 최고로 행복하다고 여긴다. 섹스에 대해 관대하고 자유분망한 태도를 가진 사람들은 성생활뿐만 아니라 생활 전반에 대해 특별히 만족한다.[40]

하지만 나이 40쯤 되면 사는 것이 덧없어진다. 체력도 달리고, 젊었을 때의 패기도 없고, 실패도 두려워진다. 주위 사람이 병을 쓰러질 때마다 다시 건강을 걱정하게 된다. 부부간의 성생활도 무덤덤하고 심드렁해진다. 끈끈함과 애틋함이 사라지는 것이다.

결혼에는 색스라는 형식이 반드시 필요하다. 옛날에는 섹스 없이 서로 참고 살았다. 하지만 지금 세대는 성적 교접이 부족하면 참고 살지 않는다. 만약 며칠간 섹스 없이 지냈다면 작은 일에도 쉽게 화를 내고, 뭔가 티격태격하게 된다.

섹스할 때 분비되는 옥시토신은 사람을 편안하게 하고 마음을 안정시키는데, 섹스를 오래도록 하지 않으면 그 호르몬이 분비되지 않아 쉽게 신경질 내게 된다.

물론 섹스 없이도 살 수 있다. 대부분 둘 중 하나가 성욕이 없거나, 한쪽이 섹스를 싫어하거나, 안 된다고 해서 파트너에게 그것을 감당하게 해서는 안 된다. 이가 없으면 잇몸이 그 역할을 대신 하듯이 메인 섹스가 안 되면 오럴 섹스(oral sex)나 마사지(massage)라도 해 주어야 한다.

라. 발견하고, 길들이고, 어둠이 되다

자유와 구속을 오가는 사랑의 존재론에 관해 고전적인 해답을
구한다면, 저는 서슴없이 생텍쥐베리(Antoine Jean-Baptiste Marie
Roger de Saint-Exupéry)[41]의 『어린왕자』[42]를 이야기하겠습니다.

그는 『어린 왕자』의 시작을 다음과 같이 적었다.

나는 코끼리를 삼키고 있는 보아 구렁이를 그려서 어른들에게
보여주었다. 무섭지 않으냐고 하자 어른들은 모자가 뭐가 무서우냐
고 하며 그런 그림을 그리고 있느니 지리나 역사에 관심을 두라고
하였다. 그래서 나는 내 어릴 적 꿈인 화가라는 직업을 포기하고
비행기 조종하는 법을 배웠고 나는 세계 여기저기 안 가본 곳이
없다. 비행기를 타고 세계 일주를 하던 중 비행기가 갑작스럽게 고
장이 나버렸다. 그래서 도착한 곳은 사하라 사막 한가운데였다. 사
막 한가운데에서 비행기를 고치고 있을 때 어린 왕자를 만났다.

어린 왕자는 말 그대로 어린아이인데 얼마나 심오한 이야기를
하는지 보자.

추락한 지 여드레째 되는 날 물이 떨어졌다. 어린 왕자와 함께
샘물을 찾아 나섰다. 별들이 보였다. "별은 보이지 않는 꽃 때문
에 아름다운 거야. 사막이 아름다운 것은 어딘가 우물이 숨어 있어
서 그래." 이 말을 듣고 나는 이 모래의 신비로운 빛남을 이해하
게 되었다. 왕자는 잠이 들었다. 잠든 왕자가 내 마음을 감동하게
하는 것은 이 애가 꽃 하나에 충실한 것 때문이었으리라. 어린 왕
자가 지구에 떨어진 지 일 년이 되던 날. 그는 우물가의 벽에 올라
앉아 노란 뱀과 이야기하고 있었다. 그는 돌아갈 것이라고 쓸쓸히
말했다. "내 별이 작아 보여줄 수는 없어. 모든 별을 봐. 그 중의
어느 하나에서 내가 웃고 있겠지. 그러면 아저씨에게는 모든 별이

웃는 것 같이 보이겠지. 결국 아저씨는 웃을 줄 아는 별을 가진 거야."

이 작품에서 생텍쥐페리는 여우를 통해 마음으로 느끼고 마음으로 보는 진실성을 점차로 상실해가고 있는 오늘의 어른들, 즉 삭막한 물질문명에 찌든 사람들로 가득한 현실을 고발했다고 볼 수 있다.

『어린 왕자』가 그야말로 많은 사람으로부터 사랑을 받는 것은 그만큼 『어린 왕자』의 이미지가 신선하면서도 심오한 의미를 품고 있기 때문이다. 서강대학교 우찬제 교수는 『어린 왕자』가 사랑받는 이유로 어른들의 광기에 물든 강압적 세계로부터 예술적, 풍자적으로 인간을 해방해주고, 현실세계의 숨 막히는 사막 속에서 우리가 비로소 숨을 돌릴 수 있도록 해준다는 점을 들었다. 그러나 가장 근본적인 이유는 사랑의 조건이 없는 성실성에 대한 믿음을 『어린 왕자』가 어느 정도 되살려낼 수 있기 때문이라고 말한다. 그것은 죽음 속에서도 깨지지 않는 사랑의 결합을, 우정과 연대의 숭고한 노래를 매혹적인 소박함과 아름다움의 이미지로 보여주는 것이다.

여러분도 잘 아는, 바로 이 대목에서부터 살펴보기로 한다.

"그런데 '길들인다' 는 게 무슨 뜻이니?"

어린 왕자가 또다시 물었습니다.

"그건 자칫하면 잊기 쉬운 거야. 그건 '관계를 맺는다' 는 뜻이야."

"관계를 맺는다니?"

"그렇단다. 내게 있어서 너는 지금 수많은 소년들 중 하나일 뿐이야. 그러므로 난 너를 필요로 하지 않아. 그리고 너도 역시 날 필요로 하지 않을 거야" 하지만 "네가 나를 길들인다면 우리는 서

로를 필요로 하게 되고, 서로에게 세상의 단 하나뿐인 존재가 된
다. 그렇게 의미 있는 존재로 바뀌는 게 사랑이다” 여우는 이렇게
말합니다.

　이야기를 들으니 대번 떠오르는 시가 있죠? 네, 김춘수의 「꽃」
입니다

꽃

김춘수[43)

내가 그의 이름을 불러주기 전에는
그는 다만
하나의 몸짓에 지나지 않았다.

내가 그의 이름을 불러주었을 때,
그는 나에게로 와서
꽃이 되었다.

내가 그의 이름을 불러준 것처럼
나의 이 빛깔과 향기에 알맞는[44)
누가 나의 이름을 불러다오.
그에게로 가서 나도
그의 꽃이 되고 싶다.

우리들은 모두
무엇이 되고 싶다.
너는 나에게 나는 너에게
잊혀지지[45) 않는 하나의 눈짓이 되고 싶다.[46)

여우라면 김춘수의 「꽃」이라는 시를 이렇게 해설할 겁니다.

"네가 날 길들여 준다면 내 삶은 햇살처럼 밝아질 거야. 다른 모든 발소리와 구별되는 하나의 발소리를 갖게 되는 거야. 다른 사람들의 발소리는 나를 땅 속으로 숨게 하지만. 너의 발소리는 마치 음악처럼 나를 굴 밖으로 불러낼 거야. 자, 봐! 저기 밀밭 보이지? 나는 빵을 먹지 않아. 그러니까 나에게 밀은 소용없는 식물이야. 밀밭을 봐도 아무것도 생각나지 않아. 그건 얼마나 슬픈 일인지! 그런데 네 머리카락이 금빛이잖아. 네가 나를 길들여 준다면 정말 멋질거야. 황금빛 밀을 보면 네가 생각날 테니까. 그리고 나는 밀밭을 지나가는 바람 소리도 좋아하게 되겠지."

상대의 마음에 들고자, 상대가 길들이는 대로, 아니 그 이상으로 만족시키고 싶은 마음. 그게 사랑이라면, 사랑은 그 자체로 과잉입니다. 안 해보던 일도 하게 만들고, 머뭇거리던 선을 가뿐히 넘어서게 합니다.[47]

어린왕자는 아주 작은 별에서 장미꽃과 살고 있었는데요. 장미의 오만함과 어리석음을 고쳐주기 위해 여행을 떠나게 됩니다.

일곱개의 별을 여행하면서 다양한 종류의 인간을 보게 되는데 첫번째 별에는 권위적이고 높임받길 원하는 왕이 살고 있었습니다.

두번째 별에는 자신의 칭찬 외에는 귀를 기울이지않는 허영쟁이가 살고있었습니다. 세번째 별에는 술 마시는게 부끄럽다고 또 술을 마시는 알콜중독자가 살고있었습니다.

네번째 별에는 우주 5억개의 별이 모두 본인것이라고 되풀이하며 세고있는 상인이 살고있었습니다. 다섯번째 별에는 1분마다 한번씩 불을 키고 끄는 점등인이 살고있었습니다.

여섯번째 별에는 자기별도 탐사해보지 못한 지리학자가 살고있었습니다. 그러면서 인간의 잘못된 가치관을 꼬집게 되는데요,

마지막으로 일곱번째 별인 지구에서 지혜로운 여우를 만나게 되고 여우는 어린왕자에게 "길들인다" 라는 의미를 알려주었고 어린왕자는 깨닫습니다.

어린왕자는 지구에 떨어진지 1년이 되는 날 두고온 장미를 책임지기 위해 자신의 별로 돌아갈 것을 결심하게 됩니다.

어린 왕자와 헤어지면서 여우는 사랑의 비밀 한 가지를 가르쳐 줍니다.

"이제 내가 비밀을 말해 줄게. 그건 아주 간단해. 마음으로 보아야 한다는 거야. 정말 중요한 것은 눈으로 보이지 않아."

"중요한 것은 눈으로 보이지 않는다."

"네 장미기 그렇게 중요한 것은 네가 그 꽃을 위해 기울인 시간 때문이야."

"내가 내 꽃을 위해 기울인 시간 때문이다…."

어린 왕자는 그 말을 기억하기 위해 되뇌었습니다.

"사람들은 이 진실을 잊어버리고 있어. 하지만 넌 잊지 말아야 해. 네가 길들인 것에 대해서는 영원히 책임을 져야 해. 넌 네 장미를 책임져야 해…."

구속될 것을 스스로 자유롭게 선택한 것이 사랑입니다. 선택은

책임을 동반합니다. 상대방의 자유를 구속한 대가를 기꺼이 지불해야 하는 것입니다.

사랑이란 일시적이고 충동적인 것이 아니라, 길들이고 길들여질 충분한 시간을 이루어낸 것이기 때문입니다. 오랫동안 서로 생각하고 생각하며, 사모하고 사모해서 계약한 관계이기 때문입니다.

현대 자본주의 문화는 가래라는 개념에 기초하고 있다. 하여, 사랑은 자유이지만, 자기가 지닌 교환 가치의 한계를 고려하면서 서로 시장에서 교환할 수 있는 최상의 대상을 찾아냈다고 느낄 때에만 사랑에 빠질 수 있다는 비애가 성립하고 만 것이다. 사랑할 대상을 발견하기 어렵다는 것은 이런 뜻이다.[48]

사랑론(論)

허영만

사랑이란 생각의 분량이다. 출렁이되 넘치지 않는 생각의 바다, 눈부신 생각의 산맥, 슬픈 땐 한없이 깊어지는 생각의 우물, 행복할 땐 꽃잎처럼 전율하는 생각의 나무, 사랑이란 비어 있는 영혼을 채우는 것이다. 오늘도 저녁녘 창가에 앉아 새 별을 기다리는 사람아. 새 별이 반짝이면 조용히 꿈꾸는 사람아.

－『첫차』(황금알, 2005)

우리말 역사에서 '사랑하다' 와 '생각하다' 가 원래 한뜻이었다는 것은 분명합니다. 다만 '사랑' 이란 우리말의 어원은 확정된 바가 없는데, '생각하여 헤아리다' 라는 뜻의 '사랑(思量)' 에서 유래 되었다는 설도 있으니, 말 그대로 누군가를 사랑한다는 건 그만큼 그를 생각한다는 것일 테니까요

많이 사랑한다는 건 많이 생각한다는 것이고 많이 생각낭다는 건 그를 사랑한다는 증거가 될테지요. 오랜 세월 끊임없이 늘 생각하는 사람이 있다면 그건 분명 사랑입니다. "네가 장미가 그렇게 중요한 것은 네가 그 꽃을 위해 기울인 시간 때문이야" 라는 여우의 말이 바로 이런 뜻 아니겠습니까.[49]

Lolita, light of my life, fire of my loins. My sin, my soul. Lo-lee-ta: the tip of the tongue taking a trip of three steps down the palate to tap, at three, on the teeth. Lo. Lee. Ta. She was Lo, plain Lo, in the morning, standing four feet ten in one sock.

She was Lola in slacks. She was Dolly at school. She was Dolores on the dotted line. But in my arms she was always Lolita.

롤리타, 내 삶의 빛이요, 내 생명의 불꽃. 나의 죄, 나의 영혼. 롤-리-타. 세 번 입천장에서 이빨을 톡톡 치며 세 단계의 여행을 하는 혀 끝. 롤. 리. 타. 그녀는 로, 아침에는 한쪽 양말을 신고 서있는 사 피트 십 인치의 평범한 로. 그녀는 바지를 입으면 롤라였다. 학교에서는 돌리. 서류상으로는 돌로레스. 그러나 내 품 안에서는 언제나 롤리타였다. 소설 『롤리타(Lolita)』, 블라디미르 나보코프, 민음사.

마. 사랑과 性.

요즘 아주 핫한 영화가 있다. 베니스영화제에서 황금사자상을 수상한 이후, 유수의 영화제와 아카데미상 여우주연상 등 무려 89개 트로피를 거머쥔 《가여운 것들(poor things)》이다. 우리나라에서 크게 흥행한 《라라랜드》의 엠마 스톤이 여주인공 벨라를 연기했으며, 헐크로 유명한 마크 러팔로가 바람둥이 매력남 변호사 덩컨 역을, 학식은 대단하지만 괴팍한 과학자이며 의사 역할을 유명한 연기파 배우 윌럼 데포가 맡아 열연했다.

《가여운 것들》의 줄거리는 대략 이렇다. 영국 런던의 템스강에 만삭의 귀족 여인이 투신하고, 그 여인은 숨만 붙은 채 갓윈 박사에게 인계된다. 갓윈 박사는 배 속 아기의 뇌를 만삭 여인에게 이식해 그녀를 되살리고 벨라라는 이름으로 새로운 인생을 살게 한다. 아기의 뇌로 다시 살아났기 때문에 벨라는 성인 여성의 몸을 가지고 있음에도 미숙하기만 하다. 갓윈 박사는 성실한 조수와 결혼시켜 그녀의 삶을 안정시켜 주려 하지만 그녀의 미모에 반한 바람둥이 변호사 덩컨은 그녀를 유혹해 낸다. 바깥세상에 대한 호기심과 자유를 원하는 벨라는 덩컨과 함께 여행을 떠나고, 새로운 세상과 사람들을 만나는 한편 덩컨과 '신나는 운동'처럼 본능적인 섹스를 한다.

영화 《가여운것들》 스틸컷(네이버 캡처)

세상에 대한 지적 호기심을 충족해 가면서 벨라는 점점 정교한 언어와 자의식을 가지게 되는데 일말의 사건으로 둘은 빈털터리가 되어 파리에 도착한다. 파리에서 생존을 위해 성매매를 자발적으로 하며 벨라는 더욱 주도적인 여성으로 성장해 가지만 갓윈 박사의 병세 악화 소식을 듣고 벨라는 다시 런던으로 돌아오고 자신의 삶을 찾아간다.

영화의 시대 배경은 영국의 가장 금욕적인 시기였고 성의 암흑기라 해도 과언이 아닌 빅토리아 여왕(1819~1901) 시대인데, 이 시기 영국은 가장 강력한 국가였으며 '해가 지지 않는 나라'로 불릴 정도였다. 64년을 재위한 빅토리아 여왕은 고집스럽고, 신앙심이 독실한 데다 젊은 나이에 남편을 잃고 평생 독신으로 살았다고 한다. 그런 시대사조 때문인지 당시 영국은 금욕을 미덕으로 삼아 성을 심하게 억압했다. 그 시절 여성들은 성에 대한 어떤 교육도 정보도 받지 못했다. 그뿐 아니라 성을 쾌락으로 느끼지도 못하도록 강요받았다. 결혼 첫날밤 딸이 엄마에게 '오늘 나는 어떻게 해야 하느냐?'고 물어보면 '너는 남편이 시키는 대로만 해라. 그리고 영국만 생각하라'고 대답했을 정도였다고 한다.

또 도서관에 남성과 여성 작가가 쓴 책을 섞어 꽂지도 않았고, 남성들이 여성 앞에서 닭가슴살 요리나 닭다리 요리라고 하는 것도 실례였으며, 부부간 성생활도 아이를 낳는 목적이 아니면 신고하고 처벌당할 정도였다. 물론 실제로 '순결'과 '정조'라는 개념은 여성에게 더욱 중요했고, 여성에 비해 남성은 불륜도 매춘도 자유로웠다. 이처럼 성을 억압했던 빅토리아 시대였지만, 그 시절에 가장 많은 매춘과 성병이 창궐했다고 한다.

영화 《가여운 것들》에서 벨라를 성인 여성의 몸에 아기 뇌를 가진 미숙하고 성뿐 아니라 모든 것에 무지한 존재로 표현한 것도 빅토리아 시대 여성들에 대한 작가의 통절한 비유였을 것이다. 다행히 벨라는 자신이 입은 기묘한 의상처럼 시원하게 다리를 드러낸 채 기존의 성윤리를 깨부순다.

바람둥이 변호사 덩컨은 비록 행동과 사고가 아기 같은 벨라지만, 여성의 성을 탐닉하는 존재로서 성욕과 소유의 대상으로서만 벨라를 바라본다. 그러나 점점 자신의 정체성을 깨달아가는, 그래서 주도적으로 자신의 인생을 살려 하는 벨라를 감당하지 못하게 된다. 덩컨은 잘생기고 섹스도 잘하고 신사인 척 나오지만, 본모습은 스스로도 자신이나 상대의 성에 대해 무지하며, 가문의 경제적인 지원이나 지위 없이는 혼자서 아무것도 하지 못하는 미성숙한 존재다.

또 벨라가 자살 시도를 할 만큼 혹독한 삶을 살게 했던 남편 블래싱턴 경 역시 피스톨 없이는 하인에게 사소한 지시조차 못하는 유약하고 난폭한 사람이다. 피스톨, 즉 총이 남성의 성기를 상징하듯이 그는 아내의 성과 인격을 억압할 뿐 아니라, 그녀의 성욕을 다스리기 위해 음핵 절제를 지시하는 무도한 남편이다. 실제로 예전부터 여성의 성욕은 남성들에게 두려움의 대상이었다. 그래서 여성의 성적 쾌락의 보고이며, 오르가슴의 진원지라 할 수 있는 음핵 또한 자신들에게 위해를 가할 수 있는 위험한 것으로 보았기에 이 시대에는 음핵 절제가 여성을 통제하는 주요한 방법이기도 했다.

이 영화에 수위가 높은 성행위 장면이 자주 등장하지만 야하다는 생각이 거의 안 드는 이유는 사랑, 아니 호감, 상대에 대한 최소한의 이해도 없이 건조한, 그야말로 격렬한 운동을 하듯 성행위가 이루어지기 때문이다. 벨라 역시 먹고살기 위해 성을 팔지만, 어떠한 정서적 교류도 없이 섹스를 하고 있는 자신이 고갈되고 건조해짐을 느낀다. 성이란, 섹스란 그런 것이다. 호감이나 사랑 같은 정서적 교감 없이 육체만이 부딪치는 성적 행위는 자괴감만 남는다.

결국 《가여운 것들》이 말하고자 하는 것은, 그 시대가 사람의 행복하고 건강한 삶을 살기 위한 기본적 본능인 성욕을 억압하면서 성에 대해 어떤 것도 가르치지 않고, 심지어 죄악시했기 때문에 그 시절의 사람들은 남녀를 막론하고 모두 가여웠다는 뜻 아닐까? 생각해 보면 현재를 사는 우리 역시 그 시절과 다를 바 없이 성에 대해 이중적인 태도를 강요받고 있으니 나아진 것이 별로 없어 보인다.50)51)

당신은 지금 사랑하는 사람에게 얼마나 충실한가요?

당신은 지금 사랑하는 사람에게 사랑의〈신의성실〉의 책무와 의무를 다 하고 계신지요?

사랑이 무엇일까? 사랑은 감정인가, 증상인가?

사랑을 불러일으키는 건 심장의 역할일까, 아니면 뇌의 역할일까? 끝없이 그 사람의 사랑을 갈망하는 게 건강한 상태인가, 아니면 비정상적인 중독인가?

"지나침은 못자람만 못하다" 뜻의〈과유불급〉은〈사랑〉에도 어김없이 적용된다.〈사랑〉역시 지나치면 독이 된다. 사랑이 지나쳐 집착으로 변질되고 더 나아가 사랑의 중독에까지 이르면 끔찍한 불행이 발생하는 것도 바로 그 때문이다.

모든 사랑의 중독은 그 유형이 어떻든 영화나 소설 속 주인공들처럼 사랑을 얻기 위해 자신을 버리는 무모한 비극을 감행한다는 공통점이 있다. 그러나 이 세상 어떤 사람도 사랑을 하기 위해, 그리고 사랑을 받기 위해 자신을 버려야 한다는 조건을 내 걸지는 않는다.

나를 버려야만 사랑을 할 수 있는 것이 아니다. 오히려 그 반대가 옳다. 나를 바로 세워야 사랑도 할 수 있다. 물론 정신의학에서는 사랑을 중독으로 분류해 질환의 대상으로 여기지는 않는다.

그렇치만 정상적인 사랑의 범주를 넘어 위험한 단계로 진입해 있는 비정상적인 사랑도 분명 있다. 자신의 모든 걸 걸고 결국 실패에 이른 뒤 쓸쓸히 마음의 병을 앓는 많은 사람들이 있다.

애정의 상대에게 너무 격렬하거나 과도하게 반응하고 결국 상대에게 극도로 몰입하는 병적인 상태는 사랑중독이 맞다.

이들은 자신의 고유성과 정체성을 잃어버릴 정도로 과도하게 애정의 상대에게 몰두하다가 자신의 기대와 욕구가 충족되지 않으면 마치 인생의 종말이라도 맞은 것처럼 낙담하고 자책한다. 물론 병적인 사랑은 단순히 의존적 성격 장애와는 구별되어야 한다. 다만 병적인 사랑은 애정의 상대에게 맹목적으로 헌신하고 집착한다.

만약 사랑하는 사람에게 상식을 벗어날 정도로 지나친 과잉반응을 한다든지, 비이성적으로 과도하게 몰입한다든지, 어떤 비현실적인 기대를 한다든지 하면 내가 병적으로 사랑에 빠진것은 아닐까 한번쯤은 생각해 봐야 한다

건강한 사랑은 중독을 부르지 않는다. 건강한 사랑은 새로운 것을 창조해 내지만 병적인 사랑은 모두를 소진시키고 파괴한다.

사랑을 삶의 최고의 가치로 여기고 사랑하는 사람에게 온정성을 다 하는 사람을 〈사랑꾼〉이라 부른다. 그렇다면, 지금 나는 사랑하는 사람에게 얼마나 충실한가?

지금 나는 사랑하는 사람에게 그 사람이 원하는 사랑을 주고 있는가? 곰곰히 생각해 보라. 나는 사랑꾼인가, 아니면 사랑 중독자인가?[52]

정신적 사랑이냐? 육체적 사랑이냐?

이에 대해 말하기 시작하면 그야말로 끝이 없다. 동서고금을 막론하고 지금까지도 캐캐묵은 논쟁거리다.

사랑과 性.

인류 최대, 최고의 화두다.

그러나 분명한 것은 누가 뭐래도 남녀간의 사랑에 있어 핵심 코어(core)는 性이다. 누구도 부정할 수 없다.

性은 사랑을 완성하고 유지시키는 요소이자 근간이다. 性이 충족되지 않는 사랑은 말라 죽는다.

성애(性愛)가 배제된 사랑은 언젠가는 그 생명력을 다 하고 소멸한다. 한마디로 사랑이란 남녀간의 접목이다. 사랑이 남녀간의 접목이란 말은 사랑은 정신적인 것도 중요하지만 육체적인 것도 중요하다는 방증이다.

남녀간의 사랑에 있어 정신적인 교감과 공감, 인간적인 유대감과 친밀감, 다 좋은 말이다. 그런데 본능이 불만스러운데 이러한 것들을 원활하고 자유롭게 주고 받을 수 있을까?

사랑은 휴머니티와 박애적인 것과는 다른 것이다. 물론 사랑이란 감정이 육체적인 것만은 아니다. 그렇다 해서 사랑이 희생과 헌신적 감정만도 아닌 것도 분명한 사실이다.

남녀 간의 사랑에 휴머니티와 박애적 감정이 나쁘다는 말이 아니다. 사랑은 현실이다. 사랑은 소설이 아니다. 사랑은 당신과 나의 현실에서 벌어지는 문제다.

플라토닉한 사랑(platonic love), 아가페적 사랑(agape love)의 정의는 사랑을 위해 인간이 바치는 헌신과 희생정신을 말하는 것이지 그 자체가 사랑은 아니다.

사랑과 性은 불가분의 관계. 이미 암수 한 몸의 의미를 가지고 있다. 사랑이란 감정은 어차피 性을 동반할 수 밖에는 없다.

우리가 이성에게 성적 욕망을 1도 느낄 수 없는 상태에서 사랑을 나눌 수는 없는 노릇이 아닌가?

우리가 단순히 먹고 배설하는 동물이라면 모를까 사랑하는 연인 간의 성적 욕망을 충족한다는 것은 매우 중요한 일이다. 우리가 갈증을 느끼면 물을 마시고, 허기를 느끼면 음식물을 섭취하듯이 성욕도 마찬가지다.

사랑과 性.

그것은 그 어떤 철학적 이유나 종교적 이유를 갖다 붙여도 분리해서는 생각할 수 없는 인간의 본능이자 사랑의 본질이다. 정신적 사랑, 육체적 사랑은 따로 있지 않다. 그렇다면 그건 반쪽짜리 사랑이다.

사랑과 性. 그건 기본 세팅이다. 물리적 법칙을 벗어난 사랑은 있을 수 없다.

性이란 자아를 지닌 성인이 주체적으로 행하는 행위이자 감정이다. 性은 연인간의 사랑에 있어 제2의 언어다. 몸을 매개체로 마음과 마음을 교환하는 대화다.

진짜 연애를 해본 사람은 안다. 性을 통해서 얼마나 많은 교감과 공감이 이루어지는지, 그래서 사랑이 얼마나 더 깊어지는지를..

진심으로 사랑하는 사람과 농밀한 사랑을 나눠 본 경험이 있는 사람은 다 안다. 몸과 정신은 따로 존재하지 않는다. 몸과 정신은 하나다. 사랑이란 것도 반드시 현실에 실존하는 것이어야 한다.

성욕이라는 인간의 원초적 본능 앞에 참는다면 언제까지 참을 것이며, 또 참는다면 어디까지 참을 것인가? 상대방이 원하는 것이라면 맞춰줄 줄도 알아야 한다.

사랑에는 기본적으로 신의성실(信義誠實)의 의무가 있다. 의무는 지켜야 한다. 섣불리 性을 나눠서도 안 되겠지만 사랑한다면 최선을 다 하는 게 여러모로 좋다.

여자의 방어적 자세, 남자의 저돌적 자세는 두 性간에 충돌을 일으킨다. 그렇다면 대체 사랑에 있어 性은 어떤 의미일까? 분명한 것은 여자가 남자와 사랑하기 위해서는 性을 허락해야 한다.

남자의 성적 욕망을 충족시켜줘야 한다. 이것은 여자를 단지 性의 도구로 인식하는 문제와는 근본적으로 다른 차원의 이해가 필요한 부분이다. 사실 여자들에게는 성욕이 남자들 처럼 능동적이고 적극적이고 전방위적으로 달려드는 압박은 아니다. 그러나 남자들에게 성욕은 때로는 성가실 정도로 육체적, 정신적으로 압박해 오는 본능이다.

이쯤되면 성애가 배제된 마당에 무엇 때문에 굳이 절절하고 애틋한 마음이 필요한가?

연인(戀人).

반드시 남녀 간에 성립되는 관계다. 연인 간에는 동성 간에는 절대로 이어질 수 없는 끈이 하나 있는데 그게 바로 性이다. 그건 내가 수컷이고 네가 암컷이라는 확실한 증거이자 실체다.

남자와 여자라는 근원적 차이는 우리가 어떻게 극복할 수 있는 차원의 문제가 아니다. 이것은 육신의 욕구와 감정의 본능이 접목된 제 3의 감정이라서 남녀가 아니면 도저히 설명할 수 없는 조물주의 섭리이기도 하다. 솔직히 성적 만족도가 높은 커플일 수록 사랑의 감정은 더욱 더 증폭한다. 아는 사람은 다 아는 사실이다.

성적 욕망의 해소에 따른 충만감과 포만감은 사랑의 속성과 본질에 있어 매우 중요하다. 암수 관계가 괜히 따로 있는 게 아니다. 비록 사랑에서 性이 차지하는 부문은 크다고 볼 수 없다. 그러나 온전한 사랑을 유지시키는 데 있어 중요한 건 분명하다.

사랑과 性. 어떤 식으로든 너와 내가 풀어야 할 숙제. 이것이 불만족스러울 경우 사랑은 무너진다.

사랑, 말만으로는 부족하다. 그것을 확인할 수 있는 가장 직접적이고 효과적인 방법은 신체감각을 이용하는 것이다.

인간의 감정을 상대방에게 전달하는 가장 효율적이고 체득(體得)적인 방법은 스킨십(skinship)이다. 이 지구상에 이보다 더 믿을 만한 감정 전달체계는 없다.

사랑은 피부와 피부, 온기와 온기가 느껴져야 한다. 이런 관점에서 정신적 사랑, 육체적 사랑을 따로 따로 나누어 생각할 수 없다. 이 두 가지 균형점을 항상 염두에 두어야 한다.

온전하고 오래가는 사랑을 위해서는 정신적 사랑과 육체적 사랑을 구분하는 이분법적 사고는 옳지 않다. 사랑에는 분명 육체적 의미도 있다는 것을 알아야 한다. 우리가 이것을 이해하지 못하거나 의식적으로 회피한다면 사랑은 소멸한다.

사랑은 눈에 보이는 물리적 실체가 필요하다. 정신적 사랑은 눈에 보이지 않는 무형의 사랑일 뿐이다. 처음에는 눈빛만 봐도 가슴 설레이던 감정은 손을 잡고 싶고, 키스를 하고 싶어지는 게 인간의 본능이다.

그게 잘못인가? 그렇다면 우리는 어떤 사랑을 해야 할까? 이 질문에 정답은 없다. 각자가 원하는 행복의 모습도 다르고 원하는 사랑의 모습도 다 다르기 때문이다.

사람을 만나 사랑하는 일에 무슨 법칙과 방식이 따로 있겠는가? 그 어떤 불문율이나 금기도 뛰어넘는 게 사랑의 힘이다. 다만 남자와 여자가 바라보는 사랑과 性의 관점은 다르다. 그런 차이는 당연하다. 그래서 서로가 합의할 수 있는 절충점을 찾아 균형을 맞추어야 한다.

性은 사랑의 완성을 위해서 우리가 이용해야 할 수단이자 방법이다. 정말 사랑한다면 애써 性을 피하거나 나 몰라라 눈 감을 일이 아니다. 사랑다운 사랑은 아름답다![53]

"생명의 승리, 오르가슴!"

오르가슴(orgasme; 남녀가 육체적으로 관계를 맺을 때에 쾌감이 절정에 이른 상태).[54][55] 이것처럼 인간의 주목을 끄는 단어는 없을 것이다. 닫힌 공간에 군중이 꽉 찬 상황에서 "불이야!" 라고 외치는 소리만 제외한다면 말이다. 이 특별한 단어는 우리 인간을 사로잡아 모순된 감정의 거센 파도를 일으킨다. 오르가슴은 우리가 성행위를 통해 추구하는 희열의 최고 절정이며, 동시에 공공장소에서는 침묵의 외투로 덮어야 할 절대적 금기의 상징이기도 하다.

오르가슴은 가장 완벽한 행복이요, 감각적 희열의 최고 절정이다. 그것은 생명의 승리로서, 인간이라는 종(種)에 대한 불멸에 대한 희망을 불어넣어 준다. 또한 제어할 수 없는 자연의 힘으로서 우리 안의 생각과 욕망을 휘어잡고 격정·갈망·광기 따위를 증폭시킨다.

오르가슴은 우리에게 끈끈한 연대감을 선사하고, 동시에 외로운 절망의 구렁텅이로 빠뜨린다. 또한 수많은 성폭행·살인·성병의 원인 제공자이며, 때로는 전쟁의 씨앗이 되기도 한다.

가장 마음에 드는 파트너(partner)와 함께 오르가슴에 도달하고 싶다는 생각만큼 짜릿한 흥분을 일으키는 감정도 드물다. 그 순간에는 온갖 두려움이나 걱정이 사라지고 그 밖의 야망이나 소원 따위는 뒷전으로 물러난다.

팽팽하게 긴장된 오르가슴이 분출하는 순간은 엄청난 폭발력을 갖고 있어서, 그 여파가 삶의 모든 영역으로 파급된다. 그러나 그 힘은 오해와 신화, 그리고 모순된 감정에 부딪혀 평형을 되찾는다. 동시에 육욕은 수치심과 불쾌감을 동반한다. 그것이 인간의 내면 중에서 저급하고, 동물적이고, '더러운 것'을 대변하기 때문이다. 현세의 대표격인 종교계에서는 육욕을 말살시키려는 시도에 대해 축복을 가져오는 일이라며 찬사를 보냈다. 중세시대 교부(敎父)들은 미친 듯이 육체적 쾌락과의 전쟁에 뛰어들었다. 대부분의 종교가 성교의 쾌락을 몰아내고자 열정적으로 분투했던 근본적인 이유가 어디에 있었는지는 오늘날까지도 수수께끼로 남아 있다. 그것은 어쩌면 오르가슴이 우리를 전율케 만드는 성자들만의 비밀인 '어마어마한 신비(misteerrium tremendum)'를 위협하는 존재였기 때문일 것이다.

육욕의 절정에 관한 중요한 의문점들 중에서 지금까지 전혀 해결되지 않았거나 최근에야 겨우 그 해답을 찾아보려고 시도한 것들이 몇 가지 있다.

우리가 행복감을 느끼면서 번식행위를 하는 이유는 무엇이며, 달콤한 '꿀단지'에 의해 동기화가 이루어지는 동물은 어떤 동물인가? 여성의 오르가슴이 불안정한 이유는 무엇이며, 번식활동에서 오르가슴은 어느 정도 중요성을 갖는가? 오르가슴에 도달한 순간 두뇌와 신체 내부에서는 어떤 반응이 일어나는가? 여성은 나이가 들수록 쾌감이 증가하는 반면 남성의 성욕은 젊은 시기에 절정에 도달하는데, 그 이유는 무엇인가? 남녀가 번식과 관계 없는 시기에 성행위를 하도록 진화한 이유는 무엇인가? 자위는 어떤 역할을 하는가? 건강을 유지하고 성공적인 삶을 살아가는데 있어서 성적 즐거움은 어떤 의미를 갖는가?

인류가 존재하기 시작한 여명기인 10만 년 전, 최초의 남녀는 털이 덮인 모습으로 성교의 절정에 이르기 위해 안간힘을 썼다. 그러나 성과학자 마스터스(Maters, William H.)와 존슨(Johnson, Virginia E.)이 『인간의 성반응』[56]이라는 선구적 연구를 통해 성행위 과정에서 인간의 신체가 어떻게 성욕에 대단원에 이르는지 최초로 밝혀낸 것은 불과 40년 전이었다.[57]

평균적으로 12초가량 지속되는 오르가슴은 비록 짧은 순간 지나가면서 우리의 기억 속에 희미한 흔적만 남기지만, 새로운 생명을 창조하고 이미 존재하는 생명을 삽시간에 뒤섞어놓는 힘을 발휘한다. 오르가슴이 시작되면 몇 초 혹은 몇 분 동안 의식을 잃는 사람도 있다.

프랑스 사람들은 오르가슴을 '작은 죽은'이라고 표현하는데, 이는 의식을 잃는 현상이 이미 널리 알려져 있음을 말해 주는 증거다.[58]

남성이 사정 이후 휴식을 취하도록 진화된 이유는 번식을 위한 창조주의 전략이라는 견해가 있다. 성행위 후 남자가 계속해서 여자 곁에 머물러 있게 되면 여자의 입장에서는 믿을 만한 상대라는 입김이 들고 이로써 임신 가능성이 높아진다.

바. 노후 대책과 사랑

「사랑도 흥정이 되나요?(How Much Do You Love Me?)[59]」란 프랑스 영화가 있다.[60]

'모니카 벨루치는 여전히, 너무나 아름답다.'

모든 남자들이 탐하는 매혹적인 그녀, 그녀로부터 거부할 수 없는 거래가 시작된다! 벗겨진 대머리에 볼 것 없는 외모를 지닌 평

범한 월급쟁이 프랑수아. 지금 막 거액의 복권에 당첨된 그는 이
세상 누구라도 반해버릴 뇌쇄적인 아름다움의 소유자 다니엘라를
만나 한가지 제안을 한다. 한 달에 10만 유로씩을 줄 테니, 대신에
400만 유로의 복권 당첨금이 다 떨어질 때까지 자신과 함께 지내
자는 것이 바로 그것! 돈을 준다는 말에 선뜻 제안을 받아들인 다
니엘라는 자신을 정중하고 부드럽게 대해 주는 프랑수아에게 점차
마음을 빼앗기게 된다.

　하지만 그녀의 숨막힐 듯 관능적인 육체는 정신적으로 충격을
받거나 신체적으로 무리를 하면 곧 멎을지도 모르는 약한 심장을
지닌 프랑수아에겐 너무나 가혹한 유혹. 그런 그 역시도 다니엘라
를 향한 열정적인 사랑으로 심장을 치유해간다. 그러던 어느 날,
샤를리라는 심상치 않은 남자가 찾아와 자연스럽게 다니엘라를 품
에 안는다. 사실 그녀는 암흑가 보스인 샤를리의 여자였던 것. 당
황해하는 프랑수아에게 그는 다니엘라를 가질 수 있는 거래의 조
건을 제시하기 시작하는데…

「사랑도 흥정이 되나요?(Combien Tu M'Aimes?, How Much Do

You Love Me?)」는 프랑스에서 제작된 베르뜨랑 블리에 감독의 2005년 코미디, 드라마, 멜로/로맨스 영화이다.

어떤 남자가 복권에 당첨됐다고 뻥치고 여자에게 접근해 사랑을 차지하는 내용이다. 여자는 사랑에 길들여져 남자가 복권에 당첨되었다는 게 거짓임을 알고도 계속 사랑한다.

영화에서는 돈도 포기하고, 거짓말도 용서하고, 심지어 눈앞에서 상대가 바람피우고 섹스해도 이해하면서 붙는 것이 '사랑'이다. 남자는 거짓말로 사랑을 얻었지만 덕분에 고질적인 심장병도 좋아졌다. 영화에 공감할 정도는 아니지만 일리 있다는 생각이 들었다. 특히 나이가 들면 공감의 정도는 더 커질 것 같다.

나가 들면 인생에서 뭐가 중요한지 헷갈리게 된다. 젊어서는 내가 사랑하는 여자는 나만을 사랑해야 하고 현실적으로는 성공, 관계에서는 정직을 중요시했지만 나이 들면서는 그들 모두를 지킨다는 게 욕심 같기만 하다. 나이가 들면 들수록 감정적인 가치관보다는 실리가 있는 효율적으로 가치관이 흐르는 것 같다.

언젠가 카페(café; 각종 차와 음료, 주류나 간단한 서양식 음식을 파는 소규모의 음식점)를 운영한 적이 있었다. 우리 카페에는 노인 한 분이 매일 출석하다시피 와서는 몇 시간씩 신문을 상세하게 읽어보고 가곤했는데 하루는 산책하다 그 노인이 으리으리한 저택으로 들어가는 것을 보았다. 그러나 그분의 인생은 너무 쓸쓸해 보였다.

젊은 날엔 화려했었고 큰 집도 있고 자식들도 다 성공했다는데 하루 종일 혼자 쓸쓸히 지낸다는 게 오래 못 살 것처럼 보였다. 아무래도 그분은 노후대책에서 한 가지를 빠뜨린 것같다. 바로 '사랑'을 빠뜨린 것이다. 노년을 좀더 활기차게 보내려면 연애가 아니더라도 사랑을 승화한 문화활동 등에 적극적으로, 꾸준히 관심을 갖는 것이 필요하다.

일본 만화『소년 시마(少年島耕作)』『학생 시마(学生島耕作』『시마 과장(課長島耕作』 『시마 부장(部長島耕作』 『시마 회장(会長島耕作』[61] 등 시리즈에서는 나이 든 남자들은 애인이 바람을 피우거나 배신을 때리면 아예 무릎 꿇고 빌면서 매달린다. "당신은 내 인생의 마지막 기회야. 날 버리지 말아줘!" 몇 십 년 나이 차가 나는 여성과 사랑이라도 빠지면 모든 것 안 따지고 모든 것 다 버리고 모든 것 용서하면서 그녀와의 연을 이으려고 한다. 그만큼 사랑이 생명에 소중하기 때문이다. 도저히 용서할 수 없는 것도 용서하면서까지 사랑을 붙드는 중노년들을 보면 사랑만큼 소중한 노후대책은 없는 것 같다.

노후 대책에 사랑을 포함시키는 것은 남녀가 다소 다를 것 같다. 여자들은 자식과 진정으로 사랑을 하기 때문이다. 자식은 여자에게는 연인 같은 존재이고 그 자식과 함께 하는 삶은 연인을 사랑하는 것 못지않게 행복감을 준다. 남자는 다소 다르다. 남자는 여자에 비해 훨씬 많은 씨를 부릴 수 있어 자식에 쏟는 애정의 질이 여자와는 차원이 다르다. 또 집안에 와서 자식을 사랑할라 치면 이미 그 사랑을 아내에게 빼앗겨버렸음을 깨닫게 된다.

동물의 세계를 봐도 자식을 키우는 몫은 암컷에 있음을 흔히 발견하게 된다. 그렇게 될 수 있음은 엄마와 자식이 진정으로 연인처럼 사랑하기 때문이리라.

인생에서 사랑은 중요하다. 그를 통해 에너지가 최선으로 발산되고 생산적으로 순환되기 때문이다. 그때 우리는 자유로움과 행복감을 느낀다. 여성이 자식과 사랑에 빠지듯이 남자도 사랑에 빠지고 싶어한다. 그러나 남자가 사랑에 빠지려면 온갖 비난이 기다리고 있다. 그래서 남자들은 거짓말을 한다. 많은 주부들이 남편의 거짓말에 속상해한다, 거짓말만 하지 말라고 하지만, 거짓말을 안 하다가는 사랑을 할 수 없기에 남자들은 거짓말을 하면서 사랑을 꿈꾼다. 아마도 인류 문명이 지속되는 한 남자들의 거짓말 또한 계속될 것이다.

그러나 노년의 사랑은 만만치 않다. 나이가 들면서 사랑이 얼마나 무서운지를 깨닫기 때문이다. 사랑은 달콤하고 편안하지만 그건 잠시일 뿐이고, 그 뒤를 잇는 집착, 분노, 의존, 요구 등은 장난이 아니다. 그래서 젊었을 때는 겁 없이 사랑의 인연을 맺곤 하지만 나이 들면서는 스스로 사랑의 인연을 멀리하곤 한다.

젊었을 때는 방황하던 남자들도 나이 들어서는 가정에 충실하면서 가족과 함께 어우러지는 생활을 선호한다. 그러나 그것이 지나쳐 사랑의 마음마저, 사랑의 꿈마저 포기한다면 인생은 너무 드라이(dry)해진다.

선진국에 가면 뮤지컬(musical; 미국에서 발달한 음악극의 형식. 음악과 춤이 극의 전개와 어우러져 주로 큰 무대에서 상연하는 종합 무대 예술이다)이나 오페라[62](opera; 대사에 음악을 붙인 것을 가수가 독창 또는 합창을 하면서 이루어지는 극)에 많은 노인들이 몰리는 것을 볼 수 있다. 늙은 부부들이 손잡고 앉아 좋은 문화 상품을 보면서 각자 젊은 날의 사랑의 꿈을 환기하는 것이다.

공연이 끝나고 우레 같은 기립 박수가 터져나오는 것을 보면 그들이 얼마만큼 사랑의 꿈에 젖었었는지를 발견할 수 있다. 그 감동이 아마도 노년의 사랑의 꿈을 채워주는 것이리라. 그래서 노후 대책에는 사랑도 필요하다. 현실적으로 감당이 안 되면 마음적 영혼적으로라도.[63]

우리나라의 성문화는 단순하고 척박하다. 섹스에 대해 제대로 배울 곳이 없었다. 특히 지금의 70, 80대는 전쟁을 겪고, 보릿고개를 겪은 세대다. 먹고 살기 힘들어 섹스에는 신경 쓸 겨를도 없었다. 애를 낳는 수단으로 섹스를 했고, 주로 남성 위주의 섹스를 했다.

지금의 세대는 섹스의 가치관과 행태가 놀랄 만큼 다양하고 자유롭다. 오럴섹스(oral sex)도 하며 불을 켜고 섹스를 할 정도이다.

봄, 여름, 가을, 겨울

이경임(1963~)

새가 날아갈 때 당신의 숲이 흔들린다

노래하듯이 새를 기다리며 봄이 지나가고
벌서듯이 새를 기다리며 여름이 지나가고

새가 오지 않자
새를 잊은 척 기다리며 가을이 지나가고

그래도 새가 오지 않자
기도하듯이 새를 기다리며
겨울이 지나간다

봄, 여름, 가을, 겨울이 무수히 지나가고

영영 새가 오지 않을 것 같자
당신은 얼음 알갱이들을 달고
이따금씩 빛난다

겨울 저녁이었고 당신의 숲은
은밀하게 비워지고 있었다

　이 시는 ‘겨울 숲으로 몇 발자국 더’ 라는 시집의 첫 작품이다. 이 겨울의 끄트머리에 읽으실 시집을 찾는다면 추천하고 싶다. 시인들은 가진 것 중에서 가장 총체적인 것, 시작이자 나중이고 싶은 것을 시집의 첫 페이지에 걸어둔다. 긴 작품이 아니어도, 많은 말을 토해내는 시가 아니어도 첫 페이지의 시들은 아주 많은 것들을 담고 있기 마련이다. 압축된 정도가 크다는 말이다.

　그래서 이 시가 좋다. 이 시는 봄, 여름, 가을, 겨울을 말한다. 일년의 사계절을 고루 다룬 시인가 싶은데 사실 그보다 크다. 이 시는 처음과 끝을 말한다. 다시 말해 사람의 인생을, 그 긴 시간을 모두 담고 있다.

　시인은 봄과 새를 말했는데, 나는 내가 봄의 시간이었을 때 세상을 노래하듯 살았던 것을 기억하게 된다. 시인은 여름과 새를 말했는데, 나는 내가 여름의 시간이었을 때 퍽 애쓰며 살았던 것을 기억하게 된다. 시인은 이미 가을과 겨울을 보아버렸고, 우리는 그의 시선을 통해 내 인생의 가을과 겨울과 돌아오지 않는 새를 엿보게 된다. '이렇게 살아가며 다 살아버리겠구나. 그게 인생이구나. 나는 새를 기다렸구나.' 이런 먼 후일에 찾아올 생각도 미리 암시받게 된다.

이번 겨울은 지난겨울과 비슷하기도 하고 새롭기도 하다. 이렇게 헷갈리면서, 구별하면서 우리는 이번 겨울과 다음 겨울들을 살아낼 것이다. 수많은 봄, 여름, 가을, 겨울을 온몸으로 겪어가는 인생 그 자체가 어쩐지 짠하면서도 장하다. 시, 참 좋다.[64]

섹스는 스포츠와 몇 가지 공통점을 갖고 있다. 말하자면 맥박과 혈압이 상승하고, 폐활량이 늘어난다. 오르가슴에 도달하기까지 성행위를 하는 데는 에너지가 소모되므로 뭔가 효과가 있기 마련이다. 성교를 하는 데는 150 내지 200칼로리의 에너지가 소모되고, 오르가슴에 도달하려면 약간 더 필요하다. 이 정도는 20분간 산책을 하거나 숨이 차도록 스쿼시(Squash) 운동[65]을 할 때 소모되는 에너지의 양에 해당된다.

영국 연구자들의 계산에 의하면 빅맥 햄버거 여섯 개를 먹으면 그만큼의 에너지를 발생시킬 수 있다. 성행위를 하면 근육 수축운동이 일어나 골반·허벅지·엉덩이·팔·목·흉곽 등의 부위를 훈련시키는 효과가 있다. 건강잡지 『멘스 헬스』지는 침대야말로 인류 역사상 가장 위대한 운동기구라고 강조했다.

스포츠에 참여하는 사람은 성욕이 강화된다. 적어도 조깅은 남성의 성욕을 자극하는 효과가 있다. 이것은 캘리포니아 샌디에이고 대학의 체육학과장 짐 화이트 교수가 과학적 테스트를 통해 밝혀낸 사실이다.

스포츠 의학자로서 베를린 마라톤 대회의 의료담당자를 지낸 빌리 헤페는 『현대심리학』과의 인터뷰에서 다음과 같은 말을 했다. "장거리 달리기를 하면 섹스 시간이 길어진다. 호르몬 상태가 좋아지면 정자 생산이 촉진되고, 오르가슴 이후의 회복 시간도 짧아진다. 이렇게 되면 어느 정도 자신감이 생기므로 정신적으로도 좋은 효과가 나타난다. 이런 현상은 긍정적인 핑퐁 메카니즘(모든 기질들이 결합하기 전에 반응 생성물의 일부가 순차적 유리)과 같다."

이와 같은 신체 단련은 여성에게도 성욕증강제와 같은 효과를 낳는다. 그렇기 때문에 미국 정신의학 교수 에일린 팰러스트는 여성들에게 성욕 증강을 위해 스포츠를 즐기라고 권한다. "가만히 앉아서 화려한 만찬을 즐길 것이 아니라, 밖으로 나가서 뭔가 활동하시오! "[66] 팰러스트는 고급 과학기술 연구팀의 일원으로서 여성의 신비로운 성적 흥분 과정을 연구하고 있다. 이 연구의 중요한 성과 중의 하나는, 스포츠가 자율 신경계를 활성화하고 여성의 성적 자극을 높여준다는 점이다.[67]

부산정보대학 김종인 교수의 체위에 따른 신체 부위별 감량 처방도 흥미롭다. 남성 상위는 뱃살을 빼고 허벅지 안쪽 근육을 강화한다. 여성 상위는 허벅지와 엉덩이 부위의 살을 뺀다. 기승위(여성 상위에서 말탄 자세) 는 아름다운 골반을 만들고, 요추 근력을 강화한다. 골곡위(여성이 다리를 '만세' 한 자세)는 허벅지 군살을 제거하고, 전측위(서로 마주 보고 옆을 누운 자세)는 목 가슴 허리의 체지방 감량에 좋다.

후측위(여성이 남성에게 등을 보인 상태로 옆으로 누운 자세)는 날씬하고 가는 허리를 만들며, 전좌위(서로 마주 보고 앉은 자세)는 근골격계의 유연성을 높이고 복부근력을 강화한다.

후좌위(여성이 등을 남성에게 보인 자세에서 앉은 체위)는 엉덩이 허벅지 살을 빼주고, 후배위(doggy position)는 히프를 올려주고 등의 군살을 제거한다. 입위(서서 하는 체위)는 당신의 다리를 늘씬하게 만들어주는 특효약이다.[68]

2. 사랑과 고독

언젠가 많이 읽었던 글이다. 이 글은 문득문득 진하게 나를 사로잡아 어떤 때는 이 글 안에 내 전생(前生)이 담겨 있는 것은 아닐까 하는 생각이 스쳐 가기도 한다. 아마도 세월이 가면 갈수록 이 글에 담긴 의미는 점점 더 선명하게 드러날 것 같다.

흐르는 눈물은 앞을 가리고 과거의 회한은 미래를 막는다.

쓸쓸한 가을날 왠지 가슴이 스산해지며 마치 첫사랑을 잃어버린 것 같은 감상에 젖을 때가 있다.

물론 첫사랑이 실패하지 않은 것은 아니지만....

나의 수선한 마음을 설명해 주는 것은 첫 애인이 그리워서도 아니다. 뭔지 모르는 슬픔과 허무함이 가슴이 저리게 차 오르는 순간이 있다.

뚜렷이 슬프고 허무한 일이 있는 것도 아닌데도 가끔씩 나를 휩쓸고 도는 이 아픔은 쉽게 가시 지가 않는다.

누군가가 막연히 기다려지기도 한다. 올 사람도 없는데 어디선가 알지 못하는 낯익은 누군가가 불쑥 나타나서 신비롭게 나를 감싸 줄 것만 같다.

막연한 아쉬움과 기다림, 슬픔과 대상!

분명히 이들 느낌은 현실과 동떨어진 것은 아니나 현실에서 비롯된 것도 아니다.

오히려 현실의 관계가 주는 것은 미소하고 또 다른 무엇이 더욱 있는 것만 같다.

첫 애인이 돌아오고 행복한 날만 계속되며 친근한 누군가가 나타난다고 해서 이들 느낌이 사라질 것 같지는 않다.

막연하게 떠오르는 이들 느낌은 어디서 비롯되는 걸까.[69]

미지의 세계에 대한 탐험은 언제나 우리를 설레게 한다. 모험에 대한 긴장감 때문이기도 하지만, 앞으로 펼쳐질 세계에 대한 호기심 때문이기도 하다.

15~17세기 대 항해 시대 모험가들과 마찬가지로, 21세기를 살아가는 우리는 모험의 세계를 항해하고 있는 것이다.

과거의 선원들이 바다에 뛰어들고야 비로소 바닷물이 짠지, 파도가 어떤 것인지 알 수 있었던 것처럼 사랑(고독)의 바다에 빠져 허우적대 봐야지만 고독(사랑)의 세계를 실감할 수 있다.

실감 나는 고독(사랑)을 경험하기 전에 사랑과 고독이 어떤 관계를 가지는 지 큰 그림을 그릴 수 있어야 한다.

나이가 들면서 차츰 멀게 느껴지는 것이 있으니 바로 '사랑'이다. 젊었을 때는 그렇게 죽자사자 매달렸던 '사랑'도 나이가 드니 시들해지고 이제는 마치 독재자로부터 풀려나 자유의 몸을 얻은 것만 같다. 그러나 현실적으로 여성과의 사랑은 시들하지만 내 마음을 채우는 또 다른 사랑이 있으니 바로 '고독'이다. '고독'은 오랜 시간 내 곁에 머물러 있으면서도 내가 딴 여자들에게만 한눈을 팔자, 마냥 기다리고 있다가 내가 스스로 지칠 때쯤 돼서야 비로소 주금씩 자기 모습을 드러내고 있다.

젊은 날의 '고독'은 너무나 춥고 어둡고, 외롭고 위험해 달아나려고만 했었는데, 지금 내 곁에 돌아와 앉아 있는 이 고독은 그렇게 두려움이 느껴지지 않는다. 오히려 '고독'과 깊은 사랑을 나누면 무언가 신비로운 체험의 세계가 열릴 것 같다. 그래서 나는 조만간 고독이 안고 있는 초심리학의 세계에 깊이 빠져 볼까 한다.

그러나 '고독'과 사랑에 빠지기 전에 정리해야 될 것이 있으니 바로 지난날의 사랑이다. 과거나 지금이나 나는 한 사랑이 정리되어야 다음 사랑을 받아들일 수 있었다. 내 심장은 두 사랑이 들어오기에는 너무 비좁으니까. 하지만 '고독' 이라는 새로운 연인이 아무리 신비한 매력을 풍긴다 해도 과거의 여인들을 정리한다는 것은 쉬운 일이 아니다.

그들은 내가 가장 사랑하는 사람이었으면서도 또 나를 아프게 한 사람들이었기 때문이다. 그리고 솔직히 말해 내가 고독이라는 연인을 새롭게 구하는 것은 이제는 더 이상의 아픔에 시달리고 싶지도, 그 지옥 같은 무게를 견딜 수 있을 것 같지도 않기 때문이다.

또 나이 팔십을 앞두고 젊은 날의 사랑 방식에만 연연해하는 것도 자연스러운 같지는 않다. 젊은 날에 그토록 고통을 주었던 사랑도 반 걸음 정도 물러나 바라보면 한낱 공상이고 신기루고, 덧없으며 더 나아가 그 아픔은 현실이 아니기조차 하니 말이다. 물론 아직도 한 걸음까지 물러나 볼 수 있는 수준은 못되어 아직도 그 아픔이 간간이 나를 진하게 휘어감지만 여전히 환상의 포로가 되어 나의 길을 주저할 이유는 없다.[70]

항해할 때 수시로 바람의 방향, 파도의 세기, 암초 등을 확인하고 북극성을 이용해 방향을 확인하듯이 사랑(고독)에서도 경험을 바탕을 의사결정을 해야 한다.

수영 실력을 갖춘 선원은 물을 두려워하지 않기 때문에 바람과 파도에 적절히 활용할 수 있으면 문제를 해결해 나가는 데 두려움이 없을 것이다.

A씨에게는 5년째 연애 중인 여자친구가 있지만, 서로 사이가 멀어진 지 오래다. 헤어지는 것이 좋을 것 같긴 하지만, 각종 선물과 이벤트에 들인 돈이 아깝다는 생각에 망설이고 있다. A씨는 제대

로 판단하고 있는 것일까?

　　"I LOVE YOU" 의 8가지 의미는 Inspire warmth : 따뜻함을 불어 넣어 주고, Listen to each other : 상대방의 말을 들어 주고, Open your heart : 당신의 마음을 열어 주고, Value your warth : 당신을 가치 있게 평가하고, Express your trust : 당신의 신뢰를 표현 하고, Yield to good sense : 좋은 말로 충고해 주고, Overlook mistake : 실수를 덮어 주고, Understand difference: 서로 다른 것을 이해해 주는 것이다.

사랑과 고독

雪花 박현희

창문을 두드리는 스산한 바람에
마음마저 시려 오면
오늘은 왠지 당신이
더욱 그립고 보고 싶습니다.

사랑하는 당신을 지척에 두고도
이렇듯 외로움을 느끼는 것은
사랑에는 고독이란 그림자가
늘 따르기 때문인가 봅니다.

그립다는 것은
마음 한켠에 누군가가 자리해
그 사람이 자꾸만 눈앞에 아른거려
온통 자신의 생각을
지배하는 것일 테지요.

단아한 당신의 모습이
마음속에서 떠나지 않는 것을 보면
아마도 난
당신을 무척이나 그리워하나 봅니다.

뼛속까지 시린 고독조차도

이토록 아름다울 수 있는 것은
사랑으로 흐르는 당신이
내 안에 자리한 때문입니다.

가. 달려라 하니!

《달려라 하니》는 이진주가 그린 대한민국의 순정만화이다.
KBS가 만화영화로 제작한 초기 방송용 애니메이션이기도 하다. 어
린 나이에 어머니를 여읜 소녀 주인공 하니가 역경을 딛고 육상
선수로 성장하는 과정을 그리고 있다.

만화는 86 아시안 게임과 88 서울 올림픽을 앞둔 시점인 1985년
부터 1987년까지 만화 잡지《보물섬》에 인기리에 연재되었으며,
1988년 만화영화가 되었다. 대한민국 최초의 시리즈물 만화영화로
1편격인 달려라 하니는 빛나리 중학교의 신입생 하니가 홍두깨 선
생님의 배려의·지도로 육상선수로 성장하지만, 육상대회에서 접질
린 다리를 뒤이어 벌어진 교통사고로 아킬레스건까지 손상받아 장
거리 선수로 전향하는 이야기로 제작되었다.

줄거리는 일찍이 어머니를 여의고 해외 근로자로 파견나갔던 아
버지와 단둘이 있다는 빛나리중학교 신입생으로 입학하게 되었던
13세의 악바리 소녀 하니. 입학식 날 학교로 등교하던 중 체육복
차림의 낯선 아저씨로 알려진 빛나리중학교 체육교사 홍두깨와 충
돌하게 되어서 말다툼을 하게 되고 학교 규율부장으로 있었던 오
방순과도 싸움을 하면서 중학교에 입학하자마자 말괄량이에 말썽
꾼으로 소문이 나게된다. 그리고 뜻밖에도 자기가 만났던 그 아저
씨가 학교 선생이자 그것도 자기네 반 담임교사라는 것을 알게 된
다. 귀가를 하던 중 자기가 살던 집에 갑자기 이삿짐센터 차량이

짐을 옮기는 것을 보고 이를 저지하다가 탤런트이자 자신의 보호자라고 자처하는 여자인 유지애를 만나게 되자 그녀에 대한 적대감과 불쾌감을 드러내는데.... 한편 홍두깨는 하니가 달리는 모습을 보고 그녀가 육상에 소질이 있어보인다는 것을 파악하며 그녀를 육상선수로 키워주기 위해 빛나리중학교에 육상부를 신설하게 된다.

나. 달려라 하니처럼

《달려라 하니》는 TV 만화 프로였다. 엄마 잃은 소녀가 그 아픔을 달리는 것으로 풀다가 일류 선수가 된다는 내용이다. 이 만화를 보면서 인상적인 것은 달린다는 설정이었다. 마음의 상처를 잊기 위해 달린다는 것은 굉장히 그럴듯해 보였다. 나 역시 예전의 망신스러운 기억이나 마음의 상처가 떠오를 때면 주먹으로 책상을 치거나 힘껏 달리곤 했었기 때문이다. 한참 달리다 보면 어느덧 아픔은 흩어지고 나는 다시 현실로 돌아오게 된다. 몸이 아프면 주저 앉아 요양해야 하지만 마음은 아프면 달리는 것이 오히려 적절한 치료인 것 같다.

내가 정신과 환자들을 치료하면서 아쉬운 것은 환자들로 하여금 마음껏 달리게 하지 못하는 데 있다. 무당들을 보면서 부러운 것은 굿을 통해 마음이 아픈 사람들을 마음껏 울게도 하고 팔짝팔짝 뛰 게도 하는 것이다. 물론 정신과에도 댄스 치료나 사이코 드라마가 있긴 하지만 그것을 임상 실제 면에서 아직 자유자재로 구사하지 는 못하고 있다. 그러나 언젠가는 나도 좀더 자신감을 갖고 그들의 치료를 적절히 구사해 굿당같이 시끌시끌하게 정신과를 운영해 봐 야겠다.

달리는 것이 과거의 상처를 털어 버리는 데 효과적이라는 것은 달리 말하면 과거의 아픔이나 상처는 현재의 달림을 통해 털어 버 릴 수 있다는 것이다. 즉 상처뿐인 과거로 돌아가 끙끙 앓는 것은 그 상처를 해결하는 방식이 아니다. 오히려 과거의 상처만 부둥켜 안고 끙끙 앓는 데서 새로운 노이로제가 발생하게 된다. 히스테리 가 그것이다.

K는 오랜 구애 끝에 원하던 여자와 결혼하게 되었다. K는 너무 좋아 그녀가 원하는 것은 모두 들어 주고 마치 시종처럼 그녀의 뒷바라지를 했다. 그녀는 결혼 전에는 상상할 수 없는 안락한 대우 를 받게 되자 점점 약해졌고 과거를 되씹는 일이 많아졌다. 그녀는 자라면서 마음 아픈 일을 많이 겪었으나 K를 만나기 전까지는 그 야말로 씩씩하게 그 상처를 잊고 지낸 터였다. 누구보다도 활달했 고 많은 능력을 보였었다. 아마도 그런 모습이 K의 마음을 끌었으 리라.

그러나 지금 그녀에게는 그런 건강한 모습은 사라지고 과거에만 사로잡혀 있는 어두운 모습뿐이다. 성장하면서 부모 형재들애개 구박받은 것부터 시작하여 가난 등등의 부정적인 것들만이 그녀의 머리를 꽉 채웠다. 그러한 것들은 그녀가 지금 남편으로부터 헌신적인 사랑을 받아야 하는 이유를 제공하기도 했다. 그녀의 얼굴에는 병귀가 가득 차 결국 정신병원 신세를 지지 않을 수 없었다. 남편은 병원에 입원한 그녀를 헌신적으로 돌보았지만 그녀는 좋아지지 않았다. 입원은 점점 길어졌고 반복되었다.

그녀가 병이 좋아지기 시작한 것은 남편이 그녀에게서 마음이 멀어지면서부터였다. 긴 병에 효자 없다고 남편이 그녀를 버리기로 결심한 것이다. 그녀는 이전의 여왕 같은 지위를 잃지 않기 위해 온갖 발악을 했으나 한번 돌아선 남자의 마음을 잡을 길이 없었다. 남자는 그녀가 폐인이 되든 뭐가 되든 관심이 없다는 투여서 그녀는 순식간에 거지로 전락할 운명에 처하게 되었다. 그때 그녀의 강한 생명력이 다시 발동했다. 그녀는 아무리 히스테리 발작을 해도 돌아설 기미가 없자 드디어 사태의 심각성을 파악하고 생존할 궁리를 하게 된 것이다. 내가 이대로 무너지면 내 인생도 망하고 자식도 망한다. 나는 살아야 한다. 그래서 내 청춘을 망친 그 남자에게 반드시 복수해야 한다. 내가 잘사는 것만이 복수하는 길이다. 그녀는 마지막으로 최후의 발작을 지독하게 한 번 한 후에 다시 달리기 시작했다. 뒤도 안 돌아보고 열심히 달리기 시작했다. 과거의 아픔이 안 떠오르는 것은 아니었지만 그 아픔은 그녀가 현실과 미래를 달리는 데 채찍질이 되었다.

그렇게 열심히 달리다 보니 그녀의 얼굴을 채우던 병귀는 어느새 사라졌고 그녀의 얼굴에서는 밝은 빛이 나기 시작했다. 전에는 그렇게 힘들었던 정신병도 이제는 컨트롤할 수가 있을 것 같았다. 그녀가 기운차게 달리는 모습 뒤로 남편이 웃고 있었다. 마치《달

려라 하니》의 체육 선생님같이. 그는 아내가 아무리 해도 좋아지
지 않자 모진 마음을 먹고 극약 처방을 쓴 것이었다. 아내의 주치
의 말을 새기면서.

"남편께서 너무 잘 해 주셨어요. 현실에서 부족함이 없으니 부
인은 욕심을 부려 과거로 돌아간 것이지요. 과거의 아픔이 없는 사
람이 어디 있겠습니까? 그러나 과거는 현재와 미래를 통해 극복해
야지 과거로 돌아가 아무리 상처를 되씹는다 해도 그 과거는 사라
지지 않습니다. 오히려 과거의 어둠에 사로잡히고 말지요. 정신질
환이란 과거의 어둠에 사로잡히는 것이지요. 부인이 현재에 열중할
수 있도록 남편께서 도와 주셔야 할 겁니다."

과거의 상처만을 되씹거나 과거 탓만을 하면서 현재의 소중한
기회를 소홀히 하는 사람들은《달려라 하니》를 보면서 그 해결책
을 음미해 보는 것도 좋을 것이다.[71]

사랑의 상처를 받게 되면 마음이 흥분되고 나쁜 일이 일어날 것
같은 두려움을 느끼고 어지럽고 심장이 두근거리고 침착할 수 없
고 자주 겁을 먹고 신경이 과민해지고 숨이 막히고 질식할 것같고
손이 떨리고 안절부절 못하고 미칠 것 같은 두려움을 느끼고 숨쉬

기 곤란하고 죽을 것 같은 두려움을 느끼고 소화가 잘 안 되고 뱃속이 불편하고 기절할 것 같고 얼굴이 붉어지거나 하얘진다.

사랑의 상처를 받았을 대만 불안이 나타나는 것은 아니다. 어쩌면 사랑과 관련된 것들은 모두 다 불안과 연관이 있다. 불안은 우리 무의식의 에너지가 튀어나온 것인데, 사랑 자체가 의식적인 특징보다는 무의식적인 속성이 강하기 때문이다.

사랑이 잘 진행되도 불안하다. 상대가 마음이 바뀌거나 따 미음을 먹을까 두려워서이다. 그리움도 불안 증세로 나타난다. 눈을 깜박이는 순간에도 그립고 눈을 뜨고 보고 있어도 그립다. 그런데 한동안 떨어져 있어야 하면 그리움은 극도로 치솟는다. 이때 느끼는 증세도 불안이다. 그리움은 불가능한 것(당장 보고 싶은 것)을 가능하게 하려는 마음이기 때문에 무의식이 크게 자극을 받으면서 불안을 느끼는 것이다. 성적으로 자극을 받아도 불안해진다.

어떤 여자는 어느 날 갑자기 동료 직원에게 성추행을 당했다. 그가 갑자기 키스를 하고 몸을 더듬은 것이다. 그날은 눈물을 흘리며 직장을 나섰지만 다음날 괜시리 불안했다. 그래서 그 직원에게 연락해서 만나자고 했다. 불안하다고.

사랑에 너무 빠져도 불안하다. 너무 사랑해서 만나고 또 만나고만 싶어진다. 그 열정도 불안으로 느껴진다. 그 불안을 없애기 위해 연인에게 달려가고 또 달려가는 것이다.

불안할 때는 자기도 모르게 서성이게 된다. 몸이 지칠 때까지 걷고 또 걷게 된다. 이 불안이 너무 괴로워서 자존심을 버리면서까지 상대에게 매달리기도 한다.

그러나 사랑이라는 것은 묘해서 좋을 때는 절대 떨어지지 않을 것 같으나 한 번 돌아서면, 한 번 배신을 당하거나 상처를 받게 되면 다시 신뢰가 쉽지 않다. 다시 옆에 있어도 언제 떠날지 또 상처

를 받을지 모른다는 불안감 속에 결국 나 스스로 상대를 멀리하게
된다. 불안 때문에 매달리고 불안 때문에 헤어지는 것이다. 그러나
이런 불안을 겪으면서 사람은 강해지게 된다. 사랑은, 남에게 의지
해서 산다는 것은, 남과 하나같이 일치해서 산다는 것은 믿을 만한
것이 못 된다는 것을 깨닫게 된다. 또 두 번다시 그 지옥 같은 불
안을 겪고 싶지는 않다. 그래서 다소 외롭더라도 독립적으로 살려
고 하며 사랑하더라도 어느 정도 거리를 유지하게 된다. 그러면서
불안에 사로잡히지 않는 성숙한 사랑을 하게 되는 것이다.

　사랑을 하면서 심하게 불안을 겪는 사람들은 가끔씩 자기를 뒤
돌아볼 필요가 있다. 내가 사랑에 대해 너무 어린애 같은 환상을
갖고 있는 것은 아닌지. 불안하면 무조건 매달리고 하나가 돼서
안정을 꾀하려고 하지만, 그런 공생적인 관계는 성인 사이에서는
불가능하기 때문이다.[72]

　전면적인 금욕생활을 하는 여성은 몇 가지 위험성을 안고 있다.
무엇보다도 갱년기 이후에 발생하는 질 위축증이 그것이다. 윈치는
자신에게 찾아온 중년 여성 환자에 대해 이렇게 말했다. "그 여인
은 그저 관심이 없다는 이유로 3년 동안 한 번도 섹스를 하지 않
은 탓에 질구가 좁아져 있었다. 그런 상태라면 정서장애와 성교통
증이 나타날 수 있고 끝내는 기능을 상실할 우려가 있기 때문에
환자에게 진동기를 사용하라고 권했다."[73]

　성적 자극에 의해 질의 혈류량은 급속히 증가하며 발한 작용이
생긴다. 이것은 통칭 '질의 땀' 즉 애액이라고 한다. 즉 성교 시
분비되는 여성 특유의 점액을 말한다. 즉 '러즈 쥬스'라고도 한
다. 10년 전까지는 애액이 오로지 바르톨린선 샘의 분비 분비액으
로만 알고 있었다.

　그러나 사실은 질의 점활화액, 즉 질의 땀이라는 것이 정설이다.

즉 요도 주위에 있는 스케너샘에서 여성의 성적 흥분기에 질강을 에워싸는 정맥총이 현저하게 국부 충혈을 가져오기 때문에 질 내벽에 여출액 모양의 '뮤코도' 소적을 발한 모양으로 생기게 하고 이것이 질의 점활화를 가져온다는 것이 확인되었다.[74]

다. '잔인한 달' 4월은 사랑하기 좋은 때다

영국 시인 토머스 엘리엇은 '황무지'라는 작품에서 4월을 '가장 잔인한 달'이라고 했다. 죽은 땅에서 라일락을 키워내고, 잠든 뿌리를 봄비로 깨우는 4월이 오히려 눈 내리는 겨울보다 더 춥다고도 했다. 이를 두고 문학평론가들은 다양한 해석을 쏟아냈다. '황무지'보다 약 500년 전에 제프리 초서가 지은 '캔터베리 이야기'에 대한 패러디이자 반작용으로 보는 견해도 그중 하나다. '캔터베리 이야기'에서 4월은 '감미로운 소나기'를 내리는 달이다. 달콤한 서풍이 밭과 숲의 어린 가지에 생명의 입김을 불어넣는 달이기도 하다.

그러나 사랑에 목마른 사람에게 봄은 겨울보다 더 춥게 느껴질 수도 있다. 몸의 추위는 집에서 따뜻한 난로로 피할 수 있지만, 마음의 추위는 날이 좋으면 좋을수록 더욱 깊어질 수밖에 없다. 엘리엇이 4월을 잔인한 달로 표현한 것이 이 때문이라는 해석도 있다.

즉 초서의 4월과 엘리엇의 4월은 똑같다. 모두 꽃이 향기를 뿜어내고 나무는 새순을 틔우며 세상이 생명으로 고동치는, 그래서 미치도록 사랑하고 사랑받고 싶은 때다. 그것을 초서는 눈에 보이고 피부에 와닿는 느낌 그대로, 엘리엇은 반어적으로 표현했을 뿐이다.

이런 4월을 대표하는 꽃 가운데 하나가 라일락이고, 라일락이 영미문학의 대표작에 등장하는 만큼 라일락을 외국산 꽃으로만 생각하기 쉽다. 하지만 요즘 우리가 흔히 보는 라일락은 한국산에 가깝다. 과거 미국의 한 식물채집가가 우리 고유종 '수수꽃다리'의 종자를 미국으로 가져가서 품종을 개량했고, 이를 역수입한 '서양수수꽃다리'가 현재 국내에 퍼진 라일락이다. 그 식물채집가의 일을 도운 한국인 직원의 성이 김씨여서 서양수수꽃다리를 '미스김라일락'으로도 부른다는 얘기가 여러 백과사전에 실려 있다.

아무튼 엘리엇이 '죽은 땅에서 4월이 키워냈다'고 한 꽃은 유럽이 원산지인 라일락이다. 하지만 요즘 우리 주변에서 흔히 보이는 라일락은 한국 고유종 수수꽃다리를 개량한 꽃이다.[75]

자기성취를 예언하는 것보다 확실한 자기성취법은 없다. 당신이 무언가를 꿈꿀 수 있다면 그것을 실제로도 할 수 있다는 뜻이다.

미래의 어느 날 잠에서 깨었을 때 당신이 바라던 삶이 아닌 타인의 삶을 살고 있다는 사실을 발견하는 일이 없도록 조심하자.

앞을 내다보자. 작은 꿈을 갖자. 당신에게 성공이란 정말 어떤 것인가? 당신은 어디 있었는가? 누구와 함께 있었는가? 당신은 어떤 직업을 갖고 있었는가? 당신은 목적 있는 삶을 살고 있었는가?

정신적으로 문제가 있는 많은 사람들은 상대의 친절에 고마움을 느끼기 보다는 더 의존하고 매달이고 요구하려고 한다. 그렇게 해서 입지가 좁아졌을 때 그들은 위축돼 자폐적인 생활로 들어가고 만다.

잘해주면 매달리고, 멀리하면 금세 기가 죽어 의기소침해지는 사람들은 한 가지 진실을 깨달을 필요가 있다. 사랑은 크라고(성숙하고 독립하라고) 주는 것이지 어려지라고(퇴행하고 매달리라고)주는 것은 아니라는 것을.76)

필란드에서 실시한 조사에 의하면, 섹스가 전혀 없어도 자신의 성생활이 "더할 나위 없이 행복하가" 라고 대답하는 사람들도 있었다. 노년층의 일부가 그 범주에 속한다. "성생활이 없어도 그들에게는 아무런 문제가 되지 않는 것으로 보인다. 일부 노인들은 성적인 행위가 없는데도 성생활에 만족하고 있다. 이처럼 불만이 없는 이유는 기대감이 사라진 결과일 것이다." 장애인들에게는 성적 만족이 전반적인 행복의 주요한 요소였다. 신체적 고통보다는 성욕 상실이 당사자를 우울하게 만들었다.77)

코넬 대학의 비뇨기과 전문의 푸랑수아 에이드는 비아그라처럼 적절한 수준 이상으로 지속성을 높여주는 약물이 개발된 이후로 남성들이 과도한 성행위를 할 수 있게 되었다고 지적한다. "페니스는 놀라울 정도로 강인하다. 그러나 과도하게 사용하면 페니스의 해면체에 지속적 손상이 올 수 있다." 78)젊은 남성이 정력이 너무 좋아서 거친 섹스를 좋아하면, 해면체가 손상될 수 있다는 것이다.

이러한 약품을 사용하면 남성의 발기력이 강화되어, 휴식 없이 두 번이고 세 번이고 거듭해서 오르가슴에 도달할 수 있다. 이에드는 이렇게 말한다. "프로 축구선수와 같다. 그들은 성생활을 더욱 활발하게 하기 위해 비아그라를 복용하는 것인데, 자신의몸을 그렇게 다룬다는 것은 어리석은 짓이다." 그의 설명에 의하면 페니스가 자연스러운 조건에서 한동안 축 늘어지는 데는 충분한 이유가 있다. "그것은 잠깐 동안 휴식을 취하는 것과 같다. 그동안 내부에 흐르는 혈액에 산소가 공급된다."

발기된 상태에서는 넘성의 소중한 그 물건에 피가 거의 흘러들어오지 않는다. 그러므로 페니스에 휴식을 주지 않으면 근육조직이 산소결핍 상태에 이르러 마침내 음경 강직사태가 발생한다. 다시 말해서 통증이 느껴질 정도로 병적인 '지속발기' 상태가 된다. 그러므로 음경세포는 퇴화하기 시작한다. 그리고 압력이 상승하는 동안 혈액공급이 점점 줄어든다. "마침내 근육이 괴사하고 흉터가 남는다. 이쯤되면 의학적 응급사태라고 볼 수 있다."

골든버그(Goldberg)는 이렇게 설명한다. "섹스는 위험을 의미한다. 육체적인 측면이 우리의 동물적 속성을 상기시킴으로써 결국 인간의 유한성과 죽음의 불가피성을 깨닫게 하기 때문이다."

하지만 정서적으로 안정된 인간이 자신의 유한성에 대한 고정된 생각에 얽매이지 않은 채 성적 쾌락을 만끽하는 이유는 어디에 있을까? 그들은 추상적 가치와 의미를 부여하는 방식으로 감퇴된 성욕을 충전하려 노력한다.

연구자의 입장에서 보면 사랑은 섹스를 정당화시키기 위한 선택 수단이다. "낭만적 사랑은 원래 단순하고 동물적인 행위에 불과했던 섹스를 복잡하고 상징적인 문화적 경험으로 전환시키는 역할을 한다." [79][80]

몸도 인생과 같아서 정답은 없다. 사람마다 빈도와 양은 다르겠지만, 우리 몸은 수분이 부족하면 물을 원한다. 눈물에서 땀과 소년까지 몸은 계속 수분을 내보내고 그만큼 섭취하라는 신호를 준다. 그러나 그 신호조차 더딘 구간이 오기 마련이다. 수분을 잃어버린 사람에게 물었다. 늙어간다는 사실을 어떻게 받아들였냐고.

3. 내가 아는 멋진 소녀

내가 고등학교 시절, 친구의 권유로 포교당이라는 곳에 다니게 되었다. 그녀는 처음 만난 것은 포교당 학생 야유회 때 상원사(上院寺, 진여원(眞如院); 강원도 평창군 진부면 오대산(五臺山)에 있는 남북국시대 통일신라의 승려 보천과 효명이 창건한 사찰)로 등반을 가면서 시작되었다.

그녀는 내가 지금껏 보아 온 소녀 중에서 가장 예외적인 여자였다. 어떤 미시여구도 그녀를 읽을 수 있으리라고 생각지 않는다. 단지 나는 그녀를 써 내려갈 수 있을 뿐이다. 그녀는 버스에서 내 앞에 조용히 휴식을 취하고 있었다. 무언지 모르게 안절부절 못하는, 다소 불안정하게 보이는 몸짓으로 조용히 앉아서 웃고 더드는 우리의 모습에 미소로 반응해 줄 뿐이었다. 어느덧 그녀는 피곤한 듯 창가에 기대어 잠을 청하기 시작했다. 그러다 멍하니 창 밖을 보며 공상에 잠기기도 했다.

저 멀리 날이 밝아 오면서 우리는 오대산을 오르기 시작했다. 나는 그녀의 바로 뒤를 따라가면서 상원사로 향했다.

"저 나무는 무슨 나무예요? … 저 새소리가 어떤 새소리죠?"

그녀는 호기심 많은 모습을 여기저기 드러내며 꽃 한 가닥 꺾어 꽃반지를 만들어 끼기도 했다. 눈 앞에 하얀 교복을 입은 소녀가 꽃반지를 만들고 타박타박 걸어가는 것을 본다는 것은 상당히 흐뭇한 일이었다. 상원사이에서 석류암으로 향하는 길은 너무나 힘들었다. 오랫동안 산을 타지 않은 탓인지, 원래 속근이 많은 체질이라서 인지 금세 피로가 몰려와 자연히 나는 처지게 되었다.

그날 밤 법당 맞은편 방에서 잠을 자는 데 옆의 선배들이 그녀를 안주 삼는 얘기가 들려왔다. 누가 보아도 그 소녀는 독특한 분위기의 여인이었다. 조용하고 말이 없는 마치 이 사회 사람이 아닌 것 같은.....

무언지 모를 당신의 신비가 오랫동안 나를 사로잡았습니다.

조용하면서도 고독을 즐길 줄 아는 당신의 생활 때문이라고 단정하고 싶지 않습니다. 뭔가 모를, 당신의 배후에 깔린 신비가 여러 사람을 사로잡을 수 있는 매력일 것입니다.

당신은 지금까지 보아온 여인(소녀)들 중에는 가장 특이한 여인이며 또한 나를 철저하게 닮은 여인입니다. 당신을 가만히 바라볼 때 나는 당신과 아울러 전체 모든 것들이 서로 섞여서 하나가 되는 것을 느낍니다. 내가 당신을 만난 것은 행운입니다.

물이 높은 곳에서 낮은 곳으로 흐르듯이 나의 부족하고 단점 많은 인격들은 자연스럽게 그 보충을 찾아 안전을 좇아갑니다.

당신의 초연한 자세, 그를 뒷받침하는 지성이 나를 사로 잡아 나의 무절제한 삶에 이리저리 한계의 삶을 만듭니다.

성급히 이리저리 날뛰던 나의 주접스러운 행동은 점점 멀어지고 나에게는 조용히 안정감이 스며듭니다.

나는 그녀에게 깊이 빠져들었다. 그러나 감히 접근할 생각은 못하고 속만 태우다가 드디어 용기를 내어 편지를 썼다. 몇 번이나 전하려 했으나 이내 접어두기로 했다.

어느 날 그녀는 짧은 치마를 입고 내 마음을 부풀게 했다. 그날, 바로 그날 한통의 편지가 내게 전달되었다. 그녀의……

법당 왼편 조그만 휴게소에서 몇시에 만날 수 있느냐는 것이었다. 그렇게 우리는 둘만의 사랑이 시작되었다.

내용은 기억이 없고, 다만 법당 왼쪽 학생 회의실에서 법회가 끝나고 만나자는 것이었다. 서로 마주보고 있노라니 내 얼굴이 홍당무가 되었다. 서로 사귀자는 그녀의 말을 듣고 정신이 번쩍 들었다. 하, 나의 가슴 속에서 방망이 소리가 내 귓전을 두드렸다.

"그래……" 모기 소리였다.

특별한 이야기 없이 서로 알고 있는 친구 안부 정도 물어보고 그날의 만남은 끝이났다.

하지만 늘 법회 시간에는 스님의 법문이 귀에 들어오지 않았다. 회색 교복을 입은 맑고 아름다운 소녀!

그렇게 시작된 사랑은 늘 포교당(布敎堂; 사전적 의미로는 "종교를 널리 전파하는 일을 맡아보는 곳"으로 정의되어 있다. 대한불교조계종의 사찰법에 따르면, '소유부동산이 없이 부동산을 임차하여 운영하는 사찰'인 포교소와, '교구본사나 말사에서 직접 운영하고, 그 재산권은 관할 사찰이 소유하며, 도심지역 등 동일 경내 이외에 위치한 사찰'을 가리키는 직영포교당으로 각각을 구분하여 규정하고 있다)이라는 둘레에서 편지로 그리고 밤 12시부터 시작되는 KBS 라디오 방송에 나오는 '한밤의 음악 편지'로 서로의 감정을 전달하곤 했다.

그후 나는 그녀와는 다른 인생길을 걷게 되었다. 나에게는 나에 맞는 성숙의 길이 따로 있었던 것이다. 나는 그녀가 자기 길을 가는 동안에 떠났고 다시 만나는 것은 어쩌다 길에서였다. 그러나 그 만남은 무엇보다도 반가웠고 우리는 그동안 정신적인 방황과 성숙을 시시콜콜하게 얘기했다. 그녀는 어느 누구보다 내 젊은 시절 나의 정신적인 노정에 오랫동안 함께 있었던 연인이다. 그 소년, 소녀 시절 비록 같이 있었던 시간은 짧았지만…….

그녀를 마지막 본 것은 그녀가 취직하고 약혼했다는 이야기를 전해들은 바로 직전이었다. 그로부터 지금 십수년의 세월이 흘렀다. 그 당시 그녀는 가까이 하기엔 너무 먼, 멋진 여성이었다.

마냥 뜨거웠던 10대의 그 시간들, 그냥 좋았다. 좋은데 꼭 무슨 이유가 필요한 것은 아니다. 나만 그런 것은 아니었다. 많은 이들이 그 대열에 함께 있었다. 마치 유행처럼 좋아하는 구절을 공책에 빼곡히 적기도 했고, 서너 편 정도는 너끈히 암송하기도 하였다. 바야흐로 시(詩)의 전성시대였다. 도종환의 「접시꽃 당신」, 서정윤의 「홀로서기」 등은 사춘기 감성을 여지없이 휘젓고 있었다. 감성 충만, 용기가 생긴다. 연습장이 수학공식 대신, 시로 채워지기 시작했다. 밤은 시인을 만드는 묘한 힘이 있다. 하지만 그 마법은 아침이 되면 신기루처럼 사라지고 만다. 밤의 끄적거림이 못내 부끄러워진다. 습작공책이 되어버린 연습장을 다시 덮는다.

"자태(姿態, 몸가짐과 맵시, 모양이나 모습)가 너무 예쁜 것 같아
요."

"………."

그녀는 마치 태어나서 그런 말을 처음 듣기라도 한 듯 머쓱한
표정을 지어 보였다. 며칠 후 우리는 '제방 뚝 철로 부근'에서 다
시 마주 보고 앉았다.

"처음 본 순간 이후로 너 생각을 많이 해 봤어. 그러다 편지를
쓰기로 마음 먹고 밤새워 쓴 글이야, 워낙 글재주가 없어서……."

뭔가 모르게 건드리면 터질 듯한 긴장감이 그여 주위를 싸고 돌
았다.

이 이야기의 시작은 이렇다.

사춘기 고등학생 시절에 친구 D가 포교당 학생회원인데 좋아하
는 소녀가 있다나. 만나면 N 얘기뿐이었다. 그러던 어느 날 경쟁자
가 생겼으니 나 보고 도움 요청 겸 보디가드(bodyguard)가 필요하
다는 것이었다.

고등학교 2학년 때이니 좀 어설픈 생각을 할 당시이긴 하지만,
사실 난 중학교 2학년부터 중국무술 십팔기를 연마한 상태여서 싸
움에는 학교에서 적수가 없었다. 게다가 태권도 2단까지 공인받았
으니..... 하긴 다른 N, S, M고등학교 최고 주먹(?)이 도전을 해 왔
지만 1:1에서는 패한 적이 없는 상황이었다. 그렇다고 막무가내 싸
움꾼은 아니고 도전은 언제라도 받아주는 그런...게다가 학교 운동
부인 필드하키 선수였으니 몸은 쓸만했다고나 할까.

몇 번이고 D의 요청으로 포교당 학생 회원으로 가입하게 되어
청년회원 활동에 참여하게 되었다. 법회, 찬불가, 불경읽기, 참선,
등이 기억나는 용어이다.

  그녀와는 고등학교로는 동기생이니 반말을 해도 되지만 처음에는 존칭을 사용하는 서먹한 상태였다.

  그러던 어느 날 생각지도 않은 편지가 후배를 통하여 내게 전달되었다. 그 S 소녀가 보란 봉투에 깨알같은 글씨로....

  그렇게 시작되어 편지, 소위 연애편지가 오가기 시작했다.

  "두 연인이 서로 밀고 당기기를 할 때 한쪽이 굽혀올 때 상대쪽이 포근하게 포용하지 못하면 그 사랑은 가늘게 옅어지리라" -바이런(George Gordon Byron)-

  그렇게 그녀와 나는 연인(?)이 되었다. 나는 그녀가 맑은 눈으로 다가와 순수하게 호감을 고백할 때 어떤 이상적인 여인상을 느꼈다.

  "육체를 탐하기 시작하면 끝이 없어. 사랑의 첫 키스는 결혼식장에서나 이루어질 거야!"

  제방 다리 및 철로 기둥에서, 이 말이 끝나기가 무섭게 우리 둘의 눈은 하나가 되었다.

  "아담이 옛적부터 오늘에 이르기까지 인간은 고통 속에서 지내왔다는 말은 이제 그만 두기로 하자. 에덴의 동산(Garden of Eden)은 사랑의 첫 키스 속에서 다시 소생하는 것이거늘……." -바이런(George Gordon Byron)-

  차갑고 냉정한 너무 말투와 귀찮아하는 기색을 생각하면 도대체 편지를 쓴다는 것 자체가 어리석게 느껴지지만 이대로 끝내기에는 내 사랑이 용납하지 않는다. 도대체 무엇 때문인가?

  전에 D가 N을 혼자 좋아했지만 이루어지지 않아 나를 붙들고 우는 그를 이해할 수 없었다. 서로의 사랑을 방해할 수 있는 장애가 무엇인지 나의 사고 영역엔 없었던 것 같다. 그런 상황이 우리에게 닥친 걸까? 난 너에 비해 의지력이 약해 상황을 똑바로 볼 수 없어 지지부진하지만 넌 냉정하게 볼 수 있어 결단을 내렸단 말인가! 불과 몇 달 전 사랑을 다짐하고 얼마 후 우리는 서로에게 잔인한 말을 서슴지 않고 갈라졌다. 이런 식은 서로에게 너무 잔혹하다. 그리고 얼마 후 편지가 왔다. 약혼한다는 것이다. 약혼한다는 것이다. 아 ⋯⋯.

우울한 미소를 짓게 하지 마세요. 세월의 밤은 깊고 순간은 추억 속으로 영원히 빛날지라도 제일 두려운 것은 법회가 끝난 다음 당신과의 이별이랍니다

☞ 첫사랑과 다시 만나다

S!, 전에 난 한 여인에게 남자가 사랑한다고 말하면 그 말을 몇 퍼센트 믿겠느냐고 물어 본적이 있었다. 이 물음을 너에게 다시 되풀이하고 싶다. 너에 대한 나의 사랑의 언약을 도대체 몇 퍼센트 믿어 왔나? 한순간에 어떠한 오해도 말할 수 없는 차가움을 보여주기까지에는 나의 사랑에 대한 신뢰도가 얼마나 지천(至賤, 하도 흔해서 귀할 것이 없음, 더없이 천함)했던가를 보여주는 것이 아닐까?

사랑했었다. S!

고통의 심연(深淵)이 가슴을 차고앉아 버려 지금의 너에 대한 사랑은 농무(濃霧, 짙은 안개) 속에 파묻혔지만 예전의 사랑의 말은 거짓이 아니었다. 사랑하지만 헤어질 수밖에 없다던 친구의 사랑을 가로막는 것은 친구의 심성 속에 있는 취약성이 현실과 관계 맺는 데서 오는 인격적 모순이라고 나름대로 진단을 내려본다.

이번엔 내 속에서 그 취약성을 발견했다. 나와 사귀는 동안 튀어나오는 여러 가지 문제, 특히 집안과 서로에 대한 오해나 집착에서 비롯된 방해물들은 나의 취약한 심성이 만들어 낸 사랑의 무덤이라는 생각이 들었다.

하지만 우리는 서로 믿어오지 않았던가! 내 인생의 강물은 너에게 향하고 있으니 곁가지의 흐름은 조금만 참아달라고 부탁하지 않았던가! 난 도무지 상상을 할 수가 없다. 아무리 여자의 마음이 갈대라지만 미소 속에 항상 칼날을 숨기고 있었으리라고는 생각할 수가 없다. 이대로의 반목은 기본적인 인간성에 대한 도전이라는 생각 한번 해 보지 않겠는가? 서로의 언약은 쓰레기보다 가벼이 팽개치고 순식간에 냉정한 자신 속에 스스로의 벽만 공고히 쌓을 수 있다는 것은 인간의 기본적인 도덕에 대한 도전이라는 식의 생각 말이다. 이래서는 안 된다.

이상하게 우리는 주변에서 우리의 사랑을 흐트러뜨리려는 부추김을 계속해서 받아왔다. 나에 대한 주위의 기대와 착하고 예뻐 보이는 너의 얼굴은 우리가 같이 있으면서 느끼는 즐거움과 행복의 느낌을 조금씩이나마 분산시켜 왔던 것 같다. 그래서 우리는 서로 없으면 못 산다는 식의 절실한 필요까지는 없었던 것 같다. 이 사회의 인간으로서 변함없는 사랑을 한다는 것이 얼마나 어려운 건지 난 알고 있다. 그래서 내 인격의 불완전함을 보상하고 고귀한 사랑을 받아들이는 과도기적인 편법으로 나름대로 사랑을 조제했다. 그게 바로 여러 번 말했듯이 사랑한다고 말한 현실적인 진동에 절대적인 가치를 부여하는 것이다. 서로의 인격을 존중하고 이해와 용서를 되풀이 하면서 사랑을 키우는 것이 정도이겠으나 우리 사회에서 이런 식으로 변함없는 사랑을 유지할 수 있으리라는 것에 회의적이기 때문이다. 하지만 난 너를 사귀고 헤어진 이 마당에 내 사랑이 얼마나 결핍했나를 철저히 절감했다. 이젠 솔직히 사랑에 자신이 없다.

S!

낭만적인 연애를 다채롭게 해 주는 수단으로 택한 궁합이 잘못된 건가? 서로의 공허감을 채워줄 수 있는 만남이 잦지 못했기 때문인가? 내가 너무 무례하게 행동해서 였나? 아무리 극단으로 치우치는 사고를 굴려 봐도 너의 차가운 선택은 나의 상상 영역엔 없다. 전화를 통해 들려오는 "아무렇게나 생각해!" "뭐가 뭔지 모르겠다." 라는 말에 매달려 너의 입장을 이해하려고도 해 봤으나 그러기엔 너의 분위기는 너무도 두껍게 차다. 돌이킬 수 있다면, 돌이키고 싶다 매달려서 돌이킬 수 있는 일이라면 매달리고 싶다. 정말 이 내 사랑을 '첫사랑의 실패' 로 결론 내리고 싶진 않다. 하지만 무언지 모를 예감은 싸늘하게 비웃는 너의 모습을 떠오르게 하는구나!

S!

순수하게 다가와서 나에 대한 호감을 고백했던 너의 모습에서 나는 나의 이상향을 발견했었다. 정말 사랑했다. 이 말만은 믿어주기 바란다. 훗날 내가 누군가를 사랑한다고 말할 수 있으려면 너에 쏟은 나의 정의 양을 넘어야 할 것이다. 끝으로 너와의 사귐에 대한 소중한 기억과 나의 상상력을 합쳐 한 작품을 완성하는 것으로 나는 나의 첫사랑의 끝을 맺으려 한다. 그 시작은 대개 이러하다.

어디서부터 시작해야 할까? 한 불쌍한 여인의 이야기........두 번 다시 사랑으로 상처를 받지 않겠다고 웅크리고 있던 내 가슴에 안겨 사랑을 빼내더니 차가운 경멸로 짓밟고 돌아선 그 사람의 얘기를........생각하면 괴로움만 회상될 뿐이나 반드시 얘기를 해야 겠다. 훗날 내 아내에게 더듬거리면서 첫사랑을 고백하는 쓰디쓴 맛보고 싶지 않으니까.[81]

그전에 친구, 선배들로부터 S에 대한 소식을 종종 듣곤 했다. 남편은 사업을 한다는 ...별로 사업이 성공하지 못해....그리고 얼마 후 이혼했다고 한다. 혼자서 자녀들을 키우느라 힘들어하고 있다고 동생 B한테 좀더 자세하게 근황을 들었다. 그리고는 나도 군에 입대하여 사랑에 대한 이야기는 까마득한 추억이 되었다.

2008년 3월 동명중학교 교감으로 근무할 때 한 통의 전화가 왔다. S였다. 한참동안 수화기를 들고 멍하게 전화를 받았다. 반말을 할 수도 하오를 할 수도 뭐 말을 해야될지.

"강릉으로 왔다고 동생한테 들었어"

얼마 후부터 자연스럽게 만남을 기회를 갖었다. 그러나 임계중·고등학교 교장으로 발령을 받게 되었다. 하루에 한번씩 통화를 하기 시작했다.

시간은 흘러 2015년(?) 11월 중순, 이른 아침에 한 통의 전화가 걸려왔다. 세월이 흘러 35년, 만났던 이 운명이 다시 우리 사이를 영원히 헤어짐의 길로 인도했다.

"엄마가 건강이 상당히 좋지 않아서 한양대학 병원에 입원했어요. 올라 오실 수 있나요" 딸 은혜의 목소리였다.

불길한 예감이 들었다. 그 전에 서울에 올라가 만났을 때 등쪽이 별로 좋지 않아 이따금씩 통증이 있다고 말한 적이 있다. 그래서 가까운 한양대학 병원에 종합진찰을 받아 보아야겠다는 이야기를 들은 바가 있었다.

버스를 타고 서울로 올라가는 도중 별의별 생각이 다 들었다. 2014년 2월 정년퇴직을 하면 양평이나 여주에 집을 장만해 새로운 삶을 살기로 합의했으며, S는 건어물 상회를 운영하고 있었는데, 모두 정리한 후 함께 동기하기로 약속한 상태였다.

한양대학교 병원에 도착하니 아들, 딸 둘이 문제를 토의하고 있었다. '췌장암(膵臟癌) 3기'라는 것이다. 잘 살면 4개월, 항암을 시도하면 8개월 정도 생명을 유지할 수 있다는 것이다. 아이들은 협의를 한 후 서울아산병원(서울 송파구 올림픽로 43길 88, 풍

남동 388-1)암센타에서 다시 확인하기로 하고, 아산병원으로 향했다.

입원 하루가 지난 후 결과가 나왔다. 한양대학 병원과 마찬가지로 '췌장암 3기(췌장에 생기는 악성 종양. 비교적 드문 질병이지만 예후가 아주 나쁜 질병이다)'로 생존 4개월, 항암 시도 9개월로 판정이 났다.

항암(抗癌; 암세포가 증식하는 것을 막거나 암세포를 죽임)하기로 하고, 입원은 시작되었고 본격적인 항암치료로 돌입했다. 그때가 아마 2015년 11월 말경으로 기억된다.

본격적으로 서울 아산병원에서 치료를 시작하였다. 한 달에 한 번씩 2박 3일 동안 투약하였다. 그러기를 3개월 하였으나 별 진전이 없자 아이들의 주선으로 양평 암환자마을로 자리를 옮겼다.

암환자마을은 전국적으로 암환자들이 숙식을 하면서 자연치료를 하는 곳이었다. 숙박·치료비는 120만원, 보호자 숙박비 90만원을 지불해야 했다.

식사는 고기·생선류는 전혀 없으며, 유기농(有機農; 화학 비료나 농약을 사용하지 않고 퇴비 같은 유기 비료를 쓰며, 생물학적인 방법으로 병충해를 방지하는 농업)으로 그곳에서 재배한 식품으로 반찬을 조리했다. 치료는 특별한 것이 없고 맑은 공기에 강사를 통한 '웃음치료', 장작불 열을 이용한 '열쪼이기 치료' 등이었다. 특히 거처(居處) 일대는 편백나무(扁柏; 측백나뭇과에 속한 상록 교목의 하나로, 측백나뭇과에 속한 상록 교목의 하나. 높이는 40미터에 달하며, 가지는 수평으로 퍼져서 원뿔형의 수관을 하고 있다. 열매는 구과(毬果)로 둥글고 홍갈색이며, 여덟 개 내외의 실편으로 구성된다)로 온 산을 덮고 있다.

편백나무 부근에 침상이 있으며, 등산로는 나름대로 잘 구성되어 있었다. 그곳에서 숙식하면서 대부분 한 달에 한 반씩 서울 아산병원, 연세 세브란스, 삼성병원 등으로 이동해 2~3일씩 이동해 치료를 받고 돌아오곤 했다. 그러기를 6개월 한 후 집으로 돌아왔다.

다시 자식들의 주선으로 남양주에 위치한 황성주 박사 암치료센타에서 치료 방법인 '면역칵테일 치료법'을 선택했다. 겨우살이 (쌍떡잎식물 단향목에 속하는 기생 식물들을 일컫는 말. 기생관목. 겨우살이, 겨우사리, 동청(冬靑), 기생목(寄生木) 등으로 불린다. 영어로는 Mistletoe라고 한다. 겨우살이 추출물에서 항암 효과가 발견되어 사용되고 있다. 한약재로도 상기생(桑寄生)이라 하여 약재로 쓰인다) 정맥주사로 직접 주사액으로 만들어 투약하는 것인데, 항암 효과가 높다 하여 한 번 주사 투약에 10만원 정도였다.

서울 아산병원 함암치료와 함께 정맥주사 투약 1개월 정도 지난 후 자식들이 나에게 어머니와 함께 대한민국 전국 일주를 해 줄 것을 부탁했다.

2016년 9월 초 강원도 고성군 대진 화진포를 시작으로....... 부산 해운대·용두산 공원·해동 용궁사, 대구 팔공산케이블카·동촌유원지, 경상북도 불국사·문경새재, 경상남도 남해 독일마을·사천마을 케이블카, 충청남북도, 제주도를 거처 7주일간의 여행 아닌 여행을 했다.

전국일주에서 돌아온 후 서울 아산병원 함암치료와 겨우살이 정맥주사도 여러 번 투약했지만 그것도 별 효과가 없자 자식들의 주선으로 하남시의 암치료 전문요양원으로 입원했다. 그곳은 병원 겸 요양시설이 설치되어 있어, 2층에는 요양원이고 3층은 중환자와 암환자로 편성되어 있었다.

의사의 또 다른 치료에도 불구하고 S여인은 2016년 10월 27일 이 세상과 하직하고 말았다. 췌장암 진단 후 12개월 정도 생존한 셈이다.

홀로서기

서정윤

1
기다림은
만남을 목적으로 하지 않아도
좋다.
가슴이 아프면
아픈 채로,
바람이 불면
고개를 높이 쳐들면서, 날리는
아득한 미소.
어디엔가 있을
나의 한 쪽을 위해
헤메이던 숱한 방황의 날들,
태어나면서 이미
누군가가 정해졌었다면,
이제는 그를
만나고 싶다.

2
홀로 선다는 건
가슴을 치며 우는 것보다
더 어렵지만
자신을 옭아맨 동아줄,

그 아득한 끝에서 대롱이며
그래도 멀리,
멀리 하늘을 우러르는
이 작은 가슴.
누군가를 열심히 갈구해도
아무도
나의 가슴을 채워줄 수 없고
결국은
홀로 살아간다는 걸
한 겨울의 눈발처럼 만났을 때
나는
또다시 쓰러져 있었다.

3
지우고 싶다
이 표정 없는 얼굴을
버리고 싶다
아무도
나의 아픔을 돌아보지 않고
오히려 수렁 속으로
깊은 수렁 속으로
밀어 넣고 있는데
내 손엔 아무것도 없으니
미소를 지으며
체념할 수밖에······
위태위태하게 부여잡고 있던 것들이

산산이 부서져 버린 어느 날,
나는
허전한 뒷모습을 보이며
돌아서고 있었다.

4
누군가가
나를 향해 다가오면
나는 〈움찔〉 뒤로 물러난다.
그러다가 그가
나에게서 멀어져 갈 땐
발을 동동 구르며 손짓을 한다.
만날 때 이미
헤어질 준비를 하는 우리는,
아주 냉담하게 돌아설 수 있지만
시간이 지나면 지날수록
아파오는 가슴 한 수석의 나무는
심하게 흔들리고 있다.
떠나는 사람을 잡을 수 없고
떠날 사람을 잡는 것 만큼
자신이 초라할 수 없다.
떠날 사람은 보내어야 한다.
하늘이 무너지는 아픔일지라도.

5
나를 지켜야 한다.

누군가가 나를 차지하려 해도
그 허전한 아픔을
또다시 느끼지 않게 위해
마음의 창을 꼭꼭 닫아야 한다.
수많은 시행착오를 거쳐
얻은 이 절실한 결론을
〈이번에는〉
〈이번에는〉 하며 어겨보아도
결국 인간에게는
더 이상 바랄 수 없음을 깨닫는 날
나는 비록 공허한 웃음이지만
웃음을 웃을 수 있었다.
아무도 대신 죽어주지 않는
나의 삶,
좀 더 열심히 살아야겠다.

6
나의 전부를 벗고
알몸뚱이로 모두를 대하고 싶다.
그것조차
가면이라고 말할지라도
변명하지 않으며 살고 싶다.
말로써 행동을 만들지 않고
행동으로 말할 수 있을 때까지
나는 혼자가 되리라.
그 끝없는 고독과의 투쟁을

혼자의 힘으로 견디어야 한다.
부리에,
발톱에 피가 맺혀도
아무도 도와주지 않는다.
숱한 불면의 밤을 새우며
〈홀로서기〉를 익혀야 한다.

7
죽음이
인생의 종말이 아니기에
이 추한 모습을 보이면서도
살아 있다.
나의 얼굴에 대해
내가
책임질 수 있을 때까지
홀로임을 느껴야 한다.
그리고
어딘가에서
홀로 서고 있을, 그 누군가를 위해
촛불을 들자.
허전한 가슴을 메울 수는 없지만
〈이것이다〉 하며
살아가고 싶다.
누구보다도 열심히 사랑을 하자.

"환상을 갖는 사람이 성능력이 뛰어나다"

지그문트 프로이트(Sigmund Freud)는 "행복한 사람은 환상을 갖지 않는다" 라면서, 성행위에 관한 꿈을 꾸는 것은 신경증이 있거나 불안감이 시달리는 명백한 증거라고 주장하였다.

그러나 후대의 수많은 연구결과를 보면 이 문제에 관해서는 프로이트가 착각에 빠졌다는 사실이 분명하다. 환상은 본능을 발산하지 못한 사람들의 분출구가 아니라 죄의식에서 벗어난 활동적인 충동의 표현인 것이다.

오르가슴에 자주 도달하고 만족스러운 성생활을 영위하는 여성은 불감증이나 불만족에 시달리는 여성들보다 상상 속에서 흥분하는 일이 많으며, 남성의 경우도 이와 비슷하다.

굶주린 사람은 필연적으로 먹을거리를 상상하게 되지만, 섹스는 그와 다른 원리에 따라 작동한다. 자주 하는 사람은 그렇지 못한 사람에 비해 훨씬 더 머릿속에서 '그것' 을 상상한다.

성적 환상 속에서 어떤 장면이 떠오르는지는 성별에 크게 좌우된다. 대부분의 성교 꿈은 그다지 화려하지 않아서, 과거와 현재의 파트너, 혹은 한 번쯤 본적이 있는 이상적인 사람과 '정상적인' 섹스를 나누는 환상을 꾼다. 남성은 환상 속에서 주도적으로 행동하는 반면에 여성은 남성에게 주도권을 넘겨주는 경우가 많다. 남성의 환상은 대개 명확하고 해부학적으로 자세한 내용이 포함되지만, 여성은 주로 낭만적이면서 정서적 분위기에 빠져든다. 그리고 남성은 여성에 비해 환상 속에 파트너를 자꾸 바꾸고 불가항력적으로 오르가슴에 도달한다. 파트너 없이 수음(masturbation, 手淫)을 자주 하는 여성들이 전혀 하지 않는 여성에 비해 자긍심이 높으며, 성행위에 대한 두려움이 적어 우울증에 걸리는 경향이 거의 없다는 성과학자들의 주장이 증명된 셈이다.[82]

4. 옛날의 사랑과 지금의 사랑

저쪽에, 저 멀리에
beyond description

언제부터인가 나는 이런 생각을 하게 되었지요

남을 위해 산다는 것, 참다운 사랑을 이룬다는 것에는 어떤 마음 자세가 필요한 것일까 하는…….

당시 결론으로는 온유(溫柔; 마음씨가 따뜻하고 부드러움)하고 어떠한 일에도 수긍을 하고 상대에 대한 예의와 성실을 잃지 않으면 이룰 수도 있으리라는 생각을 했었지요.

길을 걸으며 생각에 잠겼지요. 타인의 욕심과 이기를 용납하면서 그들과 포근한 관계를 이룰 수 있는 길은 무엇일까 하고 말이오.

상대의 배신에 무심할 수 있고 그들의 사욕에 미소지을 수 있다면 결국 그들은 자신의 순수를 드러낼 것이라고요.

하지만 나는 한편으로 등한시했던 것 같아요. 나 자신의 마음의 순수에 대해서는 …….

상대방이 주는 정을 받아들이고 이에 정으로써 답해 줌에는 도리어 스스로의 마음을 식히고 닫을 수도 있음에는 말이오.

'아무도 서로를 사랑하지 않는 세상'이라 개탄한 노래가 좋았었지요. 이런 사랑 없는 세상에 스스로를 사랑답게 가꾸는 것은 나름대로 사랑의 조건에 철저해져야 하리라 생각했었지요.

"오래 참고 오래 견디며 온유하며 용서하고……."

하지만 이들 역시 사람의 마음엔 밝혀 깨우칠 수 없는 교훈으로

서의 벽이 느껴지는군요. 누구를 좋아하고 아끼고 사랑한다는 것은 죽은 글이나 한정된 틀 안에 가둬 둘 수 없는 것이었구나 하는 생각이 드는군요.

보고 싶은 여인이 안쓰러움을 연장치 못하게 찾아와선 안겼는데 그 연인을 안기에는 내 마음이 부족했나 봐요. 마음의 정에는 벽이 없는 건가 봐요. 벽 없는 무한에 유한의 치밀을 으스대고 내밀었으니 무한은 슬퍼질 수밖에 없었나 봐요. 담을 타고 달아나는 사랑에 가슴이 아팠지요.

내 마음이 좁고 정이 부족함에 새삼스러이 참된 사랑을 느꼈지요. 참된 사랑은 beyond description 이라는…….[83]

가끔 대학 시절의 글들을 들여다보다가 깜짝깜짝 놀랄 때가 있다. 지금은 까마득히 기억이 안 나는 어떤 여인이 옛 인연을 못 잊고 찾아왔는데 내가 싸늘함으로 돌려보냈나 보다.

내가 이렇게 많은 생각을 했었나! 내 감수성이 이렇게 예민했나 하고. 지금은 그때보다는 훨씬 더 나이가 많이 들었지만 나이만큼 성숙했다기보다는 오히려 정체되고 퇴보한 느낌이 든다. 특히 감수성 만큼은. 그러나 그때 그 시절로 다시 돌아가고 싶지 않다. 그 고통 많고 번민 많고 의무 많고 불확실한 그 시절은 그리운 낭만의 시절이 아니라 돌아가고 싶지 않은 형극(荊棘; 괴로움이나 어려움을 비유적으로 이르는 말)의 시절이다.

지금이 그때와 달라진 게 있다면 사물을 보거나 사람을 보거나 세상을 볼 때 고지식하게 내 틀이 너무 비좁고 연약하다. 차라리 내 틀을 스스로 포기하고 세상이 흘러가는 대로 따라 흘러가는 게 제일 마음이 편하다. 그래서 나이 들면서 늘어난 것은 좋은 게 좋은 거고 상대가 뭐라고 하든 그다지 안타깝지 않다는 것이다. 상대는 상대 나름대로 다 자기 원칙이 있고 기준이 있는데 내가 뭐 그리 중요하겠는가?

전에는 사람이면 이래야 한다. 저래야 한다 였지만 요즘은 사람도 이럴 수도 있고 저럴 수도 있다고 생각한다. 젊었을 때는 나 같은 사람을 보면 현실적응주의니 패배주의니 역사의식이 없다느니 하고 비난했겠지만, 요즘은 아예 그런 젊은이들을 만나지도 않고 설사 비난받는다 해도 상처받지 않는다. 남들이 뭐라고 하든 내가 그렇지 않으면 되기 때문이다. 구태여 남들에게 증명할 일도 인정받을 이유도 없다. 남들이 나를 못 견뎌 하며 그 앞에서는 사과하고 돌아서서는 다시 내 길을 가면 그뿐이다.

옛날의 사랑이 고결하고 지고지순(至高至純; 더할 나위 없이 높고 순결하다. 더할 나위 없이 높고 순수함)한 사랑이라는 의미 안에 모든 것을 담는 것이라면, 지금의 사랑은 그저 흘러가는 대로 내버려 두는 것이다. 사랑할 사람은 사랑하고 미워할 사람은 미워하고 그러나 보면 다 사랑하고 미워할 사람은 미워하고 그러다 보면 다 사랑하고 싶어질 때가 있겠지 하고.[84]

옛사랑

이문세 노래, 이영훈 작사 · 작곡

남들도 모르게 서서이다 울었지
지나온 일들이 가슴이 사무쳐
텅빈 하늘 밑 불빛들 커져가면
옛사랑 그 이름 아껴 불러보네
찬바람 불어와 옷깃을 여미우다

후회가 또 화가 난 눈물이 흐르네
누가 물어도 이플 것 같지 않던
지나온 내 모습 모두 거짓인걸

이제 그리운 것은 그리운 대로 내 맘에 둘 거야
그대 생각이 나면 생각 난 대로 내버려 두듯이

흰눈 나리면 들판에 서성이다
옛사랑 생각에 그 길 찾아가지
광화문거리 흰눈에 덮여가고
하얀 눈 하늘 높이 자꾸 올라가네

저는 이 노래의 제목부터 마음에 들었습니다. 첫사랑도, 흔한 짝
사랑도 아닌 옛사랑이라니. 첫사랑이나 짝사랑 노래는 주로 과거의
아픈 기억조차 행복했던 순간으로 간직하려는 유아적 태도가 드러
나는 반면, 옛사랑이라는 제목에서는 아직도 남은 아쉬움과 회한
이, 아프지만 기억 속에서 떠나보내려는 성숙한 의지가 느껴지는
것 같았거든요. 그런 성숙은 괜히 서글픕니다. 그러기에 어쩌면 옛
사랑이라는 제목의 방점은 '사랑'이 아니라 '옛'에 있는 게 아
닐까 합니다. 지나간 것, 돌이킬 수 없는 것, 그걸 알지만 가끔은
어찌할 수 없는 그리움, 그 앞에서 울컥하지 않을 수가 없겠습니
다. 하지만 이 노래에 이런 반전이 살짝 숨어 있다는 걸 아십니까?

사랑이란 게 지겨울 때가 있지
내 맘에 고독이 너무 흘러넘쳐
눈 녹은 봄날 푸르른 잎새 위엔

옛사랑 그대 모습 영원 속에 있네

인정합니다. 사랑이란 게 지겨울 때가 있죠. 지겨워질 만큼 사랑이라도 해 봤으면 좋겠다는 사람도 있겠지만 말입니다. 바람이나 권태기 따위를 의미하는 것이 아닙니다. 웬만한 사랑으로 채워지지 않는 어떤 본질적인 공허함이나 부질없음에 대한 한탄에 가까울 것입니다. 공소함보다 차라리 쓸쓸함이 나아 보일 때, 그때 우리는 사랑보다 고독을 택할 자유가 있습니다. 하지만 그런 지경이 너무 오래 지속될 때, 그래서 내 마음에 고독이 너무 흘러넘칠 때, 이 노래의 주인공은 지난겨울 눈 녹은 자리를 다시 찾아가는 듯이 보입니다. 푸른 잎새 위에 영원히 존재하는 옛사랑을 꺼내보려고 말입니다.

사랑이란 게 지겨울 때가 있다는 것을 자각한 이라면 옛사랑 또한 지겨울 때가 있음도 인정해야 옳습니다. 옛사랑이란 '가지 않은 길'과도 같으니까요. 가지 않았기에 빛나 보일 따름입니다. 그것은 또 다른 구속에 지나지 않습니다. 이러려고 그리운 것은 그리운 대로 내 맘에 두겠노라 한 것이 아니겠습니까. 이듬해 봄까지 그리워할 건 아니지 않느냐고요. 이렇게 보면, 사랑은 자유와 구속 사이의 줄다리기 같습니다.[85]

대부분의 사람들은 상상속에서 그려낼 수 있는 감각적 쾌락을 섹스와 연관시킨다. 만일 그러한 쾌락이 멀리 있거나 그 정도의 기대감마저 충족되지 않는다면 쓰디쓴 실망감이 찾아오게 마련이다. 짐작건대 남성은 이불 속에서 자신의 기술이 먹혀들지 않을 수 있다는 사실을 인정하지 않으려는 것 같다. 그들은 진정한 사나이로서의 이미지를 유지하려는 생각에 골몰한 나머지 절대로 자신의 '거시기'에 도움이 필요하다는 생각을 하지 못한다.

인간이 성생활의 질적인 측면을 매우 중요시하는 데는 진화생물적 근거가 있다. 섹스에 무관심하도록 만드는 유전자는 전체 유전자 집합으로부터 조직적으로 배제되는 반면, 번식행위의 동기를 촉발시키는 감정들은 자연도태법칙에 따라 유리한 고지를 차지하게 된다.[86]

"키스는 문명처럼 진화한다"

당신의 목과 가슴에

천 번의 입맞춤을,

그리고 더 아래로,

더 아래로 내려와

내가 너무나 사랑하는 자

그많고 까만 숲에도

천 번의 입맞춤을.

이것은 나폴레옹(Napoleon)이 조세핀(Josephine)에게 쓴 편지의 뜨거운 고백이다.

멋진 키스는 맥박을 1분에 72회에서 100회로 뛰게 할 수 있다. 한번의 황홀한 키스는 3칼로리의 열량을 소모케 하고 아침에 아내에게 굿바이키스를 하는 남편들은 그렇게 하지 않는 사람들보다 5년 정도 오래 산다고 한다.[87]

5. 대학시절의 사랑

대학시절에 가장 고민이 되는 것은 역시 사랑일 것이다. 향후 진로 문제도 크지만 그 보다도 더 강한 힘을 발휘하는 것은 사랑이다. 사랑이 주는 쾌락과 행복만한 것이 없기 때문이다. 대학시절에 사랑을 일찌감치 쟁취한 사람은 진로 문제에 있어서도 탄탄히 앞을 향해 나아가지만 그렇지 못한 젊은이는 오랜 시간 방황하여 고독해하며 고통받는 것을 많이 발견할 수 있다.

내가 만일 다시 대학시절로 돌아간다면 나는 꼭 연애를 해서 그 여자와 결혼하고 싶다. 대학시절에 여자들을 사귈 때는 그 가치를 잘 몰랐지만 나이 들어서 보니 그 때 순수하게 사랑하고 그 사랑을 키우는 것 이상 가치로운 투자는 없다. 그래서 나는 대학생들까지 이렇게 말하고 싶다.

"대학시절에 좋은 사람 만나서 열심히 사랑하고 그 사랑을 꼭 결혼으로 골인시키라고. 그렇게 결혼하면 오랜 세월 사랑을 키워왔기에 나중에 시련이 와도 쉽게 깨지거나 불행해지는 일을 없다고."

대학을 졸업하고 군 복무를 마치고 여기저기서 더 멋있는 조건의 이성이 나타난다고 해서 눈이 돌아가면서 사귀던 애인을 저버린다면 그같이 어리석은 일은 없다. 조건이 주는 만족은 짧지만 사랑과 믿음이 주는 만족은 영원하기 때문이다. 그런데 요즘 젊은이들은 사랑 문제가 있어서는 마치 애늙은이(말이나 행동 따위를 나이가 지긋한 어른 같이 하는 아이를 이르는 말)같아져 가고 있다는 것이다. 마치 사랑의 아픔을 진저리나게 겪기라도 한 양 사랑하는 데 있어서 매우 신중하고 또 상처받지 않으려고 웅크리는 것을 자주 볼 수 있다.

어떤 처녀는 멋진 남자를 사귀고 있음에도 불구하고 여러 남자들을 동시에 사귀곤 한다. 열 사내 싫어하는 계집 없다고 사내라면 거절하는 법도 포기하는 법도 없다. 그녀는 자라면서 아버지의 바람으로 진절머리 나게 고통받았는데 그 결과 어떤 남자에게도 마음은 못 여는 결과를 초래하고 만 것이다. 바로 사랑의 상처를 두려워하는 것이다.

개방된 사회가 몸을 여는 젊은이들은 점점 늘어나지만 마음을 여는 젊은이들은 자꾸 줄어들고 있다. 아마도 사랑에 흔해진 만큼 사랑의 아픔 또한 흔하기 때문이리라. 그리고 사랑의 아픔이 두려워 마음의 문을 닫고 사는 젊은이들이 늘어난다는 것은 그만큼 젊은이들이 약해졌다는 방증(傍證)이 된다.

사랑이라는 고통스럽고도 환희로운 무거운 짐을 짊어지는 것을 기피하면서, 환희는 작지만 고통도 덜한 얕은 사랑에 만족하려 한다. 그러나 마음의 문을 닫고 하는 사랑은 인간을 근원적인 고독에서 구원해 주지 못한다. 마음의 문을 열고 상대방을 자기 안으로 받아들여 하나가 되는 사랑은 어떠한 부귀영화 보다도 만스럽고 가치 있고 안정되지만 표면적인 사랑은 항상 사람을 방황하고 떠돌게 만든다. 그래서 나는 사랑의 상처가 두려워 진정한 사랑을 기피하고 사는 것보다는 차라리 깊은 상처를 안고 평생을 고통스럽게 사는 게 더 낫다고 생각한다. 사랑을 포기하고 사는 것은 마치 영혼을 포기하고 사는 삶과 다를 바가 없기 때문이다.

특히 젊었을 때부터 진정한 사랑을 스스로 포기하는 것은 생명의 삶을 포기하는 것과 다름이 없다. 사랑이 젊음이 특권이라는 것은 젊음은 사랑을 짊어질 만한 힘이 있기 때문이다. 나이가 들면

들수록 젊음의 활기는 점점 더 약해져 가 마음의 문을 열고 진정한 사랑에 뛰어들 수 있는 힘은 점점 더 줄어들고 만다. 또 나이가 들면 순수함 또한 많이 탁해져 전같이 사람을 순수하게 사랑하고 받아들이지 못한다. 마음만 먹으면 얼마든지 진정한 사랑을 할 수 있을 것 같은 순간은 그렇게 길지 않은 것이다.

그런데 이런 말을 아무리 해도 젊은이들은 귀담아듣질 않는다. 이 세상에 널려 있는 게 멋진 남자고 멋진 여자인데, 또 내가 장차 어떤 멋진 사람을 만날지도 모르는데 굳이 한 사람에게 사람 잡혀 전전긍긍해야 하냐고. 그러나 젊음의 힘과 순수는 언제까지 나의 것은 아니며, 또 내가 열심히 쏟은 사랑을 매몰차게 배반하는 어리석은 상대는 젊을 때일수록 드물고 또 설사 있다고 해도 젊어 버틸 힘이 있으며 상처를 받으면서 솎아내는 것이 더 현명하기 때문이다.[88]

대학생활은 미팅으로부터 남녀가 만나게 된다. 숨바꼭질 하듯 만남을 가질 수밖에 없는 고등학교 시절에서 당당하게 당연하게 만남이 이루어진다.

내가 대학에 다니던 시절에도 남녀의 만남은 대부분 미팅(meeting; 남녀 학생들이 서로 사귀기 위하여 집단적으로 가지는 모임)에서 이루어졌다. 늘 체육과 학년 대표가 되어 미팅을 주선할 수밖에 없는 처지가 되었다. 성심여대 학생들은 콧대(?)가 세었고, 간호대학이나 교대 학생들과 주로 이루어졌다.

우리 체육과와 춘천교육대학과의 미팅에서 B와 한 커플이 되었다. 특별히 별다른 대화 없이 그날의 미팅 시간으로 헤어졌다.

그리고 얼마 후 한 장의 편지가 나에게 전달되었다. 처음에는 편지 연락으로 서로의 안부를 전하곤 했다. 두 달 정도 편지로 대화를 나누다가 교육대학 앞 부근의 다방에서 만나기로 하면서 서로 가까워지기 시작했다.

어느 날 소양강 부근의 호텔 지하 디스코클럽에 만났는데 한쪽
에서는 춤을 추고 다른 한쪽에서는 대화를 나눌 수 있을 정도로
조용한 곳이었다. 그러나 너무 비싸서 다시 올 엄두는 안 나고 훗
날에 사랑하는 여인이 생기면 이러한 곳으로 데리고 와야겠다고
마음을 먹었었다. 그러나 그 후 오랜 시간이 지났어도 아직까지 그
곳에 여인을 데리고 간 적은 없었다. 그 동안 사귄 여자 중에는 아
주 멋진 여자도 있었지만……. 두 아이의 아버지가 되었고 아내도
있으니 멋진 여자를 데리고 함부로 호텔 갈 꿈을 꾸지는 못하지만
그곳에 어울릴 만한 멋진 여성이 기억 속에 없는 것은 아니다.

아무리 생각해도 오빠(?)와 헤어질 수 없을 것 같아요. 오빠는 절
믿지 못하는 것 같아요.

이 말 기억하세요? 전에 내가 화를 냈을 때 B가 울먹이며 한 말
이에요. 자꾸 귀찮게 해서 미안합니다. 하지만 난 B씨를 포기하지
못하겠어요. 아무리 생각해도 B씨와 헤어지면 안 될 것 같아요. 어
떤 의무감에서가 아니에요. 우리 둘은 서로 만나기 힘든 상대예요.
만남에서 쉽사리 그런 행복스런 조화를 이루기란 용이한 일이 아
니에요. 지나쳐서 서로가 부조화를 으낀 것도 사실이지만 헤어질
만큼 강압적이라곤 생각지 않아요. 공지천을 건널 때 까지 우리의
낭만은 최고였던 것 같아요. 그 후 난 B씨에 집착했고 B씨는 서서
히 retract 하기 시작한 듯해요. 참 B씨가 대단하시더군요. 잔인하
게 자른다는 말을 들었지만 그 당사자가 내가 되리라곤 생각 상상
을 못했어요. 고지식한 마음에 한동안 괴로워하기도 하고 공허하게
돌아다니기도 해 봤으나 아무래도 이대로 떠나선 안 될 것 같아요.
주위 친구들도 전화 한 두 번에 물러나는 놈이 어디 있느냐고 비
웃더군요. 그래서 B씨에게 매달리기로 했어요.

지금까지 B씨께 매달렸으나 잔인하게 차였던 자들과 똑같이 될는지는 모르나 한 번 악착같이 매달려 봐야겠어요. 친구로부터 전해 듣고 추측해 본 결과 B씨는 더 이상 내게 호감을 가지고 있지 않다는 결론을 내렸었죠. 그래 선물이나 하고 잊자고 마음을 추슬렀으나 석연치가 않아요

'사랑하지만 이루어질 수 없는 사랑이라 스스로 그녀는 떠났으리라.' 라는 낭만적인 공상에 의지해 B씨께 매달리는 것은 아니에요. 과거의 호감이 처음부터 의도된 것이 아니라면 인간은 그렇게 다면성을 가질 수는 없지요. 아무리 여자의 마음이 새털보다 가볍다지만 결혼을 기대한 여인이 늑대같이 욕심 많은 어린 양이라고는 생각지 않아요.

이봐요. B! 난 자존심이 무척 강한 편이에요. 아무리 좋아 보이는 여자라도 안 보면 안 봤지 매달려서 호감을 가져 달라고 부탁하는 식은 정말 못해요. 그러니 글이 다소 투박하더라도 이해해 줘요. 처음 헤어지자 할 때 난 이렇게 생각했어요.

'주체 못하는 내 급한 성미를 그녀가 견디기 힘들어하는 구나. 집안에서도 그다지 탐탁해 하지 않으니 앞으로도 힘겨운 난관이 너무 많겠구나. 기본적으로 합치되기 힘든 성격차가 있는 듯한 그에게 쓸데 없이 집착해서 내 인생을 맡길 만한 상대는 못 되는 듯 하구나……'

정말 미안해요 B씨!

처음 같이 만나서 데이트하고 서로의 연약을 쌓아갈 때 난 B씨가 순수하게 나를 좋아함을 알고 있었어요. 장래에 대한 기대 같은 범인(凡人)들의 가치관과는 다른 색다른 순수한 정으로써 호감을 갖고 있음을 어떤 직관으로 느꼈고 그랬기에 나 역시 B씨 외에는 어느 하나 관심을 안 두고 빠져들었던 거예요. 바로 지긱이 들기

시작하면서 소원했던 '순수한 사랑'이에요. 서로 사랑하기만 하면 부수적인 모든 것은 진실과 지혜의 힘을 조금 빌리면 원만히 헤쳐 나갈 수 있으리라 믿었던 거죠.

B씨, 우리 되돌려요.

서로 눈을 마주 보며 노력하면 우리는 곧 과거의 호감을 회복할 수 있으리라 믿어요. 나 역시 좀더 수양을 하면 급한 성미와 껍데기로서의 자부심을 제어할 수 있을 거예요. 집안 문제는 신경 쓰지 마세요. B씨 부모님은 성가실 정도로 방해가 될 만큼 그다지 지각이 없으신 분들은 아닐 거예요. 자식의 행복을 쓸데없는 욕심으로 흩뜨릴 만큼 모르는 분도 아니라고 믿어요.

만일 또다시 내가 좋아하는 여인을 알게 모르게 압박하면 직접 내가 나설 거예요. B씨를 위해 목숨을 바칠 수 있을지언정 부모님들의 문제 제기를 이해와 설득으로 가능하니까요. 서로에 대한 그 외의 여러 가지 문제들은 서로의 사랑으로 극복하기로 해요. 그렇게 무겁게 느껴질 만한 것은 없을 거예요. 우리는 헤어지면 안 돼요. B씨는 "부담감을 갖지 마세요."란 말로 내 가슴에 못을 박았지만 난 그런 어리석음을 B씨의 천박성으로 귀결지을 만큼 B씨를 모른다고 생각진 않아요. 이대로 헤어진다면 나중에 우리들에게 새로 애인이 생겨 결혼을 하게 되더라도 우린 지우기 힘든 멍울을 간직하게 돼요.

벗이 되고 원수가 되는 것은 모두 마음먹기에 달렸어요. 이제는 좀 경색된 마음을 돌려 원만한 타협으로 방향을 돌려봐요. 헤어지면 골치 아픈 문제들이 없어지리라는 안일한 기대보다는 지혜롭게 서로 의지하는 우리를 생각해 봐요. 나 역시 성격 차는 느꼈어요. 하지만 난 그 성격차를 어떻게 좁힐 수 있을까 고민하긴 했어도 이별까지는 상상하지 못했어요.

난 지금 솔직히 돌이킬 수 없어요. 만일 내가 이대로 헤어진다면 B씨는 내 일생의 오점이 될 것이고 내 순수한 기반을 취약하게 만들어 버리고 말 거예요. 헤어지고 난 후 공허감에 새로 여자를 소개받을까도 생각해 봤지만 머릿속에 다른 여인을 생각하면서 소개를 받는다는 것이 그 여인에게 도리가 아니라고 느껴졌어요. 지금 당장 어떤 판단을 요구하는 것은 아니에요. 난 B씨에게 잘 해 준 것도 없지만 거짓으로 대하지도 않았어요. 연애에 자신이 있으면 마음껏 연애를 하세요. 만나자고 압박을 가하지는 않겠으나 B씨가 나를 잊도록 내버려 두지는 않겠어요. 전화를 통한 냉랭한 답변이나 침묵을 받을 염려가 없는 편지를 쓴다는 것은 정말 유쾌한 일이에요. 이상적인 여인이란 만들기 나름이에요.

B씨가 순수한 모습으로 내게 다가왔을 때 소문이나 집착 또는 오해 따위로 그 모습을 흐려 버렸던 과거의 내가 원망스러워요. 하지만 그때 정말 난 B시의 사랑을 믿었어요. 변할 수 있으리라고 생각을 못했어요. B시에게 단점이 있다면 그 단점을 유발할 수 있는 한계 상황을 막아버리겠어요. 만났을 때의 우리의 행복 자체를 확산시켜 우리의 파라다이스(paradise)를 만들겠어요.

B씨, 지금 내가 지나치게 신경을 쓰고 있는 게 아니에요. 우리는 서로 너무 좋아했고 그만큼 가까워졌어요. 무조건적인 냉담으로 우리 사이에 요단강을 흐르게 할 수는 없어요. 생각을 좀 더 고쳐보도록 해요. 궁합을 볼 때 결혼을 하길 원한다면 짐에 다짐을 거듭하라고 그 노파는 말했죠. 하죠, 뭐! 난 무모하게 돌이키자는 게 아니에요. 우리 다시 시작해요. 그래서 우리의 타협점을 발견하고 서로 사랑할 수 있도록 기대해요. 부탁이에요. 우리 돌이켜요.

이제는 정말 떠나야 할 때가 온 것 같군요. "스스로 역겨워서 떠날 땐까진 난 절대 너를 안 버린다." 는 약속은 생각보다 끊질기게 연장된 것 같아요. 편지를 찢어 버렸다는 말을 듣고 다시 한 번 사랑의 맹세를 생각해 봤습니다. 사랑을 다짐한 이상 연인이 어리석거나 잘못을 행한다면 떠나기보다는 끊없는 사랑으로 감싸줘야 옳은 일이라고 생각했었습니다. 하지만 이제 난 B씨로부터 새로운 진리를 하나 얻고 이 사랑의 맹세를 부숴 버리겠습니다.

그렇게까지 몸을 기대며 새삼스럽게 사랑한다는 소리는 왜 자꾸 들으려 하느냐고 투정하던 여인이 한순간에 그다지도 차가워졌는지는 내 속의 선한 의지로는 도저히 해석할 수가 없었습니다. 아마도 실컷 갖고 놀게 하다가 차였다고 생각하는 것보다는 잔인하게라도 찼다는 것이 자신의 순결을 우선적으로 입증하는 것이고 이는 새로운 연애를 위한 탄탄한 선결 조건이 되는 것이 겠지요.

하지만 그 표면적인 순결 속에 당신의 영혼은 혼탁해지고 정신은 instability를 심화해 나갈 것입니다. 사랑했던 여인이지만 아물기 힘든 상처를 안겨 줬으니 끝으로 한 번의 이 공격적인 언동은 신께서도 용서해 주리라 믿습니다.

자신을 상품화하지 말길 바랍니다. 앞으로 열흘 안에 당신의 이름, 목소리, 모습을 잊겠습니다. 하지만 다음 대화만큼은 오랫동안 잊기가 힘들 것 같군요.

"이 두 눈은 누구 거지?" "B 거!"

"단둘이만 있으면 좋겠다." "단둘이 있으면 뭘 할 건데?"

"사랑한다고 말해 줘!" "새삼스럽게."

어떤 이유에서건 하지 말람이 많은 것은 삶을 그만큼 단축시킬 거예요.[89]

1973년 2월 춘천교육재학을 졸업 한 그녀는 3월 영월 봉래초등학교로 초임발령을 받았다. 그 당시 그녀의 아버지는 강원 한국전력출장소 영월 지부장이었다. 따라서 영월여자고등학교를 졸업하고 춘천교육대학으로 진학한 것이다.

B와의 만남은 군대 제대 말년까지 지속되었다. 마지막 면회에서 만남의 대화는 " 나 이제 결혼할 것 같아요. 괜찮은 기업에 다니는 분인데 부모님의 반대를 하기에는 자신이 없어요. 미안해요" "조만간 약혼하게 될 것 같아요"

아마 1977년 11월 초일 것 같다. 늦가을 바람이 머리를 때리고 가슴은 텅빈 것같은 느낌이었다.

11월 중순경 제대와 동시에 영월로 향했다. 영월 동강 제방뚝을 걸으며 자세한 대화를 나눌 수 있었다. 부모님의 주선으로 중매를 하게 되었는데 양가 부모의 합의의 1978년 3월쯤 약혼식을 한다는 것이었다.

"좋아요. 우리 둘이 하는 함께 인생을 살아가는 데, 부모가 우리 삶을 살아 주는 것도 아니잖아요" "내가 직접 부모님을 만나 우리가 사랑하는 사이라고 말씀드리고 설득해 보면 안 될까요"

"전 부모가 반대하는 결혼을 할 수 없어요." " 그래도 말씀드릴 기회는 줘야 되지 않을까요." "죄송해요. 우리 사이를 말씀드지 못했어요" "그렇군요"

이것이 그날 B와의 마지막 대화이다. 그녀를 뒤로하고 강릉행 시외버스에 올랐다.

1977년 12월 B에게서 전화가 왔다. 친구 결혼식 차 강릉에서 만나자는 것이다. 옥천동 한 제과점에서 안부 정도 묻는 수준에서 대화를 한 후 헤어졌다.

그리고 1978년 3월 1일 나는 고성군 간성면 고성 중·고등학교로 초임 발령을 받았다. 발령받은 얼마 후 그녀에게서 전화가 왔다. 발령 축하와 함께 안부 수준이었다. 아마 그녀가 약혼하기 전 모두 걸 내려놓기 위한 마음의 마지막 결정인 듯했다. 그렇게 우리는 7년 가까운 사랑의 끈은 묶어지지 못했다.

그 후 영월 사람으로 체육과 동기인 김준재를 통해서 남편 직장 따라 경기도로 전출했다는 이야기를 들었을 뿐이다.

우리가 백평생 산다 해도 진정 살날이 몇 날일까?

이렇게 짧은 생을 이다지도 묶어 둘 필요가 있는 걸까?

내 당신이여! 내 영혼이여!

한없는 자유로움 속에서 성숙하여라!

내 너를 위해 이 조용한 시간을 가지고 있나니 내 영혼이여, 나래를 펴라.

"지금도 돌고 있다!"

시간이 없다고 탓해 왔다면 부끄러워야지. 우리에게는 너무도 많은 초와 분이 존재한다. 심지어 공평하게. 뭇 날이 권태로운가? 끊임없이 돌아가는 시계 초바늘을 쳐다보자. 그저 물끄러미 바라조고 있노라면 지금 내가 얼마나 많은 '초'를 허비하고 있는지 생각하게 된다. 이렇게 많은 '초'가 있었다는 사실에 놀랍다가도 안도하게 될 것이다. 앞으로는 시간이 없다는 핑계를 대지 못할지도 모른다.

초바늘이 돌고 있다. 방금 숫자 3을 지나 아래로 곤두박질쳤다. 나의 어느 시절 같다는 생각을 하는 순간, 다시 숫자 6을 지나 가장 높은 곳으로 향한다. 아직 오지 않은 화양연화(花樣的年華)[90]; 직역하면 '꽃 같던 시절'로, 인생의 가장 아름다운 시절을 의미하는 말이다. 다시 돌아갈 수 없는 시절에 대한 그리움을 나타내는 말로도 많이 쓰인다) 같다고 생각하는 순간, 다시 아래로 떨어진다. 어디에서도 멈추지 않는다. 인생 역시 오르기도 하고 내려가기도 하면서 각자에게 허락된 시간을 운용하는 것. 모든 희노애락은 결국 '초'에서 시작된다는 걸 기억하자.[91]

6. 사랑의 기억

사랑의 신 비너스의 아들 큐피드는 어린아이로 묘사되는 것이
특징이다. 그는 사랑의 활을 들고 날아다니며 사랑의 덫에 걸린 연
인들의 가슴에 화살을 날려 정통으로 심장을 관통한다. 일단 심장
이 관통되면 그네들은 평생 심장에 화살이 꽂힌 채 지내야 한다.
큐피드의 화살이 그렇게 위력을 발휘할 수 있음은 아마도 그 화살
이 어린아이의 순수함에 실려 있기 때문일 것이다. 가슴 저린 사랑
에는 항상 순수한 마음이 그 배경으로 따라다닌다. 그리고 그 순수
함의 극치는 아마도 첫사랑일 것이다.

나의 첫사랑은 누구일까? 나는 성장하면서 사랑에는 쉽게 빠져
좋아하는 사람들이 참 많았다. 현실의 여자, 공상 속의 여자, 화면
속의 여자, 동화 속의 여자 등 내가 사랑하는 여자들은 많고도 많
았다. 그러나 소심하고 내성적인 나는 감히 현실적으로 이룰 생각
은 못하고 대개는 마스터베이션(masturbation, 手淫, 自慰)으로 만족해
야 했다.

고등학교 때는 같은 동네에 살던 한 여자애가 하도 예쁘고 고귀
해 보여 그녀를 소공녀라고 칭하고 항상 함께 찍은 사진을 보고
심지어는 마음속의 반지(?)까지 끼워 준 기억이 난다. 사실 수학여
행을 다녀온 후 수도국 뒷산에서 목걸이를 목에 걸어주긴 했지만…

대학생활은 미팅으로부터 남녀가 만나게 된다. 숨바꼭질하듯 만
남을 가질 수 밖에 없는 고등학교 시절에서 벗어나면서 대학은 자
연스럽고 당당하고 당연하게 만남이 이루어진다.

2, 3학년 때 체육과 대표, 3학년 때는 학회장이 되어 주선할 수

밖에 없는 처지가 되었다. 성심여자대학교 학생들은 콧대가 높았고, 간호대학이나 교육대학 학생들과 주로 미팅이 이루어졌다.

대학교 때는 미팅이 자주 있어 다양한 여학생을 만날 수 있었다. 그래서 같은 과 학생들 사이에서 쉽게 빠지고 쉽게 나오는 남자로 평가되기도 했다. 3~4명을 번갈아 가며 만났으니까.

그러나 아무리 좋아하는 감정이었어도 그네들이 내 첫사랑은 아니다. 나는 주로 머릿속으로만 상상했지 정작 그녀들과 커피 한 잔 조용히 마셔 본 적이 없었기 때문이다.

운동부로서 연습과 각종 경기 출전이 여유를 주지 못했다. 게다가 연애를 잘 할 수 있는 여건과 낭만이 나에겐 애초부터 없었는지도 모른다. 모든 게 환경과 타고난 성격 때문이랄까. 그 당시에는 섹스에 대한 개념도 모르고, 겁도 나서 못했지만. 그 보다도 그 당시 사고방식은 결혼 전까지 모든 걸 참고 견디어 첫날밤까지 처녀성을 유지하게 만들어야 한다는. 뭐! 그런 분위기였다.

그렇다면 나의 첫사랑은 누구일까? 아무래도 첫 키스를 하고 육체적인 접촉을 한 그 여인을 떠올리지 않을 수 없다. 내 몸의 일부가 그녀 안에 들어갔을 때 마치 몸이 터져나가는 황홀감에 젖었던 것을 아직도 기억한다.

그 이후로는 어떤 여자를 만나든, 어떤 섹스를 하든 마치 우주가 열리는 듯한 그런 쾌감을 다시 느낄 수 없었다. 아마도 그 쾌감은 사랑으로 순수가 열릴 때 단 한 번 허락하는 신의 선물인 것 같다.

한 여자는 어떤 남자에게 자기도 모르게 입술을 빼앗기고 말았다.

주지 않으려고 했는데 쫓아와서 빼앗아 간 것이다.

그녀는 기절할 듯한 충격을 받았다.

그녀에게는 첫 키스였고 그 충격은 잊혀지지 않았다.

그러나 그 남자는 다시는 그때처럼 적극적으로 접근해 오지 않았다.

아마도 그날은 술이 너무 취해 대담했었나 보다.

그녀는 용기를 내서 그에게 데이트를 청했다.

그 때의 만남을 정리하고도 싶었고

한편으로는 무의식적으로

그 충격적인 입맞춤을 다시 한 번 느껴 보고 싶었다.

칸막이가 된 조용한 찻집에서 그는 다시 다가왔고

그녀는 순순히 키스를 허용했다.

길고 진한 입맞춤이 있었다.

그러나…… 그녀는 전에 느꼈던 전율할 듯한 첫키스의 쾌감을

다시 느낄 수 없었다.

이미 그녀의 순수는 스쳐가는 입맞춤이 열려 버리고 만 것이다.

순수한 가슴을 열고 상대가 쏜 사랑의 화살을 내 심장 안으로 받아들였던 첫사랑의 기억은 오랫동안 그녀를 그리워하고 기다리고 좇아다니게 만들었다. 사귄 것은 3년 정도였지만 기다림 없이 그녀의 결혼으로 막을 내렸다. 그래서 나에게 첫사랑의 기억은 감미로운 것이 아니다. 전혀 예상치 못하게 뒤통수를 맞고 버려졌기 때문이다. 그러나 이는 비단 나뿐만이 아니라 첫사랑은 대개 고통스럽게 실패로 끝나는 경우가 많다. 왜 그럴까? 아마도 사랑하는 사람에게 나의 모든 것을 다 주었기 때문일 것이다. 첫사랑은 모든 것을 바치기 때문에 모든 것을 잃는다. 상대는 나에게서 더 받을 것이 없기 때문에 욕심을 내게 되고 나를 차버리고 마는 것이다. 이에 대해 어떤 사랑의 도사는 이렇게 갈파한다.

…… 일단 줘 버린 뒤에 네가 버림을 받는 것은 어쩌면 당연하다.

너의 선물은 온데간데 없지만 여인은 그것을 챙겼으니
여자가 잃는 것은 아무 것도 없다.
그러나 네가 주지 않고 보류한 선물은
언제든 기대를 갖게 된다. 농부들이 곡식을 잉태하지
않은 들에 속는 것이 어디 한두 번인가.
상습적인 도박꾼이 잃은 것을 만회하기 위해
갑절씩 잃는 것도 다 그 때문이다.
　"할 일이 남아 있으면 수고도 남아 있다" 라고 했다.
선물을 주지 말고 여자를 손에 넣어라. 여자는 지금까지
너에게 준 것이 허사가 되지 않도록 하기 위해 더 많은 것을
주게 될 것이다……(오비디우스(Publius Ovidius Naso 作『사랑의
기교(Ars amatoria』중에서)

　그러나 모든 것을 바칠 수 있다는 것은 그만큼 순수하기 때문일
것이다. 첫사랑은 모든 것을 바쳐 모든 것을 잃는 심각한 고통을
주지만 인생에서 단 한 번 밖에 가질 수 없는 지극한 쾌감을 준다.
바로 백색의 순수에 내려앉는 신의 쾌감이다. 그토록 고통스럽기는
했지만 첫사랑의 기억이 아직까지도 내 마음 깊은 곳에서 잔잔하
게 흐르는 것은 그때의 순수한 젊음과 열정 때문이다. 비록 그 순
수한 열정이 당시에는 병적인 집착으로 발동되었는지는 모르지만
지금 내가 회복하고 싶은 것은 바로 그 순수이다.
　내가 풍요롭고 가치롭게 살 수 있으려면 순수해야 한다. 순수함
을 상실하면 아무 것도 있는 그대로 받아들일 수도, 있는 그대로
그릴 수도 없다. 탁한 배경에서 어떤 물감으로 어떠한 그림을 그려
도 아름다울 수가 없다.
　그러나 나이가 들어 세파에 시달리면서 순수를 맑게 간직한다는

것은 불가능할 정도로 어렵다. 자기 이익에 눈이 먼 사람들이 자기 이익을 돌보지 않는 순수한-그들이 보기에는 멍청한-사랑을 가만 내버려 두지 않기 때문이다. 그러나 순수를 포기하면 정신적인 쾌락도 포기해야 한다. 처음 순수한 육체를 열었을 때 몸이 터져나가고 우주가 열리는 듯한 전율적 쾌락을 느끼지만 그 후에는 아무리 발악해도 다시 느낄 수 없는 것 같이 지극한 쾌감은 순수한 마음에만 갓든다. 그런 만큼 순수를 잃고 사는 삶은 재미도 없고 행복하지도 않다.

아마도 순수에 대한 동경은 행복하게 살고 싶은 사람이면 누구나 소망하는 기본적인 꿈일 것이다. 그래서 첫사랑의 기억은 누구에게나 소중한 것이고 또 소중하게 간직하고 싶어진다. 나를 버리고 떠난 그녀가 소중해서라기보다는 그때의 정렬적인 순수함이 아까워서라도…….[92]

첫사랑의 기억은 강렬하다. 그렇게 만났고 잊고 있었던 시와의 인연은, 이 어른이 되어 다시 이어진다. 초임교사 시절이다. 매주 월요일이면 내가 좋아하는 시를 골라, 하고픈 이야기를 덧붙여 그녀에게 배달했다. 매주 월요일 아침마다 보냈으니 월요편지이자 아침편지였다. 이야기는 그때그때 달랐다. 그 시기에 맞는 함께 나눌 수 있는 주제들로 채워졌다. 사람이 사람에게 마음을 전하는 데 시만큼 좋은 것이 없다. 시가 가지는 공감의 힘이 크기에 그렇다. 시를 나누고 전하는 사람들이 있다. 정재찬 저자가 그렇다. 그의 에세이 「우리가 인생이라 부르는 것들」은 우리에게 인생의 굴곡마다 맞춤한 시를 전한다. 정해진 답이나 섣부른 위로 대신 고개를 끄덕이게 한다.

이 책의 저자인 정재찬 교수님은 우리의 인생에서 뗄레야 뗄 수 없는 밥벌이, 돌봄, 건강, 배움, 사랑, 관계, 소유로 나누어서 우리가 인생이라 부르는 것들을 시로 위로한다. 이 책을 통해 그간 잊고 지낸 혹은 새로운 다짐을 불러일으키는 삶의 언어와 인생 시를 만나길 기원한다고 저자는 말한다.

세상에 좋은 이별은 없다. 집착, 분노, 상처에서 당신을 구해줄 과학적인 방법 8가지.

(1) 술을 마신다

초파리도 실연하면 만취한다. 미국 캘리포니아대 샌프란시스코 캠퍼스 하워드 휴스 의학연구소 연구팀 연구 결과, 암컷 초파리로부터 짝짓기를 거절당한 수컷 초파리는 알코올이 들어간 음식을 선호하는 것으로 나타났다. 알코올이 뇌에 작용, 우울하고 씁쓸한 기분을 달래주는 역할을 하기 때문이다. 인간과 유전자가 60% 비슷한 초파리처럼 당신이 포유류인 한 실연한 뒤 술독에 빠져 사는 것은 당연하다.

(2) 비누와 샴푸를 바꾼다

기억과 후각 사이에 강한 연관성이 있다는 것은 과학계의 정설이다. 냄새를 맡고 인식하는 과정에서 공간과 시간에 대한 정보가 함께 기억된다. 그러니 집에 연인과 함께 쓰던 비누와 샴푸가 남아있다면 다른 향의 새로운 제품으로 바꾸고, 할 수 있는 한 모든 것을 세탁하라. 체취가 묻은 티셔츠나 스웨터 같은 것 말이다.

(3) 슬픈 노래를 듣는다

헤어졌을 때 슬픈 노래가 듣고 싶어지는 데는 다 이유가 있다. 일본 뇌과학연구소 공동연구진은 사람들이 슬픈 음악을 즐겨 듣는 이유를 밝히기 위해 실험을 진행했다. 실험에 참여한 사람들에게 슬픈 음악과 즐거운 음악을 듣게 한 후 자신의 감정을 표현하는 단어를 하나씩 고르게 한 것. 이를 통계적으로 분석하자 슬픈 음악을 들었을 때 비극적인 감정은 낮아지고 낭만적인 감정과 평온한 감정이 높아진다는 사실을 알아냈다. "비극을 감상하면 카타르시스를 경험하며 오히려 상쾌한 기분이 들게 된다"고 한 아리스토텔레스의 주장과 일치한다. 슬픈 영화를 보는 것도 같은 효과가 있다.

(4) 운다

괴로울 땐 눈물이 즉효약이다. 우리가 울 때 인체는 행복 호르몬으로 알려진 세로토닌과 웃음 호르몬으로 알려진 엔도르핀 등을 만들어낸다. 고통을 잊게 하기 위해서다. 영국 정신과 의사 헨리 모즐리는 "눈물은 신이 인간에게 선물한 치유의 물이다. 슬플 때 울지 않으면 다른 장기가 대신 운다." 는 유명한 말을 남겼다. 남자가 태어나서 세 번 운다는 말은 거짓말이다. 남들도 이별하면 집에서 몰래 운다.

(5) 따뜻한 나라로 여행을 떠난다

추운 겨울에 헤어지면 더 우울하다. 밤이 길어지면 멜라토닌 분비량이 늘어나 에너지 부족, 활동량 저하, 슬픔 등을 겪기 때문이다. 남자의 경우 일조량 부족으로 비타민 D 합성이 줄면 남성 호르몬인 테스토스테론의 분비도 줄어들면서 우울함을 더 많이 느낄 수 있다. 거기다 아픈 이별까지 경험했다면 그야말로 우울의 늪에 빠지게 된다. 그럴 땐 따뜻한 남쪽 나라로 여행을 떠나라. 일조량이 풍부한 지중해 연안의 우울증 발병률이 1%대인 것만 봐도 햇볕의 강력한 힘을 알 수 있다. 사정상 여행을 떠나기 힘들면 점심 후 산책을 하면서 햇볕을 조금이라도 더 쬐자.

(6) 독감 예방 주사를 맞는다

이별은 때로 신체적인 통증을 동반한다. 미국 라이스대 연구진이 학술지 〈건강 심리학 저널〉에 발표한 연구에 따르면 '외로움이 감기를 유발하진 않지만 외로움을 타는 사람 중 75%는 감기에 걸리면 더 심한 증상을 앓는다' 라고 한다. 또한 스트레스를 받으면 면역 체계가 손상될 수 있으니 혹시 모를 감기에 대비해 미리 예방 접종을 해 두자. 아프면 서러움이 배가 된다.

(7) 잠을 잔다

수면은 망각의 다른 말이다. 지난해 학술지 〈사이언스〉에 실린 연구에 따르면, '자는 동안 우리 뇌는 새로운 기억과 정보를 저장할 공간을 마련하기 위해 불필요한 정보를 제거하고 동시에 중요한 기억을 강화한다' 고 한다. '헤어졌다' 는 가슴 아픈 사실이 잊혀지진 않겠지만 연인의 사소한 습관 같은 것은 자는 동안 서서히 잊힌단 얘기다. 특히 '자니…?' 같은 문자를 보내고 싶은 충동이 들 땐 핸드폰을 끄고 즉시 잠자리에 들 것을 권한다.

(8) 일기를 쓴다

너무 억울하고 분해서 잠이 안 오면 일기를 써라. 하버드의대에서 발행하는 온라인 소식지 〈헬스 비트〉에 따르면 '글쓰기를 통해 깊은 감정을 드러내는 것은 기분을 나아지게 할 뿐 아니라 면역 기능을 향상시킨다'.

미국 미주리대 연구팀의 최근 연구에 따르면, '연인의 나쁜 버릇을 들춰가며 억지로 잊으려 하기보다는 한때 사랑했던 감정을 그대로 받아들이는 것이 이별 후유증을 보다 수월하게 극복할 수 있는 방법' 이라고 한다. 물론 실천하는 게 쉽지 않겠지만 일단 한 번 써 보는 거다. 맞춤법에 신경 쓸 필요도 없다.

"키스는 건강을 지키는 묘약"

최초의 키스는 빼앗고, 두 번째 키스는 졸라서 하고, 세 번째 키스는 요구하고, 네 번째 키스는 선사받고, 다섯 번째 키스는 마지못해 하고, 그 다음에는 모두 참고 견딘다. 그것이 남자다.

어느 날

구두를 새로 지어 딸에게 신겨주고
저만치 가는 양을 물끄러미 바라보다
한 생애 사무치던 일도 저리 쉽게 가것네.

―김상옥(1920~2004)

　1970년대에 발표된 초정 김상옥 시인의 시조 한 편이다. 짧고도
간결한 삼행시라 읽기 매끄럽다. 내용상 이 작품은 하나도 슬플 것
이 없다. 새 구두와 소중한 딸이 등장하는데 슬플 이유가 무엇인
가. 그런데 이상하게 읽으면 눈물이 난다. 곰곰이 생각하면 그 이
유를 알 수 있다. 반짝거리는 구두를 신고 사뿐사뿐 경쾌하게 걸어
갈 어린 딸은 주인공이 아니다. 이 시의 주인공은 사람이 아니라
'다 지나간 한 생애'이다. 그리고 그 생애를 채웠던 '사무치던
일'이다. 사무침이 어디 쉽게 없어질까. 그렇지만 시인은 그 모든
서러움을 세월 따라 흘려보내야 한다는 것을 알아버렸다. 그것을

알기 위해서는 마음을 깎아내고, 가슴을 오래 치고, 손발이 거칠어질 만큼의 세월이 필요했을 것이다. 작품이 발표되던 때의 시인은 50대였다. 지천명의 나이가 넘으면 나도 알게 될까. 사무치던 일을 마음에 박아 두지 않고 딸의 뒷모습을 보면서 흘려보낼 수 있을까. 이런 생각을 하게 만드는 원숙미의 작품이다.

아직은 1월, 그래서 2024년이라고 써야 할 자리에 자꾸 2023년이라고 적게 된다. 딱 1년 후에 우리는 2025년의 자리에 지나간 2024년의 이름을 적고 있을지도 모른다. 꼭 지나간 것들이 여운을 남긴다. 그렇지만 이제 1월의 마음을 끝낼 때가 되었다. 이미 지나간 것은 그저 지나가는 것이 맞다고 이 시가 말하고 있으니 말이다.[93]

영국의 작가 하니프 쿠레이시(Hanif Kureishi)는 「새미와 로지 잠자리에 들다(Sammy and Rosie Get Laid)」[94]라는 영화 시나리오에서 조루증이나 오르가슴 지연현상 문제를 상세히 다루었다. 여기에서 그는 이성간의 성교를 "처음부터 내내 오르가슴에 도달하려고 노력하지만 성공하지 못하는 여성과, 오르가슴을 피하려고 노력하지만 결국 도달하고 마는 남성의 이야기" 라고 설명한다.

만일 창조주가 인간의 감정 조절장치를 만들었다면, 남성의 오르가슴과 여성의 오르가슴을 조종할 수 있다고 기대해볼만하다. 그리고 어떤 기능장애가 발생한다면 그것은 남녀 모두에게 동일한 양상으로 나타나야 할 것이다.

그러나 실제로는 '성욕의 동시성' 이 마치 서툰 기능공의 작품처럼 제대로 작동하지 않는다. 남녀의 오르가슴은 거의 언제나 제각기 발생할 뿐만 아니라, 남성의 절정감은 대개 여성보다 먼저 예외 없이 찾아온다.

여성의 핵심적인 문제는 오르가슴이 가능하냐 하는 것이다. 이러한 딜레마에 대처하는 여성들의 반응은 오르가슴을 경험하려고 무진 애를 쓰거나, 반드시 그럴 필요가 있느냐고 자위하는 등 여러 가지가 있다. 만일 남성이 사정을 최대한 오래 참을 수 있다면 여성의 쾌감 증대에 틀림없이 도움이 될 것이다. 하지만 먼가 돌발사태가 일어나거나 여성이 남성보다 오르가슴에 도달하여 일이 끝나버리면, 정자가 목표지점에 도달하지 못할 것이다. 네세와 윌리엄스의 말에 의하면 여성 오르가슴의 타이밍도 동일한 법칙성을 갖는다. "여성이 너무 일찍 오르가슴에 도달하면 남성이 사정을 하기도 전에 끝나버릴 수 있고, 따라서 그런 여성은 반응이 빠르지 않은 여성에 비해 임신에 성공할 확률이 적다."

남성의 머릿속에는 일정한 상황에서 사정을 재촉하는 메카니즘이 들어있는 것 같다. 조급하게 상정하는 경우는 긴장되거나 두려움에 휩싸인 젊은 남성에게서 주로 나타난다. 수렵채취문화를 연구하는 인류학자들의 보고에 의하면, 그 당시 나이 많은 어른에게 발각될 경우 청년들의 성교는 불발로 끝나고 위험해질 수도 있었다고 한다. 인간의 친척인 원숭이 세계에서도 서열 낮은 수컷이 교미를 하려면 급히 서둘러야 할 때가 많다. 그렇지 않으면 우두머리 원숭이에게 혼쭐이 날 수 있기 때문이다. 이와 같은 상황에서는 성교를 빨리 끝내야 유리하다.[95]

"키스는 항상 단순한 키스 그 이상이다"

마음이 안정된 상태에서 하는 규칙적인 키스는 평균 수면으글 5년 정도 늘린다는 보고도 있다. 애정을 갖고 있는 남녀가 혀를 주고받는 키스를 하게 되면 분당 60~80회 뛰던 심장이 100~120회로 빨라지며 맥박이 두 배 빨라지고 혈압이 오른다. 췌장에서는 인슐린이 분비되어 혈당을 줄여서 당뇨병 치료와 정신병 치료에 도움이 된다. 부신에서는 혈당량을 조절하며 심장 기능을 강하게 한다. 키스는 격렬한 만큼 다이어트에도 좋다.

7. 사랑의 형태

사랑하게 되면 상대의 모든 것에 일일이 간섭하고 싶어진다. 상대가 조금이라도 더 낫기를 바라면서, 또 자기와 좀더 일치되기를 바라면서 이리저리 간섭하고 콘트롤하게 된다. 상대는 처음에는 그것을 사랑으로 생각하고 선선히 받아주나 시간이 갈수록 스트레스가 쌓이게 된다.

그렇게 사랑이 흔들리면 아픔이 시작된다. 사람이 변하기 쉽지 않은데 '사랑의 이름으로' 가혹하게 변할 것을 채찍질 당하면 정말 견디기 힘들어진다. 싫다고 해서 노골적으로 내색할 수도 없다. 상대는 웃으면서 사랑한다고 계속 신경 써주기 때문이다. 이런 숨막히는 사랑에서 벗어날 수 있는 길은 단 하나! 무조건 도망가는 것이다. 열렬히 사랑하고 뭐 부족할 것 없이 행복했는데 갑자기 상대가 떠나거나 결별을 선언하는 것도 이런 스트레스가 과도하게 쌓였기 때문이다. 그때 가서 후회하며 되돌리려고 해도 이미 상대의 마음은 저만치 달아난 상태이다. 이때 남겨진 이는 심장이 저미는 아픔을 겪게 되며 눈물을 쏟게 된다. 그리고 그다음부터는 사랑을 믿지 못하게 된다. 이 세상에 사랑이 없다고 마음에 곱씹게 된다.

사랑의 아픔을 초래하는 또 다른 원인은 현실이다. 사랑에 국경이 없다고 할 정도로 사랑은 현실을 초월해서 날아다닌다. 그러나 정작 현실에 맞닥뜨리면 사랑이 얼마나 무기력한지 절감하게 된다. 유부남과 사랑에 빠진 처녀들이 항상 겪는 좌절이 이것이다. 사랑할 때는 별이라도 따줄 것 같던 유부남들이 정작 일이 터지면 가정을 택하기 때문이다.

사랑에 배신당하면 너무 힘들다. 정주고 마음주고 젊음까지 다 줬는데 버림받는다는 것은 상상할 수 없는 아픔이다. 상대가 내 모든 것을 유린하고 떠나버리고 나면 남는 것은 배신감과 허탈감, 우울증밖에 없다. 정말 죽여버리거나 죽어버리고만 싶어진다.

그러나 사랑의 상처는 극복할 수 있다. 마음이 고아처럼 힘들지 몰라도 실제로 내가 고아가 아니기 때문이다. 죽음 같은 고통이지만 그 죽음 속에는 재생의 가능성이 숨어 있다. 사랑의 고통이 큰 만큼 내 생명력도 단련될 수 있다. 그만한 고통도 견뎠는데 무언들 못하겠는가. 사회적으로 성공한 사람들 중에는 젊은 시절에 사랑이라는 열병을 진하게 앓은 사람들이 적지 않다. 사랑이라는 마음의 병은 모든 인류가 다 앓는 병이다. 달리 말해 인간은 사랑을 버틸 힘이 있다. 사랑이 아무리 내 눈물을 쏙 빼도 사랑 앞에 무너져서는 안 된다. 사랑이 힘들면 힘들수록 더 악착같이 살려고 노력해야 한다.[96]

찰스 3세 시대가 막을 열었다. 영국의 국왕 대관식이 지난 6일 웨스트민스터 사원에서 거행됐다. 찰스 3세는 낮은 자세의 왕을 자처했지만, '21세기에 왕이 웬 말이냐'는 군주제 폐지 여론도 만만치 않다. 가족이 해체되기까지 하는 판국에 아직도 왕을 모셔야 한다니, 모두가 수긍할 수는 없을 것이다.

만약 찰스 국왕 옆에 다이애나가 함께했다면? 그간 왕실에 대한 영국인의 긍정적 평가는 대부분 다이애나에 대한 신뢰와 지지에 기반을 둔 것이었다.

서민의 친구 같던 그의 성정과 풍격을 감안하면 군주제도 조금은 달리 생각되었을 것이다. 영국 작가 힐러리 맨텔은 "그 자체로 아이콘이었던 다이애나가 세상을 떠나면서 왕실에 새로운 현대식

군주제를 선물했다” 라고 했다. 군주제 폐지의 위협으로부터 왕실을 구한 것도 그였다.

부끄러워 금방이라도 달아오를 듯한 그의 표정 속에 천진과 열정이 동시에 배어 나오는 듯하다. 수줍은 듯하면서도 속내를 분명히 밝히는 강건함이 숨어 있다.

다이애나는 에이즈 환자를 만나거나, 지뢰 폭발로 다리를 잃은 흑인소녀를 무릎에 앉히는 등 사회적 약자를 진심으로 감싸 안았다. 가식이나 연출 없는 자연스러움 속에서도 우아함을 잃지 않던 그의 언행은 많은 이들을 감동시켰다.

2021년 7월, 살아 있다면 환갑이 되었을 어머니를 위해 윌리엄과 해리는 가족들이 살았던 켄싱턴 궁전의 선큰 가든에 그의 동상을 세우고 작은 정원을 조성했다. 3명의 어린아이를 품 안에 거느린 그의 동상은 ‘서민들의 왕세자빈’ 이었던 그의 심상(心相)을 보여준다. 정원에는 그가 평소 가장 사랑했던 물망초를 중심으로, 장미·튤립·달리아·라벤더 등으로 꽃밭을 장식했다.

물망초는 꽃잎이나 잎사귀가 매우 작고 앙증스럽다. 쉽게 눈에 띄지 않고 유심히 살펴야 자신을 드러낸다. 마음속에 온기가 없는 사람은 사랑하기 쉽지 않은 꽃이다. 햇빛이 직접 비추는 곳보다 반그늘과 다소 서늘하고 촉촉한 땅을 좋아한다. 물망초의 생태도 그의 성품을 닮았다. 진실한 사랑과 존경을 상징하는 물망초. 누군가가 이 작은 꽃을 선물할 때는, 당신이 항상 그것을 기억하고 간직하라는 메시지이다.

다이애나는 자신의 운명을 알았던 걸까. 물망초의 영어 이름은 ‘forget me not(나를 잊지 마세요)’. 그의 물망초에 대한 화답으로, 아직도 많은 영국인은 외치고 있다.

“우리의 여왕은 다이애나.” [97]

가. 남자 친구의 성격

성욕은 워낙 강한 괴물이라 스스로 가라앉는다면 모를까 밖에서 뜯어고치기는 참 어렵다. 남자 친구의 성격이 내성적이라면 외향적인 사람들에 비해 음란 서적, 포로노 비디오, 나체 사진 등을 더 좋아하는데 그 이유는 두 가지로 본다.

한 가지는 정신 에너지가 내적으로 향하기 때문에 내부의 상대와 섹스하기를 바라기 때문이다. 외향적인 사람은 밖에서 상대를 구해 섹스를 하는 객관적인 섹스를 즐겨 하는 반면에 내성적인 사람은 자기 안에서 상대를 구해 섹스를 하는 주관적인 섹스를 즐기는 것이다. 이를 위해 내성적인 사람은 자기 내면 세계에서 여러 가지 여인을 갖다 놓는다. 그래서 그들은 포로노 비디오와 음란 서적, 나체 그림 등을 유달리 좋아한다.

또 한 가지 이유는 내성적인 사람은 밖에서 적응하지 못해 받은 스트레스나 화를 성적인 공상을 통해 푸는 것이다. 내성적인 사람들은 인간 관계 등 외적인 관계에서는 미성숙이나 열등감이 드러나기 때문에 많이 치이고 많이 쌓인다. 그 스트레스를 손쉽게 푸는 길은 바로 공상 속의 섹스에 있다. 남자가 공상하는 섹스는 여자를 지배하면서 마음껏 유린하기 때문에 스트레스를 푸는 데는 제격이다.

남자 친구가 성격도 원만한데 잔인한 사진, 괴상한 물건, 여자 나체 사진을 모으고, 음란 서적을 주로 보고 비디오방에 같이 가도 포로노 비디오 종류만 보려 한다면 그는 선천적으로 에너지가 강한 사람이라 볼 수 있다. 그것이 문제가 되느냐 아니냐는 그가 지금 자기의 현실적인 역할을 얼마나 잘하느냐 못 하느냐에 달려 있다.

현대 정신 의학에서 정신 건강의 기준은 역할(role) 수행에 있다. 역할 수행도 잘 하면서 섹스를 밝힌다면 큰 인물이 될 가능성이 있다. 역할을 제대로 못 하면서 섹스만 밝힌다면 아직 어려서 그렇고 싹이 노래지고 있는 것이니 사회적 역할 쪽으로 닦달을 좀 하는 게 어떨까.

나. 남자 친구의 관계

'남자 친구는 자기와 제가 사귀는 사실을 사람들에게 알리는 것을 싫어한다. 저희는 캠퍼스 커플인데 학교에서는 절대로 아는 척을 하지 않으려 하고 집에 전화를 거는 것도 싫어해 그가 저희 집에 전화를 건다. 카페를 가도 칸막이가 되어 있는 곳만 간다. 사귄지가 이 년이나 되었는데도 친구는 여자 친구가 없는 척을 하며 다닌다. 그렇다고 이 여자 저여자를 만나는 것도 아니다. 저희 부모님은 아시는데 그의 집에선 제가 아무런 존재도 아니라는 사실이 너무나 속상하다.'

남자 친구는 남을 많이 의식해 움츠러드는 형이다. 여자들이 남자를 사귈 때 큰 기쁜 중의 하나는 남자 친구를 자랑하는 것인데 그런 기쁨을 누릴 수 없으니 안타깝다. 그러나 자랑은 짧고 행복은 길다. 그 친구가 그러한 단점을 가지고 있음에도 불구하고 계속 그 친구를 사귀고 있는 것은 그 친구에게 다른 장점이 있기 때문이다.

사랑은 대상이 아니라 방법이다. 자기가 자기 방식만을 고집하지 않고 서로에게 맞도록 융통성 있는 방버으로 전개한다면 사랑의 실패는 하지 않는다.

연인들이 사랑에 실패하는 가장 큰 이유는 자기 가까이 있는 사람을 소중히 여기지 않기 때문이다. 정말 소중한 사랑은 곁에 있는

데 남에게 자랑하기 위해서나 남들의 얘기에 너무 흔들리다보면, 더 나아가 더 나은 누군가가 있지 않을까 욕심을 부리다 보면 소중한 사랑은 점점 더 멀어지는 것이다.

사랑은 둘이 하는 것이고 내 곁에 있는 한 사람으로 인해 내 인생은 평생 행복해지는 것이니 자신의 사랑의 방식을 그와 맞게 노력하면 어떨까요? 남에게 자랑하는 것도 좋지만 그 자랑이 내 사랑을 지켜주는 것은 아니다.

다. 남자 친구의 소유욕

자기가 사랑하는 여자에 대한 집요함! 이것은 부정적인 쪽과 긍정적인 쪽 두 가지가 있다. 부정적인 쪽은 상대방을 수단 방법 안 가리고 자기 안으로 삼켜 넣으려고 하면서 현실감을 잃는 편집증적인 것이고 긍정적인 쪽은 그 집요함으로 인해 사회적으로 큰 성공을 거두는 것이다. 집요함은 성공하는 사람들의 동통된 특질이기도 하다.

그를 사랑한다면 그의 집요함의 부정적인 측면은 미소로 스쳐가게 해 부끄럽지 않은 가운데 크지 못하게 하고 긍정적인 면을 칭찬해서 북돋아 준다면 그 남자는 점점 긍정적인 쪽으로 커나갈 것이다. 이러나저러나 내가 사랑으로 선택한 남자니까 키워야 되지 않겠는가? 평강공주가 바보 온달을 키우듯이 말이다.

징기스칸(Chingiz Khan)도 젊어서 아직 스스로에 대한 자신감이 확고하지 않았을 때는 사랑하는 여자를 완전히 자기의 것으로 만들기 위해서는 담배빵(담배 흉터)이나 임신 같은 방법도 생각했으리라 믿는다.

라. 엉겁결에 남자 친구와 키스

옛날이나 지금이나 기둥서방이라는 게 있다. 후 종일 집 안에서 빈둥거리다가 밤늦게까지 일한 마누라 엉덩이 두드려 주면서 얻어먹고 사는 사람이다. 기둥서방은 인간쓰레기같이 치부돼 왔지만 실상 그들을 무시할 수만은 없다. 그들은 그래도 인간의 가장 중요한 욕구 중의 하나인 성욕을 해결해 주니까. 실제로 성에 만족하지 못하고 사는 어떤 여자들은 아무 일 안 하고 섹스만 잘 해 줘도 업고 다닌다고 공공연히 말하기도 한다. 성욕은 식욕처럼 꼭 해결되어야 할 인간의 기본적인 본능이다.

인간의 가장 큰 과제는 후손을 낳아 생명을 연장하는 것이 때문이다. 이 커다란 과제를 위해 우리 정신은 갖가지 유혹을 합니다. 사랑을 느끼게 한다든지, 성욕을 치밀게 한다든지, 자기도 모르게 이성을 이끈다든…… .

당신은 지금의 이 정신의 유혹, 자연의 유혹에 말려들고 있다. 의식적으로는 남자를 무시하고 통통 튀지만 무의식적으로 억압돼 있던 자연의 본능은 빈틈을 보게 되자 요때다 하며 비집고 올라오는 것이다.

당신은 별로 사랑하는 것 같지도 않은데 자꾸 마음이 끌리는 것은 당신은 그 본능에 익숙하지 않기 때문이다. 산전수전 다 겪은 여자라면 그 정도 경험은 다음 날 까마득히 잊어버렸을 테니까. 자라면서 남자 경험이 별로 없어 일생을 불행하게 사는 사람들이 많다. 별것도 아닌 첫 키스에 우왕좌왕하다가 결국에는 몸도 잃고 인생도 잃고 영혼도 잃고 마는 거다. 그래서 딸 가진 부모들이 자기 딸은 남자도 모르는 아주 순진한 애라고 자랑하는 것만큼 어리석은 자랑은 없다. 그 말은 다시 말해서 우리 딸은 미숙아이고 지진

아라는 말이니까.

남자 경험이 없는 여자일수록 남자들의 손가락 하나 발가락 하나 까닥임에 쉽게 정신을 못 차리곤 한다. 심지어 당신은 입술까지 빼앗겼으니 더더욱 정신이 없겠지만. 옛날에는 그런 순진한 여자들이 많아 남자들 사이에는 '여자는 일단 먹고 봐라.' 라는 말이 상식처럼 번지곤 했다. 순진한 여자들은 일단 먹고 보면 아예 정신이 쏙 빠지니 그 다음은 자기 마음대로 할 수 있다는 거다.

당신은 그 남자와 키스하고 그 남자를 그리워 하는 것은 당신이 느끼고 있는 것처럼 사랑인 것 같지는 않다. 그것은 본능의 장난이다. 어떻게 해서는 둘을 붙여 가지고 자손을 만들어 생명을 영속시키고 싶어하는 삶의 본능이 작용한 것이다. 그 삶의 본능은 섹스를 통해 자손을 많이 만드는 것에만 관심이 있지 당사자나 그 자식이 얼마나 행복하게 사느냐는 별 관심이 없다.

당신은 그 원초적인 본능에만 따라 살 이유는 없다고 생각한다. 당신은 줏대 있고 꼿꼿하게 자기의 자유의지대로 살고 싶어하는 사람이니까. 당신은 그 남자를 객관적으로 평가해 나의 연인으로 삼을 마음이 없는데 자꾸 그 남자에게로 이끌린다면 한번 이렇게 생각해 보라. 그 남자는 도도한 당신의 입술을 훔친 것을 동네방네 떠들고 다니면서 으스대고 있다고…….[98]

마. 요망한 사랑

'어느 때는 날 좋아하는 것 같다가도 어느 때는 아닌 것 같고 그래서 다가가자니 제가 죽을 둥 살 둥 매달리는 것 같아 싫다. 그리고 더 큰 문제는 그 여자로 인해 성적 욕구가 생긴다는 거다. 삼십대 초반까지 일에만 몰두해 왔던 제가 이런 감정을 느끼게 되니

정말 쑥스러워진다.'

　일에만 몰두하는 사람들은 별로 이성을 밝히지 않는데 그것은 그들이 성욕이 없어서가 아니라 일과 섹스하기 때문이다. 당신은 그 동안 일과 열심히 섹스를 해 왔는데 뒤늦게나마 진짜 상대를 만나게 된 것을 축하드린다. 섹스란 역시 사랑하는 여자랑 해야 맛이 난다. 여자와의 섹스에서는 일하고의 섹스에서 맛볼 수 없는 생명의 환희가 있으니까. 그러나 여자는 일과는 달리 살아 있는 생명체고 또 요사스럽기 이를 데 없이 헷갈리고 마음 태우기 일쑤다. 그래서 그 시달림에 지친 어떤 남자들은 여자보다는 차라리 일이나 컴퓨터, 자동차 등에서 더 매력을 느끼기도 한다. 그러나 당신은 여자 경험이 별로 없어 뒤늦게 그 욕망에 말려든 것 같다. 연애할 때 남자들한테 가장 괴로운 것은 여자의 요망이다. 나는 이미 저 여자를 선택했는데 저 여자는 왜 빨리 나를 선택하지 않는 걸까? 그렇다고 그녀가 나를 싫어하지도, 양다리를 걸치는 것 같지도 않은데……. 그런데 그녀는 도대체 무얼 주저하고 있는 걸까? 남자들이 자기 마음을 생각하듯 여자를 생각하고 짐작했다가는 토지는 건 분통밖엔 없다. 저 여자는 저 정도밖에 안 되는 걸까? 그래, 그렇다면 차라리 떠나 버리자. 그러나 정작 그렇게 실행에 옮기는 암자들은 드물다. 이미 그는 한 여자를 선택했기 때문이다.

　이러한 남녀 차이는 심지어 결혼 약속을 한 사이라도 마찬가지다. P는 한 여자와 결혼을 약속한 사이였다. 이미 오랫동안 섹스도 해 왔고 집안끼리도 만난 상태인지라 P는 여자 집에서 약혼 날짜를 잡기만 기다렸다. 그런데 여자는 자꾸 약혼 날짜 잡기를 피하는 거였다. 심지어 엄마들끼리 만나는 자리에 그녀는 늦게 나타나기도 했다. P는 의아하기도 하고 분통이 터지기도 했다. 그래서 그녀에게 화를 내기도 했는데 그녀는 미안해하는 같으면서도 묘한 미소만 짓는 것이었다. 이미 모든 것이 결정된 상태인데 그녀는 무엇을 주저하는 걸까? 나중에 결혼해서 물어보니 그때 그녀는 다른 선택을 고려하고 있었다는 것이다. P가 고집이 센 것 같으니 다시 잘 생각해 보라는 아버지 말씀을 받아들였던 것이다. 섹스도 하고 사랑도 맹세했는데 어떻게 그렇게 주저할 수 있었을까? P로서는 도대체 이해할 수 없었다. 아마도 그래서 여자는 요물이란 말도 나왔나 보다는 생각이 들었다. 그러나 일단 결혼하고 난 후에는 P보다 더 결혼 생활에 충실한 그녀에게 분풀이할 길은 없었다.

그렇다면 여자들은 왜 그렇게 선택이 더딘 걸까요? 그 차이를 정자를 갖고 있는 남자와 난자를 갖고 있는 여자의 차이로 본다. 자궁 속에 사정된 정자는 한 개의 난자를 향해 죽어라고 헤엄쳐 간다. 그렇게 해서 일등으로 도달한 정자는 난자에게 들어가려고 시도한다. 난자는 자기를 둘러싼 빨리 온 정자들 중에서 쓸 만한 정자를 하나 선택해 문을 열어 준다. 그렇게 해서 일단 하나의 정자를 받아들이면 벽을 쌓아 다른 정자들이 들어오지 못하게 한다. 즉 정자는 이마 결정된 하나를 향해 달려가지만 난자는 여럿 중에서 쓸만한 하나를 선택한다는 것이다. 아마도 이러한 장치로 인래 진화론적으로 우수한 자손이 만들어 질 수 있었다. 이런 생물학적 차이가 나중에 배우자를 선택하는 데서도 남녀의 차이를 만드는 것이 아닐까 한다. 남자는 이미 결정했는데 여자는 주저하고…….

당신이 그녀의 마음을 아는 방법은 없다. 그녀 자신도 자기가 왜 주저하고 있는지 모를 테니까. 무의식이란 알 수 없는 마음이니까. 이 상황에서 당신이 취할 수 있는 방법은 그녀가 선택할 때까지 기다리는 수밖에 없다. 그녀가 선택을 빨리하게 하려면 당신은 그녀에게 아버지 같은 남자가 되는 것이 가장 빠르다. 그녀의 반쪽은 아버지의 정자로 이루어져 있어 그녀는 무의식적으로 아버지를 닮은 정자를 선택하려고 할 테니까.

아버지 같은 남자란 어떤 남자일까. 아마도 딸에게 무한히 사랑을 베풀고 이해하고 기다리고 져 주는 남자일 것이다. 서두르지 말고 여유를 갖고 아버지같이 기다려 보라. 진정으로 그녀가 당신을 선택하기를 바란다면 말이다. 어쩌면 그녀는 아직 당신을 선택하지 않았을 테니까.

그러나 아무리 해도 아버지같이 되지가 않는다면 무시하는 방법을 한번 써 보라. 그녀가 어떤 요망을 부리든 바라보지 않고 듣지 않는 것이다. 대개 백 년 묵은 여우가 인간의 눈앞에서 재주를 피워 인간을 사지에 몰아넣는 것은 그의 귀와 눈을 현혹하기 때문이다. 당신이 만일 그녀가 어떻게 꼬리치든 심드렁하게 대한다면 오히려 속이 탈 것은 그녀일 것이다. 주문에 말려들지 않으면 속타는 것은 마법사 쪽이니까. 그러나 이 방법이 너무 무심하다고 생각되면 그녀 아버지의 반만큼만 여유를 갖고 대해 보라. 대개 여자들은 마음껏 가지 치고 꽃을 피워도 뿌리같이 듬직하게 기다리는 남자를 원하니 당신은 진득하게 기다리고 있으면 언젠가는 당신의 품으로 달려오지 않을까? [99]

바. 남편의 외도(1)

"저는 너무 어이가 없어 떨립니다. 당황스럽기도 하고 억울하기도 합니다. 저에게 이런 일이 생기리라곤 상상도 못 했습니다. 저는 딸 하나를 둔 주부입니다. 남편과는 삼 년의 열렬한 연애 끝에 결혼해 단란하게 살고 있습니다. 어느 날 우연히 남편에게 여자가 생겼다는 것을 알게 되었습니다. 어느 때처럼 천연스럽게 다정한 남편인 양 귀가해서 딸을 안아 주는 남편이 이해가 안 됩니다. 제가 눈치를 채고 있다는 것도 모르는 모양입니다.

남편이 그 여자를 사랑하는 것은 아닌 것 같은데 이 사실을 어떻게 처리해야 현명한 것일까요? 남편이 그저 그런 속물적인 남자였나 생각하면 괘씸하고 용서하기도 힘들 것 같습니다. 사랑하지도 않으면서 다른 여자를 만나는 이기적인 남자였나 하는 생각에 남편에 대한 존재나 사랑은 빛을 잃고 말았습니다. 저도 물론 이혼을 생각하고 있지는 않습니다. 하지만 예전처럼 단란한 가정으로 돌아갈 수는 없을 것 같아요. 도대체 남편은 왜 그 여자를 만나는 만나는 걸까요? 제가 이 말을 꺼내 괜한 '긁어 부스럼'을 만들지는 않을까요? 제 상처 받은 가슴은 또 어디에서 위로를 받아야 하나요? 친정에도 시댁에도 창피해서 말하지 못했습니다."

마음의 고통에는 의미가 있다고 합니다. 그래서 마음이 괴로울 때는 고통스러워하지만 말고 그 의미를 잘 찾아 내야 한다고 합니다. 그래야 또다시 그 지옥 같은 고통에 휘말리지 않으니까요. 귀하는 고통 속에는 어떤 의미가 있을까요?

우선 그 동안 남편을 너무 믿고 의지했다는 의미가 있겠지요. 남편에게 그렇게 의지하지 않았다면 고통이 그렇게 크지는 않았을테니까요. 자기 인생을 주체적으로 살아가지 못하고 남편에게 너무 의지했다는 것에 대한 경고의 의미가 그 고통 속에는 있을 것입니다.

다음으로 남편의 달콤한 말을 덥석 받아 먹은 욕심이 귀하에게 있었던 것은 아닐까요. 사기꾼들한테 잘못 걸렸다가 인생 종치는 경우는 허다하니까요. 그 피해는 단순히 물질적인 석뿐만 아니라 정신적인 것까지 엄청납니다. 사기꾼들의 특징은 자기가 한 말에 책임을 지지 않는다는 것입니다. 그들은 온갖 사탕발림으로 다가와서는 단물만 실컷 빨아먹고는 아무런 책임을 지지 않고 사라집니다. 그러나 사기꾼들에게 당하는 사람들한테도 문제가 있습니다. 사기꾼들의 달콤한 말을 덥석 문 욕심이 바로 그것입니다.

귀하에게는 어떤 욕심이 있었던 것일까요. 바로 남편의 달콤한 말을 너무 믿고 남편에게 너무 많이 주었던 것은 아닐까요? 사기꾼에게 상처받지 않는 유일한 길은 그 달콤한 말에 욕심부리지 않는 것입니다. 사기꾼에게 기대도 하지 않으면 사기당할 일도 없을 테니까요.

그러나 남편을 사기꾼으로 보거나 남편이 없는 듯이 홀로 산다는 것이 너무 삭막하게 느껴진다면 '사랑'에 한번 기대 보세요. 사랑은 모든 것을 참고, 용서하고, 이해하는 것일 테니까요. 그것 또한 너무 힘들다면 이번에 깨달으신 것같이 적당한 거리를 두면서 각자 사세요. 어차피 외롭게 홀로 걸어가야 하는 인생길에 가정은 덤으로 주어진 것이니까요.[100]

지성인들은 말하기를, 우리 인간에게 성행위의 목적은 쾌락이 아니라 새로운 인간을 생산하는 데 있다고 했다. 반면 인간 이외의 동물들은 그와 같은 정신적 안목을 갖고 있지 않은 까닭에 성행위의 의미에 대해 아는 바가 없다. 진화과정에서 짐승들에게는 단순히 맹목적인 교미 욕구만이 주어졌자는 것이다. 하지만 자신의 조상도 짐승이었다는 사실을 인정한다면 흥미로운 결론이 나온다. 이를테면 호모사피엔스(Homo sapiens)[101]로 진화하는 과정에서 완전히 새로운 형태의 번식 동기가 주어졌을 리가 없다는 점이다. 그런 방법은 창조의 기술상 너무나 비효율적인 것이다. 자연은 기존의 해법으로 돌아가기를 좋아하는 법이다.

이는 곧 우리 인간이 진화에 의해 성욕이라는 달콤한 꿀에만 전

적으로 의존하도록 만들어졌음을 의미한다. 인간에게는 절대로 종
족보존에만 전념할 만큼 의식적이면서 지속적인 자녀 욕구가 주어
져 있지 않다. 자연의 힘은 코카인(cocaine)[102]이나 헤로인(heroin)[103]
의 환각작용에 의해 도달할 수 있는 희귀한 감각적 환희를 인간에
게 선사함으로써 지키지 않아도 될 번식 임무에 흥미를 갖게 하고
쾌락에 순응하도록 한다.

버클리에 있는 캘리포니아 대학의 생물학자 맬컴 포츠(Malcolm
Potts)와 로저 쇼트(Roger Short)는 이렇게 지적했다. "인간의 성
행위에 대한 꿈과 환상은 임신이나 출산 또는 수유에 관련된 것이
아니라, 거의 언제나 성교를 중심으로 전개된다. 성충동은 너무 강
렬한 탓에 그 자체가 목적이 되었으며, 오르가슴이나 여성의 신체
에 매료되는 남자들의 모습은 많은 여자들을 정신 못 차리게 만든
다." [104]

따라서 대다수의 남녀가 성행위를 벌이는 목적은 수태에 있는
것이 아니라, 오직 쾌락을 얻기 위함이라는 사실은 당연한 일이라
고 영국 셰필드 대학의 성과학자 로이 레바인(Roy J. Levine)이 말
한다.[105]

'털 없는 원숭이'인 인간은 자연계에서 유일하게 외설적 환상
만으로 성적 흥분에 도달하는 능력을 지닌 존재다. 짐승들은 눈앞
에 존재하고 있는 교접 상대의 성적 신호에 의해서만 짝짓기를 할
수 있는 반면 우리 인간은 나체나 교접 중인 동족의 사진만으로도
아주 쉽게 자극을 받는다.

하등 포유동물의 경우, 질 삽입은 대체로 발정기에만 가능하다.
영장류 중에서 인간과 가까운 동물들은 기본적으로 발정기 이외의
시기에도 교미가 가능하지만, 주로 발정기에 집중적으로 성활동이
이루어진다. 그러나 인류 발생 이후 수태시기를 나타내는 가시적

현상들은 완전히 사라져버렸다. 여성의 눈에 보이지 않는 배란은 결과적으로 남성들로 하여금 여성이 지속적 발정 상태인 것처럼 착각하도록 만들었다. 그렇기 때문에 여성은 아무 때나 임신 가능한 것처럼 착각하도록 만들었다. 다시 말해서 여성은 아무 때나 임신 가능한 것처럼 보이게 된 것이다. 그렇기 때문에 여성의 나체를 바라보는 것만으로도 남성들은 불그레하게 부풀어오른 비비원숭이 암컷의 질 주변[106]이 수컷을 자극하는 것과 같은 영향을 받게 되었다.

인간이 사냥과 채집으로 살아가던 유목생활을 청산하고 한곳에 정착하여 경작생활을 시작한 이후로 호색적 기질은 한층 더 강화되었다. 야생상태에서 가축으로 길들여진 동물들은 그 과정에서 성 충동이 더욱 강화되어 다른 야생동물과 차별화되는 과정을 거쳐왔다. 따라서 호모 사피언스(Homo sapiens)로 일컬어지는 인류도 스스로 선택한 정착화 과정에서 한층 더 음란해졌다고 추정할 수 있다. 또한 인간은 자연계에서 거의 유일하게 얼굴을 마주보는 자세로 성행위를 하는 동물이다. 쌍방의 시선이 마주치면서 에로틱한(erotic; 느낌이나 분위기 따위가 성적 욕망이나 감정을 자극하는 데가 있다) 긴장이 강화되고, 절정에 도달하면 시각적 효과도 동반된다. 흥분된 자신의 나체에 타인의 시선이 와 닿는 것도 분명히 흥분을 고조시키는 요인이다.[107]

사. 남편의 외도(2)

"결혼한 지 십삼 년이 되었고 아이가 둘 있습니다. 남편이 자신이 경영하는 사무실의 경리 아가씨와 정을 통하는 관계에 있는데, 그 아가씨는 가출한 상태이고 남편도 집을 나갔는데 아마 함께 지내는 듯합니다. 스스로 돌아올 때까지 기다려야 할지 적극적인 방법을 취해야 할지 모르겠습니다. 그리고 그 아가씨가 자신의 아버지에게 다시는 저의 남편을 만나지 않겠다는 각서를 썼다고 하는데 그 각서가 법적인 구속력을 가질 수도 있는 건가요?"

　기다리는 것과 적극적인 방법의 중간을 찾아보는 것이 어떨까요? 갈등을 해결하는 데는 중도(中道)가 가장 큰 도움을 주니까요. 지금 남편이 있는곳을 안다면 연락해 남편을 만나보는 것도 한 방법이고, 사랑이 식을 때까지 기다리는 것도 방법이겠죠. 남자들은 사랑에 빠지면 한동안은 현실을 못 본답니다. 가정의 모든 것, 심지어 자식들까지도 눈에 들어오지 않죠. 그러나 한번 사귀는 여자와 틀어지기 시작하면 그때부터 급격하게 현실이 보이기 시작합니다. 현실을 떠나서 바람을 피운다는 게 보통 피곤한 게 아니거든요. 말이 좋아 사랑이지 대개는 쾌락으로, 동거하면서 현실의 벽에 부딪히면 상대의 장단점을 느끼기 시작하죠. 문제의 관건은 귀하가 아이를 갖고 있는가, 남편과 그 여자 사이에 아이가 있는가가 아닐까 합니다. 아이야말로 가장 강한 현실이니까요. 대개의 남자들은 바람을 피워도 아이가 있는 쪽으로 돌아오게 마련입니다.

　아가씨가 아버지에게 쓴 각서는 별 기대를 안 하는 게 어떨까요? 알코올 중독으로 정신병원에 들락날락하는 사람들은 다시는 술을 안 마시겠다고 법 먹듯이 각서를 쓰지만 퇴원하면 이틀이 멀다하고 곤드레가 되곤 합니다. 바로 마음 속의 충동만큼 이기기 힘든 것도 없으니까요.

　그리고 남편이 자기에게 불만이 있어 그 불만의 해결이나 도피로 바람난 것이라면, 또 귀하의 남편이 돌아오기를 진정으로 바란다면 남편과 새로 만날 때 태도를 순종적으로 바꾸는 것은 어떨까요? 특히 바람 피운 것을 파렴치한 죄인 다루듯이 몰아세우지 말고요.

이런 얘기를 하면 여자들은 '그렇게 어떻게 평생 사느냐, 차라리 이혼하는 게 낫다!' 고 하지만 그런다고 평생 남자에게 눌려사는 것은 아닙니다. 위기 앞에서 일단은 지고 나중에 재기의 기회를 노리는 것이 오히려 크게 승리하는 길이 아닐까요. 특히 아이가 있다면 말입니다.

육체적 사랑에 굶주린 사람들에게 현실세계는 유감스럽게도 쾌락의 동산이 아니다. 사랑의 행위를 통해 얻는 행복이란 독일 시인 니콜라우스 레나우((Nikolaus Lenau)가 노래했듯이 "수수께끼처럼 숨어서/환영받는 일도 없이 허무하게/다시 돌아오지 않는 순간" 일 뿐이다. 철학자 니체(Friedrich Wilhelm Nietzsche)도 이러한 존재론적 결핍의 경험에 대해 "모든 욕망이란 영원하기를 바라는 법" 이라고 썼다. 우리의 감정과 기분은 다름 아니라 매 순간 우리들 개인과 종족에 필요한 행위를 실천하도록 지시하는 진화론적 '유도 시스템' 인 것이다.

인간을 제외한 영장류들도 어느 정도 지적인 활동을 할 수 있다는 것은 이미 잘 알려진 사실이다. 하지만 그들은 인간에 비해 중요한 면에서 상대가 되지 않는다고 웨스턴온타리오 대학의 심리학자 윌리엄 로버트(William Roberts)는 지적한다.[108] 그의 연구결과에 따르면, 인간 이외의 영장류에게는 '자신의 과거에 대한 자의식' 이 결핍되어 있다. 다시 말해서 그들은 장기간의 기억을 통해 과거의 순간으로 되돌아갈 능력이 없으며, 머릿속에서 자신의 미래를 내다볼 능력이 없다.

이러한 사실은 이미 고전적 실험을 통해 밝혀진 바 있다. 이 실험에서 원숭이를 하루 종일 굶겼다가 저녁시간에 배불리 먹고 남을 만큼 많은 먹이를 주었다. 그 원숭이들은 계속해서 먹이를 입안에 밀어넣어 배를 가득 채우고는 나머지를 장남감처럼 가지고 놀면서 몽땅 으깨어버렸다. 이렇게 되면 이튿날 먹을 음식이 부족해진다는 사실을 그들의 머리로는 인식할 수 없었던 것이다.

"모든 짐승은 현재의 시간에 사로잡혀 있다" 라는 것이 로버츠가 내린 결론이다. 과거와 미래를 향해 시간여행이 가능한 존재는 오로지 인간뿐이다. 호모사피언스로 일컬어지는 인간은 지구상에서 자아의 연속성을 지닌 유일한 존재이다. 어타 동물의 경우에는 직접적인 섹스 유혹에 의해 주의력을 자극받을 때만 성욕이 발생하지만 인간은 아무리 세월이 흘러도 경험할 수 없거나 아예 실현될 수 없는 성적 환희라 할지라도 상상 속에서 맛볼 수 있다.[109]

인류학자 마틴 헤리스(Marvin Harris)는 인간의 역사를 통틀어서 성충동을 억압하려는 사회 세력이 항상 존재한다고 강조한다. "격정 많은 부모, 화난 남편, 질서 유지를 담당하는 관리들, 기독교 계율 등은 인간의 짝짓기 욕구를 극도로 억제하거나 그 생각을 지워버리고 싶어하지만, 성욕 충족 욕구를 완전히 잠재우지 못한다." 인간의 관능적 욕구를 충족시킬 목적으로 전쟁·사기·살인·강간 따위를 자행하고 자신의 재산과 건강을 걸기도 한다. 자세를 꼴사납게 만드는 임질. 사람을 미치게 만드는 임질, 치명적인 에이즈 등 무서운 질병이 있지만 성욕은 잠재우지 못한다.[110]

프로이트(Sigismund Schlomo Freud)의 생각에 의하면 본능적 성충동은 불안정한 긴장상태로 압력이 형성되는 '증기 잘생장치' 와 같다. 그런 까닭에 인간은 금욕이 지속될수록 괴로워지는 긴장상태를 '해소' 하려고 애를 쓰는 것이다. 이러한 생각은 성충동을 성적 분비물의 축적상태라고 설명하는 고대의 '배설이론' 에 가깝다. 중

세 철학자들은 여자를 '하수구 위에 세워진 사원' 이라고 표현했다.

슈미트(Schmidt, G.) 교수의 연구결과에 의하면 성충동은 인간으로 하여금 유혹·자극·욕구 따위를 끝없이 추구하도록 만들 따름이지 절대로 유혹을 기피하도록 유도하지는 않는다.

"성행위의 촉발요인은 내면에 축적된 폭발적 에너지가 아니라, 욕구가 먼저 생기는 것이라는 설명이 더 적합하다. 축적된 에너지에 과도한 압력을 쌓아 강력한 폭발력이 발생하기 때문에 우리의 의지와 상관없이 정욕이 생기는 것이 아니라, 성충동에 불이 붙으면 엄청난 희열이 찾아오기 때문에 우리가 쾌락을 위해 부채질하는 것이다." [111]

"외도는 섹스를 몰라서 생긴 병이다"

중세시대에는 여자가 바람을 피우면 화형을 시키거나, 소설 『주홍(朱紅)글씨』 [112]에서처럼 옷에 'A' 를 쓰고 다니게 했다. 중국에서는 멍석말이를 해서 때려죽이거나 돌로 쳐 죽였다. 옛날에는 피임도 어려워 임신을 하게 되면 평생을 숨어서 살거나, 천민처럼 떠돌아다니면서 신분을 감추고 살다가 죽어야 했다. 하지만 지금은 피임이 너무나 쉽고 외도의 기회도 많은 데다, 이혼이 흠이 아닌 시대가 되어버렸다. 미국에서는 평생 3~4번 정도 결혼하는 것이 유행처럼 여겨지기도 했다.

2018년 통계청이 발표한 자료에 따르면 전체의 7.1%가 배우자의 불륜 때문에 이혼했다. 그만큼 많은 사람들이 외도를 한다는 말이고, 강남에서 애인이 없으면 '6급 장애인' 취급을 받는다고 한다. 왜 인간이 외도를 꿈꾸고 외도를 하는지, 그리고 어떻게 하면 외도를 막을 수 있을지 고민을 해보아야 한다. 평생 한 사람과 사랑을 하는 사람은 정말로 장애인일까? 그렇게 불가능한 걸까?

성경은 "여자를 보고 음욕을 품는 자마다 마음에 이미 간음하였 느니라" 하여 마음의 외도까지 말하고 있다. 이렇게 배우자 이외의 이성에게 관심을 갖는 마음의 행동에서 시작해 이성을 뜨거운 시 선으로 쳐다보는 비접촉의 행동, 나아가 손을 잡고 입 맞추는 접촉 행동에 이르기까지 외도하면 떠오르는 여러 행동이 있는데 어디까 지가 안전지대이고, 어디서부터 외도인지 선을 긋기가 쉽지 않다.

그러나 현대사회에서 정신적인 것까지 외도로 보기는 어렵고, 배 우자의 허락이 없는 이성과의 성관계가 있을 때 외도라고 볼 수 있다.

외도는 왜 하게 될까? 성적 불일치, 친밀감과 신뢰의 상실, 대화 와 공간의 부족, 배우자의 부정, 서로의 이해 부족, 경제적 문제, 자녀 문제, 가족 간 불화, 건강상 문제, 가정폭력 등이 있다. 아니 면 그냥 심심해서거나 습관적인 경우도 있다.

남성들은 성행위를 하고자 하는 정신적 욕구보다 성관계를 적게 하는 경우 성적으로 갈증을 느끼게 된다. 하지만 남자들은 부인에 게 불만이 없는데도 남성의 과시욕이나 지배심과 연관이 있기도 하고, 또 오릴 적 애정결핍 등이 원인이 되는 경우도 있다.

여성들은 지구가 생긴 이래로 성적으로 업압당하고, 순결을 강요 당해 왔다. 여성이 성적 쾌락을 강하게 느낄 수 있는 성기인 음액 을 아프리카 등지에서 절개당하는 것이나, 한복이 평상복이던 시절 유방을 조여야 했던 것은 여성의 성이 억압당한다는 사실을 보여 준다. 가부장제, 일부일처제 아래서 여성의 자연적 성향은 사회적 으로 억압받았다. 가부장제, 일부일처제가 조금씩 완화되는 현재 여성들이 일방적으로 강요당해 온 억압에 대한 반기를 드는 것은 당연한 일이라고 할 수 있다.

하지만 아내에 대한 불만이 없어도 외도를 하는 남자들과는 다리 아내의 외도에는 반드시 결핍 동기가 있다. 남편이 뭐 하나 만족스럽게 해주는 게 없다. 자상하게 대화를 자주 하는 것도 아니고, 그렇다고 밤에 화끈하게 해주는 거도 아니고, 가정적이어서 집안일을 잘하는 것도 아니다. 돈이라도 잘 벌어다 주면 쓰는 재미라도 있으련만 그것도 아니다. 문득문득 나를 만족시켜 주는 사람을 만나고 싶다는 생각이 든다.

하지만 아내들은 남편에 대한 불만으로 외도할 잠재적 준비가 되어있다고는 해도 의식적으로 외도 상대를 구하지는 않는다. 그들은 우연이 만나지는 남성 중에서, 또 우연이 감정이 통하는 사람과 외도를 하는 것이다. 손쉽게 만나는 운전교습 선생, 스포츠 동호, 등산 동호, 세일즈맨 등이 여성이 외도하는 대상이다. 여성의 사회생활이 늘어나면서 다른 남성을 만날 기회도 많아지고, 불평등한 부부관계를 깨닫는 이들이 늘어나면서 기혼여성의 혼외관계는 더 늘어났으면 늘어났지 줄어들지는 않을 것이라고 예상된다.

이와 관련하여 남편과 아내의 외도에 대처하는 현명한 자세를 살펴보자.

남자들은 부인에게 불만이 없어도 외도를 한다. 또한 사랑이 없어도 외도를 한다. 그럴 경우 부인이 너무 많은 생각을 하면 남편을 용서할 수 없지만, 호기심에서 했다고 생각하면 용서할 수 있다. 또한 대부분의 남자는 외도를 한 뒤 가정으로 돌아온다. 가정으로 돌아올 수 있게 아내가 모르는 척하는 것이 나을 수도 있다.

하지만 그렇다고 너무 비굴하게 참아서도 안 된다. 여자가 참으면 남자는 아예 대놓고 바람을 피우댈지도 모른다. 아내는 언제든지 헤어지더라도 손해 볼 것이 없다는 자신감과 경제력을 평소에 키우야 한다. 남편뿐 아니라 다른 남자에게도 매력적으로 보일 무기를 개발해야 한다.

첫째, 일단 남편의 외도를 회피하지 말고 사실로 인정해야 한다.

내 남편만은, 설마, 그럴 리가 없어, 라고 부정하고 회피하면서 시간을 끌면 오히려 남편의 외도를 눈감아 주는 것이 된다.

둘째, 상대방 여자와의 담판은 남편이 하도록 해야 한다.

보통 부인이 직접 상대 여성을 만나 싸우거나 남편에게 떠날 것을 요구하는데 이럴 경우 부인이 '해결사' 노릇을 함으로써 남편은 자신이 저지른 일에 대해서 책임지지 않아도 자연스레 해결되어 남편이 처리해야 할 부분을 대신해 주는 일이 된다.

셋째, 시간 여유를 주지 말고 단번에 끊게 해야 한다.

보통 정리할 시간을 달라는 식으로 몇 개월 몇 년 하면서 시간을 끌게 되면 외도를 공공연하게 인정하게 되고 그 사이 남편은 재산이나 다른 쪽으로 수단을 강구할 수 있다

넷째, 미리 대책을 세운 뒤 남편과 담판을 짓도록 한다.

남편이 비록 외도를 하였다 하더라도 남편과 당장 이혼하기를 원하는 아내는 별로 없다. 그러므로 외도 사실을 알았다고 하여 아무런 대책없이 당장 남편에게 이야기하였다가 오히려 남편이 외도 상대와의 관계를 끊지 않겠다고 한다면 아내는 울며겨자먹기로 매달려 살 수밖에 없는 사례가 많다.[113]

남자들이 외도를 한 뒤에 대부분 제자리로 돌아온 곳처럼 아내도 그럴 수 있다. 하지만 우리 사회는 아내의 외도에 관대하지 않다. 남자들의 자존심 때문이다. 그래서 돌아갈 자리가 없다. 우리에게 필요한 것은 외도하는 아내에 대한 무조건적인 비난이 아니다. 그것은 남성 중심 가부장제 가치관의 답습밖에 안 된다.

물론 남편이 외도하니까 아내도 외도하라는 식의 발상도 곤란하다. 중요한 점은 아내의 외도에는 분명한 동기가 있다는 것이다. 아내가 얼마나 외로웠는지, 남편은 의무를 다했는지 갈펴봐야 한

다. 그리고 아내가 없는 가정이 되었을 경우 손실을 따져봐야 한
다.

남편은 외도를 할 수 있고 다시 돌아오면 받아줘야 하는 데 아
내는 절대로 외도를 할 수 없고 용서할 수 없고, 그래서 반드시 가
정에서 쫓겨나야 한다는 생각은 이익보다 손해가 많다. 혼자서 자
식을 키울 수 있는가? 지금의 월급을 주면 어떤 여자가 애들까지
키워 주면서 고맙다고 생각할까? 다른 여자가 지금의 아내보다 자
식들을 더 잘 키울 수 있을까? 사랑하던 아내가 이렇게 변한 데
내 책임은 하나도 없는가? 나는 아내에게 돌팔매질을 할 만큼 깨
끗한가?

섹스 호르몬은 유효기간이 6~36개월 정도 간다. 슬프게도 이
호르몬은 같은 사람에게는 두 번 다시 분비되지 않는다. 아무리 미
인이나 미남을 사귀어도 마찬가지다. 특히 페니에틸아민이나 도파
민 같은 교감신경계의 호르몬이 그렇다. 하지만 다행인 것은 옥시
토신이나 엔도르핀은 기분 좋고 맛있는 섹스를 할 대마다 나온다.
도파민만을 사랑이라고 생각하는 사람은 항상 자극적이고 열정적
인 섹스를 원하기 때문에 그런 사랑을 찾으러 다니지만, 그렇지 않
은 사람은 옥시토신 같은 호르몬만으로도 만족을 하고 오랫동안
잘 지낼 수 있다.

우리가 결혼을 생각할 때는 그 배우자에게 무엇이든지 해주고
싶은 마음이 있었다. 하지만 세월이 흐르면서 본인이 하찮게 생각
하는 배우자가 남들에게는 유혹의 대상이 된다는 것을 잊어버린다.
잡은 고기 먹이 안 주고 있을 때 다른 사람이 먹어 주면서 채간다.
만약에 처음 만났을 때처럼 애틋하게 하거나, 다른 사람에게 잘하
듯이 자기의 배우자에게 잘하면 그 보다 더 나은 섹스를 할 수 있
는데 권태기가 오면 사람들은 무조건 파트너를 바꾸려는 생각부터

한다. 모르는 사람이나 처음 만나는 사람처럼 정성 들여 대하면 정말로 맛있는 섹스를 할 수 있는데도…….

외도에는 반드시 대가를 치러야 한다. 대가를 치르고도 할 가치가 있다면 좋겠지만 소 잃고 외양간 고치는 일이 벌어질지 모른다.[114]

결혼 후 30~40대는 어느 정도 섹스에 대해서 맛을 아는 나이다. 피임이나 성병이 중요한 줄도 알고, 이제 오르가슴이을 느끼는 섹스가 무엇인지도 안다. 하지만 부부 사이에 권태기 오기도 한다. 고일로 치면 수박이나 귤처럼 맛있는 섹스를 할 수 있는 시기이니까 그 시기를 놓치면 평생 후회한다. 섹스에 있어서는 이때가 전성기가 아닐까 한다. 하지만 어떤 부부는 이 시기를 싸움으로 끝내버리기도 한다. 성생활에 대한 가치관과 형태, 나이별로 달라 습관을 체크하고 잘못된 점을 개선해야 함께 행복해질 수 있다.

현재 50~70대의 섹스는 갱년기나 노인의 성으로 들어갈 수 있다. 보수적이고 소극적인 성생활을 한다. 부모에게 배운 것도 없고, 어려운 시절을 살아서 성은 종족보존의 기능으로 아는 세대이기도 하다. 젊고 건강할 때 성을 좀 누릴 걸 하는 후회도 하는 시기이다. 인간은 가지고 있을 때는 모르다가 그것을 잃은 후에야 후회를 하는 동물이니까 남성들은 발기력이 많이 줄어들고 여성들도 성욕이 줄고 애액도 적어져서 성교통도 생기고, 어떤 부부는 아예 섹스를 안 하려고도 한다. 성적인 패턴에 변화와 노력이 많이 필요한 시기이다. 꼭 삽입만 섹스가 아니라는 것도 알아야 한다. 부부 사이에 섹스가 없이 정으로도 살 수 있다는 것을 깨닫는 시기이기도 하지만. 이가 없으면 잇몸이 그 역할을 대신 하듯이, 섹스가 안되면 오럴 섹스(oral sex)나 서로간의 스킨십(skinship), 적어도 마사지(massage)라도 해줘야 한다.[115]

8. 사랑과 업보(業報)

업보(業報; retribution for the deeds of a former life[a previous incarnation]; karma effects)는 자신이 행한 행위에 따라 받게 되는 운명이다.

업보(業報)라는 말은, 산스크리트어 카르마 (कर्म)를 업보(業報)라고 옮겼다. 업(業)은 생각이나 말 또는 행동으로 지은 원인이며, 업보(業報)는 그런 원인으로 말미암아 받는 결과를 뜻한다.

불교에서 업보는 윤회와 함께 핵심적인 개념으로 작용한다. 모든 지각 있는 존재 곧 유정(有情)들은 이처럼 태어나는 그 순간부터 행위와 결과와 원인의 연쇄에 묶인다. 태어남 그 자체가 결과를 부르는 한 가지 행위로 볼 수 있으며 한 개체가 죽더라도 그대로 소멸하지 않고 윤회하므로, 살면서 지은 업으로 인한 업보는 죽음 이후까지도 영향을 미친다.

유정(有情)들은 저마다 자기의 습관과 생각에 따라, 어떤 행위를 해야 하는 매 순간마다 선택을 해야 하며 선택함으로써 다시 새로운 행위가 발생한다. 새로운 행위는 행한 즉시 과거의 것이 되고, 그것은 미래에 영향을 끼치는 업으로 쌓인다.

유정들의 행위란 서로 독립적이지만 또한 서로에게 이어져 있다. 유정들은 어떤 상황에서 스스로가 실행한 행위에 따라 생긴 짐을 지고 산다.

선업을 쌓았다면 좋은 업보를, 악업을 쌓았다면 나쁜 업보를 감당하게 된다. 중생이 지은 업(業)들에 의하여 이 우주만물이 창조되고 지속되며 파괴되고, 또 반복을 하며 인간은 역사에서 생을 무한히 반복한다는 게 업보설이다.

업보는 종교적 의미보다는 인과응보, 자업자득, 사필귀정의 의미로 자주 쓰여서 부정적인 의미가 강해졌으며, 업보를 많이 쌓은 사람이 똑같은 일을 당했을 때 이를 업보청산이라고 한다.

금대산 맨발걷기 하는 길에 남양주시에서 비치해 놓은 빗자루를 계속 멀리 던져 버리는 者(사람)와, 산아래 골목길이 자기네 텃밭과 붙어있다고 블록과 돌을 쌓아 차량통행에 불편을 주는 者(사람)는 도데체 어떤 업보중생일까? 행한 대로 되돌려 받는 게 과보임을 알아라.

불교경전 인과경(因果經)에 말씀하셨다. 너의 전생을 알고 싶으냐? 너의 지금 모습을 보아라. 너의 내생을 알고 싶으냐? 네가 지금 어떻게 살아가는지를 보아라. 그래서 인과 연의 법칙을 이해하는 자는 진리를 아는 자라고 했다.

경전 잡아함경에, 미움을 미움으로 대하면 그 미움은 반드시 자기에게로 되돌아온다. 미움을 미움으로 대하는 사람은 누구든 재앙을 벗어날 수 없다.

누구나 자신이 최고로 귀한 존재임을 의심하지 말라. 큰 사람이 되고 큰마음을 가져라. 사람이 교만해지면 사람을 잃으며 원망하는 마음은 스스로를 피곤하게 한다. 라고 했다. 중생은 쓸데없는 생각만 마음에 두지 않으면 언제나 한결같이 좋은 날이 된다.

부처님은 금강경의 첫 부분에 현재의 삶 즉 이 순간이 중요하다고 말씀하셨다. 사람들은 자기의 삶에 대해 그다지 중요하다고 생각하지 않는 경우가 있다. 그것은 자기의 고정관념에 매여 살기 때문이다. 급기야는 오직 자신의 잣대와 가치관에 따라 현재의 자기를 판단하는 것이지만, 실상은 그렇지 않다. 현재 자신이 살고 있는 이 순간이 가장 가치가 있는 것이다.

모든 것은 내 마음이라는 바탕 위에 세워져 있다. 이것이 있으면 저것이 있고 이것이 일어나면 저것이 일어나며, 이것이 없으면 저것이 없고 이것이 소멸되면 저것이 소멸된다는 것이 인연법의 핵심이다.

불교에서 윤회(輪迴)는 고락(苦樂)이 반복되는 것을 말한다. 부처님은 우리의 마음이 괴로움(苦)과 즐거움(樂)을 되풀이한다는 것을 윤회라고 표현했다.

윤회에서 벗어났다는 말은 다시는 괴로움이 없다는 뜻이며 이를 해탈(解脫)이라고 한다. 윤회는 서로 서로의 조건이 지워져 생멸하고 변천하는 일체 유위법의 연기적 흐름을 뜻한다.

내가 살아가고 있는 지금 이 순간이 가장 중요하다. 내가, 지금 좋은 인(因)을 심는 일이 가장 현명하며 지혜로운 삶을 사는 것이다. 지금 이 순간순간에 이 세상에 도움이 되는 보살행(菩薩行)을 실천하는 삶이 가장 아름다운 인생이다.

내가 가야 할 극락과 지옥은 지금의 내 언행이 만들고 있다. 미래의 나를 향해 가는 것보다 미래의 나를 현재로 끌어오는 게 사실상 더 수월하다. 현재의 나와 미래의 나는 오늘을 같이 쓰고 있다. 결국 미래의 나의 모습을 오늘 내가 조각하며 사는 것이다.

현생을 보면 전생을 알게 되고 현생을 보면 내생을 알게 되니 이것은 곧 전생과 현생은 유관하며 현생과 내생도 유관하다는 말이다. 현생은 수많은 전생과 수많은 내생의 연결점이며 현생의 나는 전생의 나요, 현생의 나는 내생의 나이다. 중생은 내 마음을 깨달아 집착을 버려야 한다.

인간의 욕망은 모두가 덧없어 마치 물거품 같고 허깨비 같으며 야생마 같고 물속에 비친 달 같으며 뜬구름 같다.[116]

업보(業報)는 깨달은 존재인 붓다와 윤회하는 존재인 중생의 차이, 중생들의 윤회하는 영역과 인간사회의 사회적·경제적 차이가 생기는 이유에 대한 불교적 설명 방식이다. 또 불교의 근본 주장인 연기(緣起)를 도덕적 차원에서 구체화한 이론이라 할 수 있으며, 민간에서는 이른바 인과응보(因果應報)의 포괄적 도덕 법칙으로 이해되고 있다.

가. 과거로부터 벗어나야

"지금 가장 힘든 것은 불륜의 기억이에요. 그 생각은 떠나지 않고 저를 괴롭혀요."

"저는 결혼할 수 없어요. 첫날밤을 보낼 자신이 없거든요. 남자들은 개방적인 것 같으면서도 자기 아내가 될 여자는 순결하기를 바라잖아요."

"이상하게도 유부남만 찾게 돼요. 새 출발을 하고 싶은데 저 같은 여자를 누가 좋아하겠어요. 미래가 안 보이고 너무 막막해요." "유산한 적이 있어요. 그 죄책감에서 벗어날 수가 없어요."

이들 고민은 고리타분한 것 같지만 정신과 진료실뿐만 아니라 일상의 주위에서도 흔히 발견할 수 있는 것들이다. 말을 안 해서 그렇지 이런 고민을 안고 있는 사람들은 의외로 많다. 서구 사회에서는 별 고민이 될 것 같지 않은 것들이 우리 사회에서는 아직 까지도 커다란 고민의 비중을 차지하고 있는 것은 무엇 때문일까? 아마도 외향적인 서구 사람들은 자기 안의 고민을 밖에서 미래에서 해결하는 반면에 내성적인 우리들은 자꾸 자기 안으로 파고들어가 해결하려 하기 때문이리라.

달리 말하면 밖에서 미래에서는 과거의 문제를 풀 수 있는 길이 쉽게 있는 반면에, 안에서 과거 속에서는 과거의 문제가 쉽게 풀리지 않는다는 것이다. 현재를 발목 잡고 복잡하게 매듭지어져 있는 과거의 끈은 미래로 힘껏 달려가면 통째로 끊어지지만 그냥 주저앉아 매듭을 하나하나 풀려고 하면 더 복잡하게 엉클어지기나 할 뿐 시원하게 풀리지가 않는 것이다.

그래서 이런 고민에 심각하게 사로잡혀 있는 사람들은 외향적인 사람들보다 내성적인 사람들에게서 더 많다. 그렇다면 내성적인 사람은 한평생 과거의 고민에만 붙들려 살아야 할까? 그럴 필요는 없다고 본다. 우리 조상들은 과거에 붙들려 전전긍긍하는 내성적인 사람들을 위해 슬기로운 해결책을 마련해 놓았기 때문이다. 바로 전생(前生; 불교에서 이 세상에 태어나기 이전에 살았던 삶. 삼생의 하나이다)이다.

과거에만 사로잡혀 안타까움과 후회로 지새우는 사람들은 한 발짝 더 과거로 들어가 보는 것도 좋을 것이다. 전생에 내가 무슨 업이 있기에 이 고통을 받는가 생각해 보는 것이다. 만일 전생에 업이 있어 이번에 고통을 받는 거라면 아무리 과거를 반추해 봐도 소용이 없다. 전생의 업은 유전적인 힘이 있어 내 의지로는 피할 길이 없기 때문이다. 이 막강한 전생의 업을 푸는 길은 앞으로의 삶을 열심히 살아 공덕을 쌓을 수밖에 없다. 과거의 잘못으로 순결을 잃어 새 출발을 하고 싶어도 과거가 자꾸 발목을 잡는 사람들은 다음 같은 바람둥이의 자기 합리화도 배워둘 필요가 있다.

P는 자기가 전생에 아주 예쁜 공주라고 생각했다. 아마도 뭇 남
성들이 자기를 갖고 싶어서 안달이 났을 테고 그 때문에 무척 시
달림을 받았을 것이다. 그러다가 이번 생에서는 모든 게 거꾸로 됐
다. 전생에 나를 좋아하던 남성들은 모두 나를 좋아하는 여성이 되
었고 나는 그들을 하나하나 정복하는 남성이 된 것이다. 비록 나는
그들을 모두 데리고 살 수는 없어 각자에게 여러 가지 고통을 안
겨 주지만 할 수 없는 일이다. 그들은 전생에 나를 괴롭혔던 남성
들이기에. 그러나 이제는 나도 그녀들을 그만 괴롭히고 싶다. 너무
지나치다 보면 후생에 또 그들에게 시달릴지도 모르겠기에.

따라서 남자들에게 너무 농락당하고 아픔을 겪는 여성들은 한번
쯤 이렇게 생각해 보는 것도 마음 편할 것이다. 전생에 내가 얼마
나 바람둥이였으면 이렇게 당하는 걸까…….117)

아차산 소나무

나. 어머니, 나의 어머니!

"고독해 보여요. 센티멘탈(sentimenta)해요. 여자들이 참 좋아하

겠어요.”

“예쁘게 생겼어요. 슬픈 눈을 갖고 있어요. 내 모성애를 너무
자극해요”

학창시절부터 가끔씩 듣는 말이다. 나는 나를 볼 수 없어서 잘모
르겠지만 이상하게 나는 곧잘 우울해하고 외로움에 **빠지곤** 한다.
그런 모습이 때때로 여성들의 모성애를 자극하나 보다. 그러나 곰
곰이 나를 생각해 보면 나는 그렇게 우울해하고 외로워할 이유가
있다. 편모슬하(偏母膝下)에서 어머니는 어렸을 때부터 나를 외아
들이라 편애하다시피 사랑하셨고 지금까지 여러 모로 고생은 많이
했지만 어머니의 큰 사랑이 항상 나를 덮어 줘 대개는 배부른 고
생으로 마칠 수 있었기 때문이다. 그래서 젖어드는 외로움은 그냥
인간이면 누구나가 가지는 근원적인, 존재론적인 외로움이려니 받
아들인다. 그러나 곰곰이 생각해 보면 내가 외로움에 떨고 모성애
를 자극하는 것은 유년시절에 일단의 원인이 있을 것도 같다.

어머님은 생활고 때문에 항상 바쁘셨다. 오히려 나에게는 할머님
이 어머님 같은 역할을 하셨다. 어머니는 밖에서 열심히 일하고 할
머니는 집안일을 챙기시곤 했으니까. 그래서 어렸을 때 어머님에
대한 기억은 그렇게 많지가 않다. 나는 그저 하루 종일 어머니를
기다리고 어머니는 저녁 늦게 밝은 웃음으로 돌아오시고, 어머니는
돈을 꺼내 놓으시고 어머님과 할머님은 그 돈을 세시고, 나는 그런
어머님과 할머님을 놀리면 인자하게 받아 주시고…….

어머님은 먼 곳에도 가끔씩 가시곤 했는데 여러 번 묵호나 주문
진 등에서 돌아오시는 어머님을 기다리기 위해 동네 어귀에서 하
룻밤을 새운 적도 있었다. 소풍 갈 때 소풍 가방을 싸 주시는 어머
니, 일 년에 한 번씩 설악산이나 소금강으로 봄나들이를 갈 때 부
산하게 짐을 꾸리시는 어머니 등이 내가 기억할 수 있는 대부분이

다. 그 외에는 항상 바쁘셨으니까. 그래서 나는 어머님이 나를 떼어 놓고 놀러 가거나 하면 크게 격분하곤 했다. 아직도 잊혀지지 않는 것은 어머님이 놀러 나간 나를 찾을 수 없어 나만 빼 놓고 이모와 삼촌만 데리고 「연산군」이라는 영화를 보러 간 것이다. 그 일은 너무 한이 돼서 나중에 그 영화를 혼자서 보았을 정도였다.

이러한 성향은 커서도 계속되어 한번은 여러 가지로 스트레스가 많을 때 어머니가 밥을 신통하게 차려 주지 않자 "안 먹어!" 소리치고 씩씩거리며 훌쩍인 적도 있었다. 그러자 어머니는 밥상을 차리면서 우셨고 할머니는 "에구" 하시면서 우리 두 사람을 기웃거리며 눈치를 살피셨다.

아마 지금도 내가 샘이 많고 욕심이 많은 것은 어머님의 사랑을 조금이라도 더 받고 싶은 유년시절의 욕망에서 비롯된 것일 게다. 이런 성격은 잘 나갈 때는 신나게 나가지만 주위로부터 조금이라도 거절이나 실패를 맛보게 되면 하늘이 무너져라 땅이 꺼져라 좌절하곤 한다. 바로 어머님의 대치물들이 끝없는 사랑을 주지 않기 때문이다.

그래서 요즘도 내가 가끔 조그만 일로 심각하게 좌절할 때면 삼촌은 이렇게 충고하곤 한다.

"너는 나보다 어머니 사랑을 더 많이 받은 것 같은데 그 모양이냐!" [118]

다. 부모님에 대한 사랑

"제 마음 속엔 아마 악마가 들었나 봐요. 이래서는 안 된다고 생각하지만 어쩔 수가 없어요. 화가 나면 예전의 기억들가지 생생해지거든요 전 아빠를 무지 미워합니다. 아빠는 돈도 잘 벌어오지 못하면서 엄마를 때려요. 술만 마시면 욕도하고 우리들은 안중에도 없어요. 엄마도 제 생각엔 엄마 같지 않아요. 낯선 남자들과도 스스럼없이 술 마시고, 살림은 뒷전이고 놀고 즐기는 것에만 관심이 있어요. 그러니 아빠가 엄마를 의심하고 때리는 게 한편으론 이해가 가요. 하지만 우리들 보는 앞에서 싸우는 모습은 정말 보기 싫어요. 엄마도 아빠도 믿고 의지할 수가 없어요. 어떤 날에는 너무 미워서 못된 생각도 한답니다. 아빠가 차라리 없었으면 좋겠다는, 아니 아빠를 죽이고 싶다는 그런 생각을. 전 지금 열여덟 살이에요.

물론 그런 생각이 들면 한참 후엔 죄스런 마음이 들지만 악순환인가 봐요. 참을 수 없이 미워지면 또다시 그런 생각을 해요. 그래도 엄마에겐 맘에 있는 말 다 퍼붓고 돌아서면 안쓰러워지지만, 아빠에겐 아무 말도 할 수가 없어요. 그래서 더 그런가 봐요. 전 주모범생에다 착하다는 말을 많이 듣는데, 남들이 알면 절 악마라고 하겠죠? 전 얼마 전에 교수가 아버지를 살해했다는 것을 알고 깜짝 놀랐어요. 저런 사람도 나 같은 생각을 하고 살았나 보구나. 그래도 저래서는 안 되는데 싶었어요. 저는 착하게 살고 싶어요. 그런데 왜 이렇게 힘든지 몰라요. 저는 왜 부모님을 사랑할 수 없나요?"

　부모님을 꼭 사랑해야 하나요? 어떤 동네에 착한 아들이 살고 있었습니다. 그는 계모와 난폭한 아버지 밑에서 온갖 구박을 받으면서 자라고 있었는데 한마디 불평 없이 묵묵히 자랐습니다. 이들은 공부를 열심히 했는데 아버지는 밤새 공부하고 새벽에 잠든 아들 얼굴을 찰로 찬다든지 하는 등 온갖 구박을 했습니다. 계모 도한 만만치 않아 자기 자식과 천처 자식을 노골적으로 편애하며 구박을 서슴치 않았습니다. 그런 아들을 보고 동네 사람들은 한결같이 불쌍하다고 입을 모았습니다. 그러던 어느 날 노골적인 학대에 못이긴 아들이 드디어 가출울 했습니다. 그 와중에 아들은 아버지를 밀치고 나갔습니다. 그러자 동네 사람들은 다시 한결같이 입을 모았습니다. 패륜아(悖倫兒); 인간의 도리에 어그러진 행위를 하는 사람) 라고.

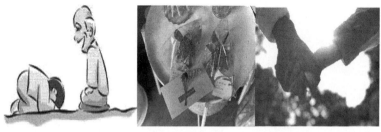

이들은 정말 패륜아일까요? 아닙니다. 이런 경우에는 아버지가

패륜아인 것입니다. 우리 나라는 남존여비와 장유유서의 유교적 전통이 뿌리 깊게 자리하고 있어 여자는 남자에게, 아랫사람은 무조건 어른에게 복종해야 하는 것이 착하고 선한 것으로 인정되고 있습니다. 구러나 이런 겉치레 사상은 과거 농경 시대에나 설득력 있는 사상입니다. 물론 인간 본질을 꿰뚫는 유교의 진정한 철학과 전신마저 무시하는 것은 아닙니다. 단지 우리 사회에서는 시대에 맞지 않는 유교의 맹목적 당위성과 의무감 때문에 고통 받고 있는 사람이 너무나 많기에 하는 말입니다. 귀하는 거리낌 없이 자기 감정에 솔직해지셔도 무방합니다. 무능한 아빠, 가정의 책임마저 저버린 이기적인 엄마를 미워하세요. 그분들 때문에 속끓이는 것 자체가 시간 낭비라는 생각도 해 보세요. 아빠가 차라리 없었으면 좋겠다는, 아빠를 죽이고 싶다는 생각도 마음껏 하세요. 단 행동으로 옮기지만 말고요. 행동으로 옮겼다가는 어떻게 되는지 김성복 교수의 예를 봐서 잘 알겠죠? 그리고 그렇게 미워해 봤자 나만 손해라는 생각도 하세요. 원래 애증은 겉만 다를 뿐이지 의존심이라는 동일한 뿌리에서 자라나는 똑같은 열매입니다.

부모님을 미워했다가 사랑했다가 들쑥날쑥하는 감정은 모두 의존심에서 비롯되는 것인지도 모릅니다. 그러나 부모가 의존할 만한 가치가 없을 때는 빨리 독립하는 게 낫습니다. 비록 지금 나이가 열여덟 살밖에 안 되긴 했지만 소년 소녀 가장도 있는 마당에 귀하라고 독립하지 못하란 법은 없습니다. 그리고 부모님에 대한 콤플렉스(complex; 자기가 다른 사람에 비하여 뒤떨어졌다거나 능력)이 없다고 생각하는 만성적인 감정 또는 의식 때문에 너무 남에게 잘하려고도 하지 마세요. 모범생에다 남들로부터 너무 착하다는 말을 듣는다는 것은 어쩌면 귀하가 자신의 콤플렉스를 과잉보상하고 있기 때문인지도 모릅니다. 자기 스스로의 느낌은 포기한 채 콤플렉

스에 쫓겨 억지로 남의 눈치나 보면서 살아야 한다는 것은 너무나
피곤한 일입니다.

아무쪼록 미워할 만한 대상은 마음껏 미워하세요. 미국에서는 아
마 그런 무책임하고 이기적이고 폭력적인 부모는 자식이나 이웃에
서 고발했을 겁니다. 일단 충분히, 심지어는 미워하는 것조차 시간
낭비고 손해라는 생각까지 들 정도로 미워하세요. 그리고 그 미워
하는 에너지를 거둬들여 부모님으로부터 독립하는 자기 삶에 쏟아
보세요. 그렇게 자기 삶을 살다 보면 때때로 부모님이 안쓰럽게 보
일 수도 있을 겁입니다. 그럴 때 가끔씩 사랑도 주시고 착한 딸 노
릇도 하세요. 마음이 내키지도 않는데도 억지로 착하게 행동하고
사랑해야 한다고 생각하는 것은 귀하나 귀하의 부모님 모두에게
도움이 되지 않습니다. 그분들도 자기 자식만큼은 떳떳하게 살기를
희망할 테니까요.[119]

라. 엄마의 불안

"여섯 살 난 딸 아이가 있는데 아무래도 것정이 됩니다. 이 아
이는 말하는 것을 좋아해서 잠시도 입을 가만두려고 하지 않습니
다. 밥을 먹을 때도 더드느라 다른 식구가 다 먹어도 번번이 혼자
먹는 경우가 많습니다. 주의도 산만하여 물건을 둔 곳을 곧잘 잊어
버리곤 합니다. 말을 할 대마다 구짖을 수도 없고 그냥 두자니 들
어 주는 것도 쉬운 일이 아니고 도 그대로 습관이 되어버릴사 걱
정이 됩니다. 자꾸 야단을 치면 혹시 성격에 지장이 생기는 것은
아닌지. 어떻게 해 주어야 할까요?"

저는 일곱 살 난 딸아이가 있는데 아주 예쁘고 건강해서 보는

것만으로도 그렇게 행복할 수가 없습니다. 이 아이는 말하는 것을 좋아해서 잠시도 조잘대는 것을 멈추지 않습니다. 말뿐만 아니라 표정도 살아 있어서 보는 사람에게 꼭 표정으로까지 같이 답해 줘 절로 웃음을 머금게 합니다. 밥 먹는 것도 제멋대로라 먹거 싶으면 먹고 먹기 싫으면 먹다가도 중간에 그만둡니다. 오늘 아침같이 찌개 국물에 밥을 말아 놓고는 한 숟갈도 뜨지 않고 그냥 "안 먹어!" 한 적도 많습니다. 주의도 산만하여 자기가 물건을 둔 곳을 잊어버리는 것은 다반사라 뽀뽀를 해 주겠다고 조곤을 제시하며 가위며 줄을 찾아 달라고 조르곤 합니다. 저는 딸아이가 제 뺨을 때리거나 너무 못 견디게 닦달할 때까지는 딸아이를 꾸짖은 적이 없었던 것 같습니다. 가능한 한 그냥 내버려 두고 요구하는 것도 가급적 모두 들어 줍니다. 그래서 아내하고는 항상 딸아이의 장남감을 가지고 말다툼을 하곤합니다.

아내는 딸아이의 장난감이 못마땅해 항상 딸아이를 협박하지만 아이는 아랑곳없이 아빠만 보면 장난감을 사 달라고 졸라 댑니다. 아내가 땅애에게 장난감 사 주는 것을 반대하는 것은 비싼 가격 때문이기도 하지만 느늘어놓은 것들을 치우지도 않으면서 벌여만 놓는 것이 못마땅하기 때문입니다. 그래서 아내와 딸아이의 싸움은 항상 방 치우는 것에서 시작해서 방 치우는 것으로 끄납니다. 어젯밤엔 아들의 공부를 가르치고 나온 아내가 드디어 폭발했습니다. 잠깐 한눈판 사이에 어느 새 색종이다. 장난감이다 만장같이 벌여 놓았으니까요. 물론 저도 그 늘어놓은 것에 다소 일조는 했지만 엄마와 딸이 싸울 때는 가급적 쏙 빠집니다. 남이 싸우는 데 끼는 게 아니니까요. 아내가 딸아이를 한참 야단치니 딸아니는 훌쩍거립니다. 아내는 말합니다.

"라면도 끓일 줄 아는 애가 자기 물건 하나 못 치우냐?"

"그럼 내가 게 찌개도 끓일 줄 아냐?"

아내와 나는 그 말을 듣고 킥킥댔지만 아내는 딸아이를 무릎 꿇게 해서 다시 야단을 치고 꼭 껴안아 줍니다. 그러나 저는 아내의 야단이 실효를 거둔 것을 한번도 본 적이 없습니다. 딸아이는 아직 자기 방을 잘 정돈할 만한 나이가 되지 않았기 때문이죠. 어렸을 때부터 너무 정리정돈을 잘 하는 애들은 커서 강박성 인격으로 클 위험성이 많습니다. 대기만성(大器晚成)이란 말도 있듯이 어렸을 때 너무 두각을 나타내는 애들은 그 정도 선에서 더 이상 발전을 못 하는 경우도 많습니다. 어린애들은 어린 그대로 자연스럽게 크게 내버려 두는 것이 좋지 않을까요? 그들은 이 신기한 세상에 자기의 호기심을 억누르지 못해 끊임없이 시험하고 찾아내고 방황하고 있으니까요.

귀하의 아이가 너무 부산해 주위 사람들이 쫓아다니기 힘들 정도라면 몰라도 그렇지 않으면 아이는 아주 건강하게 잘 크고 있는 것입니다. 정 불안하다면 소아 정신과에 가서 주의력 결핍 장애에 대한 평가를 받아 보시고 참을 만하면 자신을 갖고 딸아이를 키우세요. 호기심 많은 애는 어렸을 때 망나니같이 부모를 속썩였던 것을 훗날 훌륭한 성장으로 보답하까요.[120]

마. 좀머 씨 이야기(Die Geschichte von Herrn Sommer)

독일 작가 파트리크 쥐스킨트(Patrick Suskind)의 단편소설『좀머 씨 이야기(Die Geschichte von Herrn Sommer)』는 우리나라에서 출간 초기에는 큰 주목을 받지 못했다.

하지만 10대 독자들을 중심으로 점차 입소문이 퍼지면서 1995년 말 종합 베스트셀러 1위에 등극하였고, 결국 밀리언셀러가 되었다.

한 편의 동화와도 같은 이 소설은 지금까지도 고른 연령층으로부터 많은 사랑을 받고 있다.

46개국어로 번역되어 전 세계적으로 1200만부 이상이 팔리고, 2006년 영화화되기도 한 장편소설『향수(Das Parfum)』로 명성을 떨치기 시작한 저자 쥐스킨트는 폐쇄적 성격의 은둔 작가로 유명하다.

작품들의 잇따른 성공으로 부와 명예를 거머쥐었지만 독일 문학계에 전혀 모습을 드러내지 않으며, 일체의 인터뷰와 사진촬영을 거부하는 것이 그의 원칙이다.

자신의 거취가 알려지는 것을 극도로 꺼려 약간의 정보라도 누설하는 친구가 있으면 가차없이 절연을 한다고 한다.

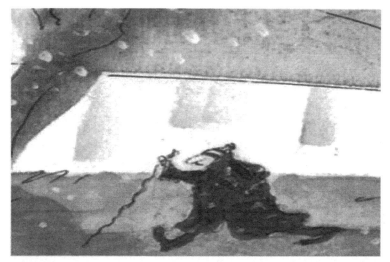

『좀머 씨 이야기』는 그의 자전적 소설로, 화자인 어린 소년과 소년이 목격한 기인 좀머 씨 모두에 그의 모습이 투영돼 있다.

우선 소년의 성장기에는 제2차 세계대전의 상처가 채 가시지 않은 1949년 독일 슈타른베르크 호숫가의 암바흐(Ambach am Starnberger See)에서 태어난 쥐스킨트의 경험담이 담겨져 있다고 볼 수 있다.

그리고 좀머 씨의 기행은 세상을 멀리하는 쥐스킨트의 현재 모습과 닮아 있다.

좀머 씨는 배낭을 메고 지팡이의 도움을 받아 소년이 살고 있는 호숫마을 근방을 매일 이른 아침부터 저녁 늦게까지 쉬지 않고 걸어다니지만 마주치는 사람들과의 대화는 회피한다.

좀머 씨가 나치에게 학대받은 유대인인지, 아니면 전쟁 중에 겪은 참혹한 경험으로 고통 받는 참전군인인지는 알 수 없으나 그는 마음의 문을 굳게 걸어 잠근 채 걷고 또 걸을 뿐이다.

사람들이 그에 대해 알고 있는 것은 그의 부인이 인형을 만드는 일로 돈을 번다는 것 정도다.

"좀머 아저씨가 우리 마을로 이사와서 정착했던 전쟁 직후에는 사람들이 전부 배낭을 메고 다녔기 때문에 아무에게도 그런 그의 그런 행동이 이상해 보이지 않았다. 휘발유도 없었고, 자동차도 없었으며, 하루에 딱 한번만 버스가 운행되었고, 땔감도 없었으며, 먹을 것도 없었기 때문에 어디를 가서 달걀 몇 개를 구해 온다거나, 밀가루나 감자 혹은 석탄을 1kg쯤 가져 온다거나, 하다 못해 편지지나 면도날을 구하러 가야만 했을 때도 몇 시간이든 걸어서 갔다가, 구한 물건들을 손수레에 싣거나, 배낭에 짊어지고 집으로 운반해 오곤 했었다."

소년의 서술에서 엿볼 수 있듯이 제2차 세계대전 직후 독일의 경제적 상황은 암담하기 그지없었다.

전쟁으로 산업시설이 상당수 파괴되었고, 노동력 손실도 엄청났다.

독일의 어려움은 여기서 그치지 않았다. 미국의 재무부 장관 헨리 모겐소(Henry Morgenthau, Jr.)는 1944년 독일을 분할한 후 산업시설을 해체하여 원시적인 영구 농경국가로 만들겠다는 전후 처리계획, 일명 모겐소 플랜(Morgenthau Plan)을 내놓았다.

(모겐소는 유대인이었는데, 이 때문에 이렇게 과격한 주장을 내놓았다는 주장도 있다). 모겐소 플랜은 결국 여러 반대에 부딪쳐 채택되지 않았지만 종전(1945년) 후 4개국 연합군(미국 영국 프랑스 소련)의 분할점령 시대에 독일의 생산활동은 각 산업마다 일정한도에서 제한되었고, 막대한 전쟁배상금이 부과되었다.

산업 요지이자 석탄 산지인 자를란트(Saarland)는 프랑스에 양도되었는데, 프랑스는 1957년의 영토 반환 이후에도 1981년까지 이 지역에서 석탄을 채굴하였다.

기록에 의하면 독일의 1947년 산업생산은 1938년의 3분의 1 수준에 불과했다고 한다.

이렇듯 물리적 손실이 컸지만 비물리적 손실도 이에 못지않았다.

연합군은 독일이 자국과 해외에 보유하고 있는 지적소유권을 광범위하게 빼앗았으며, 이 중 일부는 곡물을 수입하여 독일에 공급해준 대가 대신 받아가는 형태로 이루어지기도 했다.

연합군은 독일로부터 빼앗은 지적소유권을 연합군 국적의 회사들에게 나누어주어 자국 산업발전을 돕고자 했다.

특히 미국과 소련은 독일의 우수한 과학자들까지 자국으로 이주시켜 기초과학 발전에 기여하도록 했는데, 전범인 나치 과학자들을 종이 클립으로 집어 따로 분류한 후 이주시키는 미국의 방침은 페이퍼클립 작전(Operation Paperclip)으로 불렸다.

역사학자 존 짐벨(John Gimbel)은 미국과 영국이 받은 '지적 배상금(intellectual reparations)' 규모만 따져도 약 100억달러에 이른다고 주장했다.

황폐화된 토지가 많아 농업생산도 부진했으므로 독일 국민들의 삶은 피폐해질 대로 피폐해질 수밖에 없었다.

많은 국민들이 기아에 허덕였으며, 위생 시설 부족으로 전염병까지 창궐하였다. 1806년 독일이 나폴레옹 전쟁에서 패해 위기에 처했을 때 철학자 피히테(Johann Gottlieb Fichte)는 '독일 국민에게 고함(Reden an die deutsche Nation)'이란 우국 대강연을 통해 독일 국민들의 용기를 고취시킨 바 있는데, 제2차 세계대전 이후 독일의 미래는 피히테의 강연이 다시 필요해 보일 정도로 어두웠다.

여기서 사람들이 흔히 하는 오해 하나를 소개하고자 한다. 경제교과서에서 초인플레이션(hyperinflation)에 대해 이야기할 때 빠짐없이 등장하는 사례는 제1차 세계대전 직후의 독일이다.

당시 독일에서 물가가 무섭게 치솟아 물건을 사러 갈 때 손수레로 돈을 운반해야 했다는 이야기는 누구나 한번쯤 들어봤음 직하다.

그렇기 때문에 사람들은 제2차 세계대전 직후에도 독일에 극심한 인플레이션이 나타났을 것이라고 생각하는 경우가 많다.

그러나 극심한 인플레이션은 제2차 세계대전 이후 독일이 겪었던 후유증에 해당되지 않는다.

그 이유는 바로 1936년부터 히틀러(Adolf Hitler)가 정부가 전쟁 물자를 싼 가격으로 구입할 수 있도록 하기 위해 강력한 가격통제(price controls)를 실시했기 때문이다.

전쟁이 끝난 후에도 독일에 입성한 연합군은 가격통제를 그대로 이어갔다. 교과서에서 배운 바와 같이 가격상한제하에서는 공급부족 현상이 나타나게 된다.

1947년에 요구불예금을 포함한 독일의 통화량은 1936년에 비해 5배가량 늘어났는데 그 기간 동안 가격통제 때문에 물가는 조금밖에 상승하지 않았고, 식량의 경우에는 공급부족 현상이 심각했다.

당시 독일에서는 오히려 억압된 인플레이션이 문제였던 것이다.

가격상한제로 나타나는 공급부족을 해결하기 위해 주로 사용하는 방법은 배급제인데, 나치도 1939년부터 각종 물품에 대한 배급제를 실시하였다.

독일 국민들은 식량을 제대로 구하지 못해 직접 곡물을 심거나 물물교환을 하는 경우가 일반적이었다.

가격통제와 배급으로 인해 시장은 그 의미가 없어졌다 해도 과언이 아니다.

『좀머 씨 이야기』에서 소년이 전쟁 직후에 사람들이 원하는 물건을 '사기' 위해서가 아니라 '구하기' 위해 먼 길을 오가야 했다고 표현한 것은 시대적 상황을 반영하는 것이라 추측된다.

다음은『좀머 씨 이야기』에서 전쟁 직후의 상황 설명에 바로
이어지는 부분이다.

"하지만 그로부터 불과 몇 년이 지난 다음에는 필요한 물건들
을 모두 마을 안에서 살 수 있게 되었고, 석탄은 배달이 되었으
며, 버스는 하루에 다섯 번씩 운행되었다.

그리고 다시 몇 년이 지나자 정육점 주인이 자가용을 굴렸고,
다음에는 시장이 차를 샀고, 그 다음에는 치과 의사가 샀다.

그리고 페인트 칠장이인 슈탕엘마이어 씨는 큰 오토바이를 사서
타고 다녔고, 그의 아들도 작은 오토바이를 타고 다녔으며, 버스
는 그래도 여전히 하루에 세 번은 다녔다.

그래서 무슨 볼일이 있다거나, 여권을 갱신해야만 되는 등의
할 일이 있더라도 네 시간이나 걸어서 군청 소재지까지 갔다 오려
고 하는 사람은 아무도 없었다.

좀머 아저씨 말고는 아무도 없었던 것이다."

천진난만한 소년의 설명에서 우리는 독일의 희망찬 비상이 시작
되었다는 것을 어렵지 않게 짐작할 수 있다.

그 유명한 라인강의 기적이 시작된 것이다.[121]

『좀머 씨 이야기』에서 소년은 좀머 씨와 인생에서 의미 깊은
네 번의 만남을 가진다.

그 중 첫번째 만남은 비가 억수같이 쏟아져 내린 어느 여름 날
오후 소년이 경마 애호가인 아버지와 함께 차를 타고 경마장에 다
녀오는 길에 이루어진다.

소년의 아버지는 사나운 폭우에도 아랑곳없이 여느 때처럼 배낭
을 메고 길을 걷는 좀머 씨를 발견하고 차에 탈 것을 권하지만 그
는 앞을 향해 계속 발을 내딛을 뿐이었다.

재차 차에 탈 것을 권하는 아버지를 향해 좀머 씨는 소년이 일생에서 처음이자 마지막으로 분명히 들은 그의 육성을 남긴다. "그러니 나를 좀 제발 그냥 놔두시오(Ja so lasst mich doch endlich in Frieden)!"

소설에서 이 부분은 평생을 죽음으로부터 도망치려 하는 좀머 씨의 고뇌를 여실히 보여주는 장면이지만 필자는 지엽적인 것에 관심을 가져보고자 한다.

그것은 바로 소년과 아버지가 '자동차'를 타고 경마장에 다녀왔다는 것이다.

지난 시간에 이미 언급한 바와 같이 제2차 세계대전 직후의 독일은 잿더미 그 자체였고, 먹을 것조차 제대로 구하기 어려웠다.

일반 가정에서 자동차를 운행할 수 있게 되었다는 것은 빠른 경제 부흥이 이루어졌음을 의미한다.

폴크스바겐(Volkswagen)의 비틀(Beetle)이란 차종으로 대표되는 자동차산업은 서독 경제성장의 주역 중 하나이며, 전후의 눈부신

경제성장을 우리는 라인강의 기적이라고 한다.

라인강의 기적은 사실 한국식 표현으로, 한강의 기적을 독일에 적용시킨 용어이다.

독일 현지에서는 제2차 세계대전 이후의 경제발전을 보통 '경제 기적(Wirtschaftswunder)'이라고 부른다.

이 용어는 1950년 영국의 일간지 더 타임스(The Times)가 처음 사용한 것으로 알려져 있다.

전쟁의 폐허 속에서 유럽 경제의 중심국가로 부상한 독일의 **빠른** 경제성장이 다른 국가들에는 기적처럼 느껴졌던 것이다.

사람들은 라인강의 기적이라고 하면 우선 마셜 플랜(Marshall Plan)부터 떠올리는 것이 일반적이다.

마셜 플랜이란 제2차 세계대전 후 미국이 서유럽 국가들의 재건을 목표로 추진한 지원계획을 말한다.

마셜 플랜의 공식 명칭은 유럽부흥계획(Europe Recovery Program)이나 미국 국무장관 조지 마셜(George Marshall)이 1947년 6월 하버드대 졸업식 축하연설에서 유럽 재건의 필요성을 역설했기 때문에 흔히 마셜 플랜이란 이름으로 불리게 되었다.

(독일을 영구 농경국가로 만들자는 모겐소 플랜은 재무부의 입장이었다).

독일의 경우 마셜 플랜은 미·영·프 3국이 점령한 서독 지역 경제회복을 지원하는 것을 목표로 했는데, 이에는 소련이 서독에 공산주의를 전파하는 것을 막고자 하는 정치적 목적이 담겨져 있었다.

마셜 플랜의 성과에 대한 해석은 그동안 많은 논란의 대상이 되어왔다.

과거에는 마셜 플랜이 서독 경제부흥에 절대적인 기여를 했다고 기술한 책들이 많았지만 최근에는 마셜 플랜을 서독 경제부흥의 주원동력으로 보기 힘들다는 경제사학자들의 주장이 널리 받아들여지고 있다.

마셜 플랜이 서독 경제성장에 기여한 부분은 있으나 사람들의 믿음처럼 큰 역할을 하지는 않았다는 것이다.

경제사학자들이 이에 대한 근거로 들고 있는 것은 크게 두 가지이다.

첫째는 원조 시점에 관한 문제다.

서독에 대한 미국의 원조는 1948년께부터 시작되었는데, 이때는 이미 인프라가 상당 수준 회복되어 경제부흥의 발판이 마련된 시점으로 볼 수 있다.

그리고 마셜 플랜에 의한 원조 프로그램은 느린 속도로 진행되었기 때문에 필요한 자금을 제때 공급했다고 보기 어렵다.

둘째는 원조 규모에 관한 것이다.

서독이 소련이 점령한 동독과 마주하고 있으며 패전국이기 때문에 서유럽 국가들 중 가장 많은 원조를 받았을 거라고 생각하기 쉽지만 서독이 받은 원조금은 영국과 프랑스가 받은 원조금보다도 훨씬 적었다.

더 많은 원조를 받은 국가들의 성장률이 서독보다 오히려 낮았기 때문에 마셜 플랜만으로 라인강의 기적을 설명하는 것은 적절치 못할 것이다.

그렇다면 전후 서독 경제부흥의 원동력은 과연 무엇일까? 여러 가지 요인들을 뽑을 수 있겠지만 중요한 것은 네 가지이다.

첫째로는 경제체제의 변화를 들 수 있다.

전후에 독일은 사회적 시장경제(Soziale Marktwirtschaft)라는 독특한 체제를 도입해 세계의 주목을 받았다.

사회적 시장경제는 자유방임과 사회주의의 중간 위치에 있는 체제라고 보면 이해하기가 쉬운데, 사상적 기반을 제공한 이들은 독일 서남부 프라이부르크 대의 학자들이다.

프라이부르크 학파는 시장기능을 되살려야 하지만 시장이 곧 자연적 질서는 아니기 때문에 정부의 개입과 감독이 필요하다고 주장했다.

이들의 사상은 과거의 자유주의와 구분하여 신자유주의(Neoliberalismus)라 일컬어지는데, 정부 개입 최소화를 주장하는 현대의 신자유주의(neoliberalism)와는 차이가 있으므로 동일한 것으로 간주하지 않도록 주의해야 한다.

사회적 시장경제는 사회주의적 요소가 혼합되어 있기는 했지만 전쟁 기간 중 철저히 경제를 통제했던 독일의 상황을 감안하면 커다란 진보라고 할 수 있다.

1949년 건립된 독일연방공화국의 초대 경제장관 에르하르트(Ludwig Erhard)에 의해 적극 도입된 사회적 시장경제는 시장의 효율성을 높임으로써 서독 경제성장에 크게 기여했다고 평가받고 있다.

(에르하르트는 연합군 점령 시절에는 경제자문관 자리에 있었으며, 1963년에는 독일 총리가 되었다).

경제기적의 두 번째 요인은 제국 마르크(Reichmark)를 도이치 마르크(Deutsche Mark)로 대체한 1948년의 화폐개혁이다.

화폐개혁은 시중의 통화량을 줄여 지난 시간 언급한 억압된 인플레이션 문제를 해결하였고, 이와 비슷한 시기에 가격통제와 배급제도가 폐지 되었다.

시장이 되살아나고 시장에서 제값을 받고 상품을 팔 수 있게 되자 독일 국민들은 열심히 일하기 시작했다.

그렇기 때문에 많은 경제학자들은 연합군 점령시절에 이루어진 화폐개혁을 독일 경제기적의 시발점으로 보고 있다.

근로의욕이 높아져 생산성이 향상된다 해도 수요가 없으면 아무 소용이 없다.

독일 경제발전에 날개를 달아준 결정적 사건은 바로 우리 민족에게는 비극인 한국전쟁(6 · 25전쟁:1950~1953년)이다.

한국전쟁으로 인해 전 세계적으로 군수물자에 대한 수요가 폭발적으로 증가하였고, 서방세계는 독일에 대한 경제제재를 거의 다 해제하였다.

한국전쟁 기간 중 독일의 수출은 두 배 이상 늘었고, 실업률은 큰 폭으로 감소했다.

경제체제의 변화와 화폐개혁, 그리고 한국전쟁이 경제성장에 큰 도움을 주긴 했지만 무엇보다 중요한 것은 역시 사람일 것이다.

전쟁의 참화도 독일인들이 축적한 지식과 기술까지 전부 빼앗아 갈 수는 없었다.

풍부하고 싼 고급 기술인력이 없었다면 독일의 경제기적은 불가능했을 것이 분명하다.『좀머 씨 이야기』에서도 소년과 소년의 형들은 과학과 기계에 관심이 많은 것으로 묘사되어 있는데, 아버지 세대로부터 물려받은 지식이야말로 당시 독일인들이 가지고 있던 가장 소중한 재산이자 보물이 아니었는가 하는 생각이 든다.

『좀머 씨 이야기』로 돌아오면 소년은 비오는 날의 만남 이후에도 좀머 씨와 절대 잊을 수 없는 세 번의 만남을 더 가지게 된다.

카롤리나 퀴켈만이란 같은 반 여자아이와의 데이트 약속이 깨져 실의에 빠졌을 때, 노처녀 풍켈 선생님에게 피아노를 배우다 심하게 혼나 어린 마음에 자살을 시도하려 할 때, 그리고 마지막은 열다섯의 나이가 되어 호숫가에서 자전거를 고치고 있을 때이다.

아내의 죽음으로 삶의 의지를 잃어버린 좀머 씨는 호수 속으로 걸어 들어가 스스로 목숨을 끊는다.

소년은 이 모습을 목격하고도 사람들에게 침묵을 지키게 되고, 좀머 씨는 사람들의 기억에서 지워져 간다.

소년의 표현을 빌리자면 이때(1960년대 중반으로 추정됨)의 사람들은 자가용이나 세탁기, 잔디밭의 스프링클러에 대해 걱정했어도 좀머 씨 같은 늙은 별종에 대해서는 걱정하지 않았다.

물질적 풍요로 인해 무언가는 잊혀진 것이다.

좀머(Sommer)는 독일어로 여름이란 뜻을 가지고 있는데, 좀머 씨는 독일의 아픈 역사에서 여름날의 추억과 같은 존재일지도 모르겠다.[122]

불공평한 세상을 떠나기로 한 소년 앞에 나타난 좀머 아저씨

☞ 10대들이 만든 밀리언셀러

'10대들은 책을 읽지 않는다' 는 것이 어른들의 단정이다. 10대들은 "학과 공부하기도 벅찬데 책 읽을 시간이 어디 있느냐" 고

항의할지도 모르겠다. 교사들은 "예전보다 확실히 책을 덜 읽는다"고 우려하고 출판 전문가들은 "대학 입시에 독서 과목이 들어가면 책을 읽을 것"이라는 전망을 내놓았다. 그렇더라도 "열심히 책을 읽는 5%의 학생이 있다"고 하니 아쉬운 가운데서도 든든하다.

밀리언셀러, 100만 부를 돌파하는 건 모든 작가와 출판 관계자들의 꿈이다. 『좀머 씨 이야기』는 출간 초기에는 별다른 관심을 받지 못했으나 10대가 구매하기 시작하면서 밀리언셀러에 오른 책이다. 딱 10년 전의 일이다.

10대들은 왜 이 책을 사랑했을까. 여러 분석이 나왔는데 좀머 씨가 소설 속에서 외친 "그러니 나를 좀 제발 그냥 놔두시오!"라는 말이 그들의 심정을 대변했기 때문이라는 추측이 우세하다. 장 자크 상페의 아기자기한 그림도 한몫했을 것이다.

『좀머 씨 이야기』는 독일 작가 파트리크 지스킨트가 1991년에 발표한 작품이다. 시나리오와 단편을 썼으나 별로 주목받지 못한 지스킨트는 《콘트라베이스》와 《향수》로 세계적인 작가 반열에

올랐다. 30여 개 언어로 번역되고 1500만 부 이상 판매된 《향수》
는 영화로도 제작돼 큰 사랑을 받았다.

　많은 작가가 자신의 이름이 브랜드가 되길 희망한다. 이름만 듣
고도 독자가 몰려들 정도로 유명해졌지만 지스킨트는 돌연 은둔자
가 되었다. 실제 유명 작가 중 세상을 등지고 산 사람이 많다.
《앵무새 이야기》의 하퍼 리, 《호밀밭의 파수꾼》의 제롬 데이비
드 샐린저 등 여러 작가가 커튼 뒤에 숨어 모습을 드러내지 않았
다. 지스킨트 역시 《향수》의 대대적인 성공 이후 모든 문학상 수
상을 거부하고 사진 찍히는 것을 극도로 싫어했다. 자신에 대한 얘
기를 언론에 흘리는 사람은 친구든 가족이든 절연을 선언하고 만
나지 않았다.

☞ 좀머 씨는 쥐스킨트?

　『좀머 씨 이야기』를 읽은 사람들은 "그러니 나를 좀 제발 그
냥 놔두시오!"라는 좀머 씨의 외침이 바로 지스킨트의 바람이라고
생각했다. 이 소설은 화자가 어린 시절을 되돌아보면서 몸과 마음
이 성장해나가는 과정을 그리고 있다. 그 과정 속에 좀머 씨가 중
간중간 등장하는 형식이다. 10년 전 이 책을 사랑한 10대들은 아마

도 짧은 이야기에 자신들의 마음이 잘 투영됐다고 여긴 듯하다. 날
수 있다고 생각하고 나무 타기를 즐기던 유년 시절에 누구에게든
좀머 씨 같은 독특한 아저씨에 대한 기억이 있기 마련이다.

긴 지팡이를 짚으며 빠른 걸음으로 끝없이 달리는 이상한 아저
씨에 대해 어른들은 "밀폐 공포증 환자다, 항상 경련을 한다"며
수군댔지만 소년은 '내가 나무를 기어오를 때 즐거움을 느끼듯이
좋아하는 일이기 때문에 그렇게 하는 것'이라고 생각한다. 때때로
소년들은 어른들보다 삶을 더 제대로 간파한다.

『좀머 씨 이야기』에 펼쳐지는 소소한 일상을 따라가다 보면
입가에 잔잔한 미소가 피어오른다. 무신경한 카롤리나 퀴켈만이라
는 여자아이, 코딱지를 함부로 묻히는 피아노 선생 미스 풍켈, 나
날이 늘어가는 자전거 실력, 독자들이 아기자기한 이야기에 빠져드
는 동안 소설 속의 소년은 불만을 부풀려 간다. '이 세상 전체가
불공정하고 포악스럽고 비열한 덩어리일 뿐 다른 아무것도 아니라
는 분노에 찬 자각'을 한 뒤 '모든 것이 다 문제'이며 '세상
사람들이 자비롭다고 하는 하느님도 마찬가지'라고 단정한다. 그
래서 소년은 세상과 작별하기로 결심하고 나무 위로 올라간다. 나
무 위에서 사악한 세상과 사람들을 향해 욕설을 퍼부은 다음 자신
의 장례식을 상상한 후 어떻게 뛰어내릴 것인가 연구하던 중 좀머
씨가 '탁탁탁탁' 소리를 내며 걸어가는 모습을 본다. 좀머 씨가
나무 아래서 급하게 빵을 먹고 떠나자 주인공은 자신이 죽으려고
한 바보 같은 생각을 싹 접어버린다. '일생동안 죽음으로부터 도
망치려는 사람'을 봤기 때문이다.

☞ 무난한 삶을 이겨내는 소년
그 후 크게 다르지 않은 일상이 펼쳐지지만 주인공은 '언제나

뭔가를 해야 한다는 강요를 받고, 지시를 받았으며, 기대를 저버리지 말아야만 하는 삶'을 무난히 살아낸다. 그러던 어느 날 좀머 씨가 호수 안으로 걸어 들어가서 영영 나오지 못하는 모습을 지켜본다. 동네 사람들 모두 사라진 좀머 씨가 어디로 갔는지 궁금해하지만 주인공은 '그러니 나를 좀 제발 그냥 놔두시오!' 라는 말을 떠올리며 침묵한다.

소년의 죽음을 막은 좀머 씨와 스스로 생을 마감한 좀머 씨, 단순하지만 많은 생각을 하게 하는 이야기가 왜 10대의 마음을 사로잡았을까. 사소한 불만과 불편을 못 이겨 죽음을 결심하지만, 한순간 그걸 이겨내는 소년의 모습에 박수를 보내고 싶어서일까? 아름답고 잔잔하지만 분명한 울림을 주는 『좀머 씨 이야기』는 분명 현재의 10대들도 매혹시키리라 믿는다. 올여름 방학에 10대들이 새로운 밀리언셀러를 만들어내는 기적을 기대해 본다.[123]

"따님의 증상은 집에서 답답한 것을 밖에서 푸는 것으로 생각됩니다. 엄마가 좀 힘드시겠지만 아이를 좀 풀어 놔 주세요. 지금 어머니께서는 따님에게 너무 많은 벽을 만들어 놓고 있습니다. 사람은 막힐 때 스트레스를 많이 받는 것입니다. 다님이 탈출할 수 있도록, 숨을 쉴 수 있도록 길을 열어주는 것이 필요합니다. 지금 따님이 해결해야 할 가장 큰 성장 과제는 공부입니다. 공부를 열심히 하게 하기 위해서라도 좀 풀어 줄 필요가 있어요. 이것저것 다 잘 하면서 어떻게 공부를 잘 하겠어요. 책상 정리 좀 못 하면 어떻습니까?

지금 성장하는 따님에게 모든 것을 완벽하게 바란다는 것은 무리입니다. 목표를 정하세요. 공부면 공부, 인간이면 인간, 성격이면 성격!

지금 댁의 따님은 사춘기입니다. 사춘기의 특징은 자기 공간을 가지려고 하고, 부모 중심에서 친구 중심으로 판단 기준이 변하고 이성에 대한 관심이 높아지고 신체 변화와 외모에 대한 관심이 커지죠. 그러나 이 사춘기가 평생가리라고는 생각지 마세요. 시간이 지나면 내가 그때 왜 그랬지 하고 지난날을 털어 버리게 되니까요.

것난아기가 젖을 떼고 이유식을 시작하면서 엄마 가슴에서 덜어지듯이 사춘기도 정신적으로 한 인간으로 독립하기 위한 '심리적 이유' 라고 할 수 있습니다. 아동기에는 부모 슬하에서 부모의 행동과 판단에 따랐으나 이 시기부터는 자아 의식이나 주체성이 생기면서 자기 주장이 강해지고 부모의 행동을 객관화시켜 비판도 하게 되고 반항도 하게 되는 것이지요. 한 사람의 성인으로 성장하기 위해 누구나 겪는 과정의 하나이므로 부모나 자녀 모두가 자연스럽게 받아들이도록 할 필요가 있습니다. 따라서 사춘기는 성인이 되는 데 꼭 필요한 과정입니다. 사춘기가 활짝 피면 필수록 자녀들이 사회에서 어른으로 자랄 수 있는 가능성은 더 커지는 거지요.

내버려 두세요. 사춘기 자녀를 둔 부모들이 가장 중요시해야 할 원칙은 '냅 둬!' 라고 생각합니다.

억지로 무리하게 그럴 필요는 없습니다. 지금보다 다소 느슨하게만 해 주시면 됩니다. 주말에만 자유를 허락하는 등으로 말입니다. 그리고 밖에도 좀 돌아다니게 허락하세요. 감옥 안에서 큰 아이는 건강하게 성장할 수 없으니까요."

엄마와 딸(환자)의 상담 이야기를 듣고 정신과 의사는 속으로 이런 생각이 들었다. 저 엄마에게 파트리크 쥐스킨트(Patrick Suskind)의 단편소설『좀머 씨 이야기(Die Geschichte von Herrn Sommer)』를 좀 권해볼까? 간섭이 일생 바삐 걸어다니다가 급기야는 죽음으로까지 걸어간 그의 이야기를, 저 엄마는 겉으로는 공손하게 수긍하고 있지만 시간이 흐르면 또다시 간섭을 시작할 것이다. 네가 비뚜로 나가는 것을 방지하기 위해서라는 적장한 이유를 대면서. 간섭은 겉으로는 상대를 위하는 것 같지만 사실은 상대를 지배하려는 숨은 의도가 있다. 독립된 인격체를 가진 상대방을 자기 뜻대로 지배하려는 것이다. 저 엄마 같은 부모는 우리 사회에 널려있다. 자식을 키우는 것이 아니라 삼키는 사랑, 어린애로 고착시키는 사랑, 노이로제(신경증, Neurose)로 치모는 사랑을 하면서도 자식을 위해 모든 것을 헌신하고 있다고 착각하는 것이다. 사람에게 중요한 것은 자기 성장의 길을 스스로 찾아가는 것이다. 그 길을 일일이 간섭하는 것은 오히려 방해하는 것이나 같다.

좀머 씨는 하루 종일 바삐 걸어다녔다. 눈이 오거나 진눈깨비가 내리거나 폭풍이 휘몰아치거나 줄기차게 걸어다녔다. 그는 폐쇄공포증 환자라 그렇게 걸어다닌다고 했지만 어쩌면 간섭을 받는 것이 두려워 그렇게 바삐 걷는지도 몰랐다. 좀머 씨는 호수 한가운데로 빠져 죽으면서도 발걸음을 늦추지 않았으니까. 좀머 씨는 호수에 빠진 지 이 주일이 지나도 떠오르지 않았다. 아마도 죽어서도 다른 사람의 간섭을 받는 게 싫어서였으리라. 그러나 좀머 씨가 호수에 빠져 죽는 것을 목격한 소년이 있었다. 그러나 그 소년은 끝까지 침묵을 지켰다. 엄청난 우박이 쏟아지던 어느날 좀머 씨를 차에 태우려는 아버지에게 외치던 그의 절망적인 목소리 대문이었다.

아버지 : 어서 타시라니까요. 글쎄! 몸이 홈빽 젖으셨잖아요! 그러다 죽겠어요.

좀   머: 그러니 나를 좀 제발 그냥 놔 두시오![124]

바. 전생의 은인

"저는 삼십대 주부입니다. 남편과 이혼을 하고 초등학교 삼학년인 아들과 함께 삽니다. 제 고민은 저도 모르는 사이에 아들에게 제 스트레스를 풀어 버린다는 사실입니다. 뒤돌아서서는 그러면 안된다는 생각이 들면서도 제자신도 모르게 아이에게 화를 내고, 별일도 아닌데 큰일처럼 만들어 큰 소리를 치곤합니다. 선생님, 저의 이런 버릇을 어떻게 고쳐야 할까요?"

저는 아내로부터 지독한 괴로움을 받았을 때 이런 생각을 해 본 적이 있습니다. 아내는 전생에 나와 어떤 관계였을까? 아마도 그녀는 내 처자를 죽인 악당이었을지도 모른다. 그래서 이번 생에서는 그 빚을 갚기 위해 내 처가 되어 자식까지 낳아 주는 것일 게다. 그러나 워낙 철천지 원수였기에 이번 생에도 끊임없이 나를 괴롭히는 것이리라. 그러나 지금 내가 괴롭다고 해서 아내와 이혼한다든지 하면 나는 후생에 아내와 또 만나게 될 것이다. 그놈의 흉악함이 이번 생 정도에서 그치게끔 나는 아네에게 잘 해 주어야 한다.

  그러나 아이들을 볼 때는 또 다릅니다. 아이들은 너무너무 예쁩니다. 내 목숨을 바쳐도 아깝지 않을 정도로. 아이들은 전생에 빚쟁이라고 하지만 내가 보기에 그 빚은 보통 빚이 아니었을 것 같습니다. 아마 나는 전생에 아이들에게 내 생명 이상의 빚을 졌을 것입니다. 그래서 아이들에게 너무너무 고마워하면서 그 은혜를 다 못 갚음을 안타까워하면서 이승을 하직했겠지요. 이 아이들에게 충분한 사랑을 주지 못한다는 것은 나로서는 상상할 수도 없는 일입니다.

  귀하가 이혼을 한 데에는 여러 가지 이유가 있겠지만 우선 생명의 뿌리를 소홀히 했다는 비난만은 면키 어려울 것입니다. 부부는 천륜인데 구하는 혹시 너무 계산을 앞세워 이혼을 감행한 것은 아닌지여. 인생에서 똑같은 두 번 실패는 별로 바람직하지 않을 겁니다. 보통 남편이 미우면 아이까지 미워진다고 하는데 남편과 아이는 다르고 아이는 어쩌면 전생에 자기에게 무척 고마운 존재였을지도 모른다는 생각을 한번 해 보면 어떨까요? 아이는 현생에서는 귀하의 삶을 이어 주기 위해 이 고달픈 세상에 태어난 고마운 존재일지도 모르니까요.[125]

사. 내리사랑

  "오십대 후반의 여성입니다. 일이 년 전부터 사는 게 공허합니다. 남편과 일찍 사별하였기에 딸 넷을 키우느라 정신없이 앞만 쳐다보고 살았습니다. 자식들은 장성해 셋이 결혼하고 지금은 막내와 살고 있습니다. 혼자 자녀를 키우느라 고생이 남달랐던 만큼이나 저는 제가 열심히 살아왔다고 자부심도 강했습니다. 그런데 '자식도 품안의 자식'인지라 막내 딸이 대학을 졸업하고 직장 생활도

바빠지고 나서부터 부쩍 '나는 무엇을 위해 살아왔나.' 하는 생각
이 듭니다. 딸이 어렸을 때는 그저 딸을 위해 사는 게 좋았는데,
요즘은 자식도 귀찮고 공연히 서럽기만 합니다. 이젠 절 위해 살고
싶지만 출가한 딸이 장사를 하기 때문에 그 뒷바라지를 하느라 시
간적 여유도 없고 또 무엇을 해야 할지도 모르겠습니다."

사마귀는 교미를 하고 난 다음 암컷이 수컷의 머리를 깨물어 죽
이고 그 몸을 먹는다고 합니다. 교미를 하고 난 후 수컷이 힘이 빠
져 죽거나 희생하는 경우는 자연계에서 얼마든지 발견할 수 있습
니다. 이런 경우 어떤 사람은 암컷의 이기심, 성욕을 애기하기도
하지만 제가 볼 때는 '내리사랑' 입니다. 자식을 위해, 자기의 분
신을 위해 스스로를 희생하는 것입니다. 수컷 사마귀는 자신의 온
몸을 바치고 암컷 사마귀는 거기에 자기까지 더해 분만의 고통과
책임을 감수합니다.

그러나 유독 인간만은 이 내리사랑에 반기를 들고 있습니다. 내
가 왜 자식에게 내 인생을 바쳐야 하는가? 내가 왜 자식에게 몸과
마음을 바쳐야 하는가? 그러나 내리사랑을 하지 않는 존재는 생명
이 무한한 신밖에는 없습니다. 신들은 이기적으로 자기 삶을 즐기
며 유머와 놀이 속에 삽니다. 그러나 유한한 삶을 사는 인간이 그
렇게 살 수는 없는 노릇입니다. 영원히 살 수눈 없으니 자기 분신
을 통해서나마 영원한 삶을 희구하는 것입니다.

자식들을 키우느라 정신없이 앞만 보고 살았을 때는 열심히 올
바로 살아왔다는 자부심도 강했다는 말 공감합니다. 바로 자연의
섭리에 따라 살았기 때문입니다. 인간은 자연에 가까울 때 신체적
으로 정신적으로 건강합니다. 그러나 무리하게 그 자연과 멀어지려
하면 자연의 재앙을 받습니다. 바로 신체질환과 정신질환에 시달리

는 것입니다. 자식들이 자기를 필요로 하지 않고 자기들의 삶에 열중할 때 갑자기 공허해지는 것은 자연스러운 일입니다. 자연의 섭리는 이제 엄마에게는 관심이 없고 자식에게만 관심이 있기 때문입니다. 자식들은 이제 엄마 대신 인생의 힘친 물줄기가 돼서 사회 곳곳을 힘있게 누빌 것입니다. 이때 엄마가 할 것이라곤 자기 자식이 열심히 살아가는 모습을 지켜보는 것뿐입니다. 행여 그 자식을 붙들려 하거나 자신에게 효도하기를 바라지 마세요. 그것들을 기대한다면 자연의 섭리에 역행하는 것이 돼 여러 가지 신체적, 정신적 증상에 시달릴 수 있고 자식들이 엄마를 싫어하거나 미워하게 될 수도 있습니다.

'나는 무엇을 위해 살아왔나.' 하는 생각이 들 때마다 자식들을 바라보세요. 그 자식들도 모두 자기 자식들을 위해 헌신하고 희생하고 있습니다. 자식이 성장해서도 자기 슬하에 머물러 자기를 위한 봉사에만 일생을 바친다면 일시적으로 외롭지 않고 편안한 인생을 보낼지는 모르나 그 자식이나 자식의 자식은 스스로의 활력을 잃고 사회적으로 뒤떨어진 삶을 살 것입니다. 이제 자식들은 어머니를 필요로 하지 않습니다. 그 현실을 받아들이세요. 받아들이기 싫어도 받아들일 수밖에 없습니다. 자연의 섭리가 그러하니까요. 억지로 파도에 밀려 나둥그러지느니 스스로 파도를 피해 물러나세요. 그것이 그나마 파도에 옷이 젖지 않는 현명한 길입니다. 그리고 이제는 자신의 남은 미력한 에너지나마 자신을 위해 사용하세요. 이제는 여유를 가지고 죽음과 자연을 바라보세요. 그 자연의 섭리 속에서 자신의 위치를 느껴보세요.

자식이 별로 필요로 하지 않는데도 자식에게 맹목적으로 헌신하는 것은 서로 별 도움이 되지 않습니다. 그리고 아마 자식들이 자기 자식들을 위해 열심히 사는 것을 허용했을 때 자식들도 어느

순간에는 여유를 갖고 자기를 위해 희생하신 부모님께 감사와 고
마움을 표할 것입니다. 그것을 응당 받아야 할 빚이라고 생각하지
말고 인생의 덤이라고 고맙게 받아들이세요. 자연의 섭리는 겸허하
데 따르는 자에게 삶의 보람과 만족을 안겨 주니까요.[126]

　어떤 철학자는 "인간의 피부는 고독하다"고 했다. 고독을 달래
주고 위안해 주는 스킨십은 치유에도 많은 도움이 되고 체온 상승
효과와도 영향을 미친다. 양자물리학 측면서 건강한 사람의 인체 파
동 에너지를 공유할 수 있는 기회도 된다.

　많은 암환자들은 죽음의 공포에 눌려 감히 섹스는 생각도 못한
다. 하지만 아무리 중병에 걸렸어도 살아 있는 동안은 인간으로서
기본적인 욕구와 욕망이 있다. 배우자도 본인도 이런 사실을 무시
한 채 치료에만 집중하며 지낸다. 그러다 보니 병이 나은 후에도
정상적인 부부관계가 어렵게 된다. 친밀감 없는 부부는 곧 관계가
단절된 부부를 의미하기에 그에 따른 고통도 클 수밖에 없다.

　성생활에서 가장 중요한 것은 서로의 사랑을 확인하는 것이다.
그럼으로써 자신의 존재 가치를 느끼게 된다. 암환자의 경우도 예
외는 아니다.[127]

9. 비정상적 사랑

파니 핑크는 자의식이 강한 29살의 노처녀. 집, 직업, 친구 등 필요한 모든 것을 다 가지고 있지만, 정작 사랑할 남자가 그녀에겐 없다. 더 늦기 전에 한 남자를 빨리 찾아야 한다고 생각한다. 그녀는 퀼른-본 공항의 소지품 검색원으로 일하며, 비행기 소음이 떠나지 않는 퀼른의 허름한 고층아파트에 산다. 카세트 테이프를 들으면서 마인드 콘트롤을 하고, 죽음의 과정을 연습하는 강좌를 들으며 자신이 잠들 관을 짜서 방에 두기도 하지만, 29살이 되는 처녀에겐 공허할 뿐이다.

파니는 어느날, 아파트 엘리베이터에서 오르페오 드 알타마르를 만난다. 그는 천리안을 가진 사람처럼 심령술에 정통해 있는 신비로운 영혼의 소유자, 파니에게 운명의 한 남자를 예언해 주게 된다. 아르마니 상표의 옷을 입고, 고급 블랙카를 모는 30대 초반의 탐스러운 금발을 한 남자를, 그리고 23이라는 숫자가 그 남자의 징

표라고... 망설이며 자신없어하는 파니에게 오르페오는 그 남자가 파니 인생에 있어, 마지막 남자라고 강조한다. 신통치는 않았지만, 기대에 찬 예언에 돈을 지불한다.

운명의 남자를 향해 용기있게 돌진하자!!! 여자가 서른 넘어서 결혼할 확률은 원자폭탄에 맞을 확률보다 낮다'고 생각하면서도 남자가 자신을 찾아와 주길 바라는 자의식 강한 29세 노처녀 파니 핑크. 공항에서 소지품 검색원으로 일하는 파니는 카세트를 들으며 마인드 콘트롤을 하고, 친구가 데이트할 때 그녀의 아이를 봐주고, 죽음의 과정을 연습하는 강좌를 들으며 자신이 잠들 관을 짜서 방에 두는 엉뚱한 행동도 서슴치 않는 그녀는 이렇게 무미건조한 일상을 반복하고 있을 뿐이다. 그러던 중 아파트 엘리베이터에서 만난 흑인 심령술사 오르페오가 파니에게 운명의 남자를 예언해준다. 하지만 오르페오의 예언은 빗나가고 파니는 또다시 슬픔에 빠지지만, 오르페오가 떠난 후 드디어 운명의 남자를 만난다. 23이라는 숫자가 그 남자의 징표. 아침 출근길에 2323번을 달고 있는 블랙재규어를 보았을 때 파니는 운명을 믿게 되고 정열적으로 달려드는데... 과연 그 남자는 파니 핑크의 운명적인 남자가 맞는 것일까?

영화의 마지막, 오르페오가 떠난 후 평소와 같은 삶을 살아가고 있던 파니에게 큰 변화를 줄 일이 찾아온다. 23이란 숫자를 가진 남자가 그녀를 찾아온 것이다. 이를 통해 감독이 우리에게 전하고자 하는 바를 알 수 있다. 운명이라고 믿었던 사람이 떠단다고 할지라도 낙담할 필요는 없다. 그저 당신은 현재를 살며 앞으로, 앞으로 가면 된다. 나 자신을 사랑하며 "지금"을 소중히 여길 수 있는 이에게 '사랑'은 언제나 찾아오는 법이다.[128]

성욕을 아예 뿌리째 뽑아버릴 수 있는 정신적 콤플렉스가 있다. 이와 같은 심인성(心因性) 위험요소에 최초로 주목했던 마스터즈와 존슨(William H(owell Masters and Virginia E(shelman Johnson Masters)은 그것을 '내부관찰자' 라고 표현했다. 피험자들은 마치 자기들 오성의 일부가 스스로 숨어들어서 자기들의 성교 장면을 비판적으로 주시하는 듯한 생각이 들었다. 그들의 머릿속에 관음증 환자처럼 숨어 있는 존재는 결코 응원단처럼 행동하는 것이 아니라, 계속해서 톡 쏘는 부정적인 잔소리만 늘어놓는다. 무능력자라는 두려움에 시달리는 한 남자를 내부관찰자는 "저 놈은 견뎌내지 못해" 혹은 "저 놈은 금방 무너지고 말거야" 라는 식으로 소근거린다. 오르가슴 장애에 시달리는 여성의 귀에 "아주 오래 걸릴거야" 라등가, "남자가 곧 너에게 질려버릴 거야" 라는 소리가 들릴 것이다.

내부관찰자는 끝없이 빈정대면서 성기능장애를 더 악화시키거나 장애가 생기도록 부추긴다. 이러한 심리적 현상을 사회심리학자들은 '댁관적 자기관찰' 이라고 일컫는다. 심리학자들의 견해에 의하면 의식의 조명등이 자신의 에고를 비추는 순간 자동적으로 일정한 비교과정이 시작된다. 기준이 되는 가치와 표준을 불러내고, 여기서 실제적인 현장상태를 대립시키는 것이다. 그 사람의 어떤 측면에 주의를 기울이든지 간에 거의 언제나 자신의 이상적 표상과 부조화가 생긴다. 여기서 생겨난 자기비판은 불쾌한 감정을 만들어내고 쾌감능력을 파괴한다.

문제는 내부관찰자가 행동 프로그램을 질식시킬 수는 있어도 오직 '거부권' 만을 갖고 있다는 사실이다.[129]

가. 성폭행(性暴行)

성폭행(Rape, 性暴行, 강간)은 상대방의 동의 없이 일방적으로 성관계를 맺는 행위를 말한다. 피해자에게 정신적·육체적 피해를 주는 성폭력으로, 대부분 사회에서 심각한 범죄로 여겨 처벌한다. 구체적인 법적 기준과 범위는 나라마다 차이가 있다. 한국에서는 「형법」, 「성폭력범죄의 처벌 등에 관한 특례법」 등에 따라 처벌하고 있다.

미국에서의 성폭력 중 상당수가 아버지의 딸에 대한 성폭력이라 하며, 성폭력을 당해 마약이나 매춘 등의 구렁텅이로 떨어진 여자들의 절반 이상이 아버지에게 당한 경우라 한다. 상상하고 싶지도 않은 일이다.

Sexual assault(성폭행)이라는 영화가 있다. 그 영화에서 여주인공은 어렸을 때 아버지에게 당한 성폭력의 상처 때문에 평생 무거운 짐을 짊어지고 산다. 그녀는 어느 한곳에 안주하지 못하면서 충동적으로 삶을 사는 것이다. 그녀가 행복할 만하면 마음 한구석에 자리잡고 있는 상상하기도 힘든 고통과 죄책감이 튀어나온다. 성폭행을 당했을 때 불행해진 또 다른 자기가 그녀가 행복해지는 것을 못 보는 것이다. 아버지에게 당한다는 것은 우리 인간의 본성으로 비추어 볼 때 너무나도 끔찍한 영향을 준다. 그것은 자연을 정면으로 거부하는 것이기 때문이다.

아버지에게 당해 평생 씻을 수 없는 상처를 입었지만 그 상처를 아물게 할 수 있는 길이 없는 것은 아니다. 주변에서 따뜻하게 감싸 주고 그 일은 네가 잘못한 게 아니고 너는 피해자라는 사실을 일깨워 주면 정상 생활로 복귀할 수 있다고 한다. 그러나 그래도 그녀는 결혼을 하게 되면 딸을 남편과 단둘이 있게 하지 않고 딸을 집에 혼자 두고 외출하거나 하지는 않는다고 한다. 이같이 끔찍한 근친 성폭행말고도 일반적인 성폭행 또한 우리 정신에 미치는 악영향은 지대하다. 사람을 무기력하게 만들면서 이루어지는 것이기에 인간 이하로 전락하는 마음의 상처를 받는 것이다.

열 세 살의 여중생이 짙은 화장을 하고 그녀는 남자들에게 성폭행을 당한 후 집안의 무관심과 주위의 따가운 시선을 견디기 힘들어 가출한 후 술집을 전전하다가 너무 앳되 이상하게 여긴 경찰의 불심검문으로 발각됐다고 한다.

성폭력을 당해 후유증을 앓는 경우는 꼭 극단적인 경우에만 그런 것은 아니다. 성적인 접촉이 이루어지지 않은 상태에서 성적으로 위협적인 분위기만으로도 큰 상처를 입는 경우가 많다. 이는 특히 성에 대한 경험이 적은 어린 나이일수록 받는 충격이 더 크다. 그러나 그 고통을 오랫동안 받는 것은 또 다른 폭력을 자기에게 행하는 것이다. 성폭력 후유증은 빨리 가라앉히면 가라앉힐수록 좋다. 그것은 자기 의지로 어떻게 할 수 있는 것이 아니고 오래 가봐야 자기만 더 손해이기 때문이다. 그래서 성폭력의 피해자들에 대한 치료 목표는 만성화로 진행되는 것을 막고 직업과 사회에 복귀하는 것에 초점을 맞춘다.

성이란 서로 주고받는 것으로서 일방적인 폭력으로 이루어지는 성은 아마도 두고두고 저주받을 성일 것이다.[130]

☞ 성폭력을 소재로 한 여성영화

"내가 말한다. 너는 들어라. 우리가 말한다. 이제는 들어라. 우리는 여기서 세상을 바꾼다."

"우리는 여기 있다. 너를 위해 여기 있다."

3월 8일 세계여성의 날 기념 페미 퍼레이드 현장에 모인 사람들이 함께 외쳤다. 피해자가 자신의 고통을 숨기고 숨죽여 지내야 했던 어둠의 시대가 가고 있다. 어렵사리 목소리를 내는 이, 그 목소리와 상처를 외면하지 않는 이들이 연대하여 더딘 걸음이나마 한

걸음씩 떼어 나아가고 있다. 용기 내어 말하는 것이, 귀 기울여 듣는 것이 그 어느 때보다 가치 있고 필요한 시기이다.

　‘아카이브 보라’는 여성주의적 관점에서 주요한 사회 이슈를 다루는 작품들을 다양하게 확보하고 있다. ‘성폭력’도 예외일 수 없는데, 이번 포스팅에서는 ‘성폭력’이라는 범죄를 두고 세 명의 여성 감독들이 세상에 내어놓은 이야기를 전하고자 한다.

〈끔찍하게 정상적인(Awful Normal)〉 셀레스타 데이비스, 미국, 2004, 76min, 다큐멘터리

　이 영화를 연출한 셀레스타와 그녀의 언니인 카렌은 어린 시절 아버지의 절친한 친구이자 매우 가까운 이웃이었던 다른 가족의 가장으로부터 성추행을 당했다. 그녀의 가족들은 아무 일도 없는 것처럼 ‘정상적인’ 가족의 형태를 유지하기 위하여 노력했지만 피해자인 자매는 25년이 지난 후에도 이 문제로부터 자유롭지 못하다. 성추행은 묵인되었고 피하기만 했던 자신들로 인해 추가 피해자가 존재할 것이라는 불안을 떨칠 수 없다. 두 자매는 가해자를 찾아내 그가 그녀들에게 저지른 잘못을 직시하게 만들기로 결심하고 어머니와 함께 범인을 찾아 나선 끝에 그를 대면한다. 가해자가 본인의 범죄에 대해 직접 말하며 인정하고 사과를 하게 만들기까지의 여정은 떨림과 흥분, 그리고 서로에 대한 따뜻한 위로와 격려가 넘쳐난다. 성추행의 상처가 치유되기 위해서는 어떻게 행동해야 하는가를 다시 생각하게 하는 영화.

〈미열(Mild Fever)〉 박선주, 한국, 2017, 36min, 극영화

행복한 부부의 관계에 미세한 균열이 생긴다. 아내가 9년전에 당한 성폭행 사건의 범인이 검거되었다는 연락을 받고 함께 찾은 경찰서를 나서면서 두 사람 사이에 묘한 기운이 감돈다. 얼마간의 물리적 시간이 흐르고 생의 새로운 행복을 찾게 되었다 하더라도 쉽게 치유될 수 없는 상처에 평온하던 일상이 조금씩 흔들린다. 그러나 이내 이 폭풍우와 같은 사건이 서로의 견고한 신뢰와 지지 속에 가벼운 미열처럼 지나가게 된다. 제목과 같이 아픔에서 비롯된 온기이지만 그 따뜻함에 어딘가 모르게 안심이 되는 영화.

〈올가미(Traps)〉 베라 히틸로바, 체코, 1998, 122min, 극영화

수의사인 렝카는 두 남자에게 성폭행을 당한다. 그들을 응징하는 방식으로 '거세'를 선택하게 되는 한 여성에 대한 페미니즘적 블랙코미디. 이 영화에 대해 영산대학교 주유신 교수는 "강간을 현대 사회의 도덕과 권력문제를 분석하는 출발점으로 삼은 이 영

화에서는 남성과 여성 간에 존재하는 위계화된 관계에서부터 인간
이 지닌 공격적인 자기 보존 본능에 이르기 까지 인간을 사회적,
심리적으로 옭아매는 것들이 무엇인가를 때로는 비극적으로, 때로
는 희극적으로 매우 명쾌하게 보여준다" 고 평하고 있다. 가해자
중 하나인 차관의 실체를 폭로하기 위해 나선 피해자를 정신병자
로 몰아 포박 당한 채로 앰뷸런스로 이송되는 마지막 장면은, 피해
자들에 대한 다양한 방식의 2차 피해가 너무나 자연스럽게 자행되
고 있는 현재 한국 사회의 단면을 보여주는 것 같아 씁쓸하기도
하다.[131]

나. 폭로((暴露, Disclosure)

폭로(暴露, Disclosure)는 숨겨진 사실을 공개하는 것, 알려지지
않았거나 감춰진 사실을 드러냄을 뜻하는 한자어다. 흔히 나쁜 일
이나 음모 따위를 사람들에게 알리는 일을 이른다. 일본어에서는
우리나라에서의 뜻과 같으나 중국어에서는 몸을 노출하다라는 뜻
으로도 쓰인다.

웨스트월드를 연출하고 소설 쥬라기 공원의 원작자로 유명한 마이클 크라이튼이 1994년에 집필한 소설이다. 사회적 통념을 깨고 여성 상사가 남성 부하를 성희롱한다는 내용으로, 당시 보수적이던 남존여비의 한국 사회에 충격을 주었다. 미국에서 실제로 일어나 재판까지 벌어지며 큰 화제를 불러일으킨 실화를 토대로 쓴 소설이다.

『폭로(Disclosure)』는 여자가 우월한 지위를 이용해 남자를 성폭행할 수 있다는 것을 재미있게 보여 준 작품이었다. 그러나 구상은 단조로웠다. 가벼운 추리와 트릭은 있을지언정 그렇게 솔직하게 접근했다곤 보이지 않았다. 그 중의 몇 가지를 지적해 보면 이러하다.

여자 부사장으로 나오는 데미 무어(Demi Moore)는 전에 연인 관계였으나 지금은 부하 직원인 마이클 더글러스(Michael Douglas)를 자기 방으로 부른다. 그녀는 더글러스와 포도주를 한 잔 마시고 그가 사업보고를 하려고 하자 자기 어깨를 주물러야 듣겠다고 한다. 더글러스가 어깨를 주무르면서 사업보고를 하자 데비 무어는 솔직해지자고 하면서 그의 바지 비퍼를 내리고 성기를 애무한다. 더글러스는 "안 돼, 안 돼!" 하면서도 그녀의 입에 성기를 맡기고 곧 둘이는 섹스 체위로 돌입한다. 이떼 데비무어는 더글러스를 향해 "인서트, 인서트(insert, 집어넣어)!" 하고 소리지른다. 그러나 더글러스는 집어넣기를 거부하고 옷을 추슬러 밖으로 나간다. 그 뒤를 향해 여자 부사장은 "넌 내일 당장 해고야!" 라고 분통을 터뜨린다. 그 행위가 모두 핸드폰으로 자동응답기에 녹음됨으로써 여사장의 성폭행 사실이 입증된다는 게 대강의 줄거리다.

그러나 내가 볼 때 이런 식으로 여자가 남자를 성폭행하다 실패하는 경우는 드물다. 여자가 남자를 성폭행하는 경우는 보다 복잡하고 교묘하게 아루어진다. 바로 둘이는 섹스를 하면서도 성폭행 피해자를 남자로 만드는 것이다.

1987년 지구촌 뒤흔든 문제작 『위험한 정사(Fatal Attraction)』132)133)

　　뉴욕의 맨해튼에서 변호사로 생활하고 있는 댄 갤러거(Dan Gallagher: 마이클 더글러스 분)는 직업적으로도, 개인적으로도 성공한 인생의 승리자다. 어느 날 댄은 사업관계로 출판사 편집인으로 있는 알렉산드라 "알렉스" 포레스트(Alex Forrest: 글렌 클로즈 분)을 만나게 되고, 댄의 아내 베스(Beth Gallagher: 앤 아처 분)와 딸(Ellen Gallagher: 엘렌 헤밀턴 래츠즌 분)이 아내의 처가집으로 여행을 간 어느 주말에 관계를 갖는다.

　　그러나 단순히 즐기는 것으로 치부한 댄과 달리, 알렉스가 집요하게 댄에게 집착하면서 문제가 된다. 댄은 자신의 집으로 와달라는 알렉스의 요청에 와 줬다가 그냥 돌아가려하자, 알렉스는 손목을 그어 자살을 시도하고 댄은 그녀를 응급처치하고는 집에서 나온다. 이후 예고없이 댄의 사무실에 나타난 알렉스는 사과의 표시로 연극 나비부인을 같이 보러 가자고 하지만 댄은 그 청을 정중히 거절한다. 그 이후로 알렉스는 연거푸 댄의 사무실에 전화를 걸기 시작하면서, 사태가 심각해지고 있음을 안 댄은 그녀에게 오는 어떠한 전화도 받지 않게 된다. 그러자 알렉스는 이번엔 댄의 집으로 전화를 걸기 시작하면서 점점 사태를 악화시키고, 급기야 자신이 임신했으며 그에 대한 책임을 질 것을 요구하지만 댄은 요동도 하지 않는다. 결국 살던 아파트를 처분하려고 내놓자 구매자로 가장해 댄의 아내까지 만나는 대담함을 보인다. 더이상 묵과할 수 없다는 것을 안 댄은 알렉스의 집으로 찾아가 당장 중지할 것을 요구하고, 이에 그녀는 자신은 절대로 무시되지 않을 것이라는 섬뜩한 말까지 내뱉는다.

이사한 이후에도 알렉스의 집착은 점점 더 심해지기 시작한다. 폭언으로 가득한 테이프를 댄의 앞으로 보내는가 하면 주차장에까지 나타나 그의 승용차에 산을 붓는 등의 행동을 일삼고, 댄의 자택에까지 은밀하게 잠입해 그의 가족들의 생활을 보고 질투심에 눈이 뒤집히기까지 한다. 결국 댄은 경찰에게 알렉스를 상대로 접근금지 요청을 하지만, 위협이 된다는 명백한 근거가 없는 이상 어렵다는 대답만 듣는다. 이 와중에 알렉스는 더욱 대담해져서 댄의 딸이 기르던 토끼를 죽여, 냄비에 토끼탕을 끓이는 초 막장 엽기행각까지 저지르고 만다.[134] 결국 댄은 아내인 베스에게 이실직고(?)하고 이에 화가 난 베스는 댄에게 나가라고 한다. 이미 알렉스에게 아내인 베스도 다 알고 있다고 말한 뒤 이어 베스가 더 이상 집착할 경우 죽여버리겠다고 위협한다. 그러자 알렉스는 아예 그들의 딸인 앨렌에게 마수를 뻗어 하교길의 엘렌을 픽업해, 놀이동산에 데리고 가고 아이스크림까지 대접하는 등의 막가파 행동을 저지른다. 한편 딸이 행방불명이 된 것에 패닉 상황이 된 베스는 미친듯이 차를 몰다가, 사고를 당하고 병원에서 퇴원하자 댄을 용서하고 집으로 돌아간다.

결국 이 막장행각에 뚜껑이 열릴대로 열린 댄은 알렉스의 아파트로 돌진, 알렉스에게 무력행사를 시전하고 경찰이 도착하자 그녀를 체포할 것을 요구한다. 한편 베스는 집에서 목욕을 하고 있던 상황에서 알렉스가 난입한다. 알렉스는 베스에게 느끼는 증오심을 내뱉은 후 그녀를 칼로 살해하려고 하지만, 아내의 비명을 듣고 올라온 댄과 육탄전을 벌인다. 결국 최후에는 베스가 쏜 총에 알렉스가 맞아 절명하는 것으로 악몽의 긴 시간이 마무리된다.

지구촌 뒤흔든 문제작 『위험한 정사(Fatal Attraction)』에서 더글러스(Michael Douglas) 출판사 편집장과 정열적인 섹스를 한다. 그러나 더글러스는 그녀를 사랑하지 않기에 더 이상의 관계를 거부한다. 그러나 그녀는 집요하게 더글러스를 따라다니고 결국 그의 부인에게 상해 당하는 것으로 영화는 끝난다. 이것이 훨씬 더 자연스럽다.

『폭로(Disclosure)』에서 매력적인 여사장이 성기까지 빨아 주고 넣으라고 소리지르는데 마다한다는 설정은, 그 후의 스토리 전개는 용이하겠지만 작위성이 강하다. 더글러스가 인서트를 해도 성폭행당했음을 입증할 수 있어야 한다. 대개 여자들의 성폭행은 섹스를 자기 쪽에서 유리하고 강요하고 난 후에도 자기들이 가련한 피해자임을 강조하곤 말이다. 특히 우리 사회에서의 섹스는 여자는 항상 당하는 쪽이고 남자는 가해자인 양 되어 있다. 그래서 섹스만 하면 남자는 죄인으로 몰리기 십상이다.

이 작품의 백미(百媚; 사람의 마음을 사로잡는 온갖 아름다운 자태)는 여자 부사장이 자기가 성폭행당했다고 주장하면서 가련한 여자가 되어 훌쩍거리는 장면이다. 그리고 그런 그녀의 어깨를 늙은 변호사는 감싸안는다. 그녀의 애처러운 모습은 사람들에게 동정을 불러일으키고 그 동정이 여자의 남자를 향한 성폭행을 정당화시킨다. 우리 사회에서는 뿌리 깊은 남성우월주의 때문에 더더욱 남자들은 여자들로부터 성폭행을 당하는 것에 둔감한 듯하다. 여자들에게 유혹당해서 여관으로 가서 섹스를 하고 후에 협박당하는 것은 모두 다 여자들이 남자를 성폭행하는 것으로 볼 수 있다. 앞으로는 남자들도 섹스에서의 법적인 권리를 찾아야 한다는 것을 이 영화는 보여주고 있었다.

이 작품은 결말에서 데비 무어는 해고되고 나이 많은 여직원이 부사장직을 승계하는 것으로 끝난다. 데비 무어는 해고당하면서도 이렇게 말한다. "지금 나를 오라고 하는 회사가 많다. 십년 후에는 이 회사를 사러 오겠다." 고. 그녀는 일관성 있게 터프(tough; 사람이나 그 성격, 생김새가 툭 트여서 시원하고 야성적이고 거칠다)한 연기를 보여 주었는데 참으로 인상적이었다. 작품 성으로는 다소 아쉬웠지만 마이클 크라이튼(John Michael Crichton)의 예리한 관찰이 돋보이는 작품이었다. 크라이튼은 작품의 말미에서 다음과 같이 말한다.

"성폭력, 그것은 결국 힘의 과시이다. 우월한 위치에 있다면 여자이건 남자이건 누구나 할 수 있는 부당한 권력행사인 것이다."

그러나 만일 이 작품이 좀더 설득력이 있으려면 그의 말을 이렇게 바꾸어야 하지 않을까 한다.

"성폭력, 그것은 결국 힘의 과시이다. 성욕이 강한 남자나 여자가 수단 방법을 안 가리고 무차별하게 행사하고는 이기적으로 돌아앉는 부당한 권력행사인 것이다." [135]

다. 성추행(sexual molestation, 性醜行)

성추행(性醜行)은 일방적으로 합의하지 않은 신체적 접촉을 해서 혐오감, 증오감, 성적 수치심을 유발하는 행위를 말한다. 강제추행은 여기에 더해 폭행과 협박이 추가된 형태로 해당 법 조문은 '폭행 또는 협박을 사용하여 사람을 추행한 자는~'으로 시작한다.

성욕의 흥분, 자극, 또는 만족을 목적으로 강제로 타인에게 성적인 수치감정을 느끼도록 하는 행위로, 〈형법〉과 〈성폭력 범죄의 처벌 등에 관한 특례법〉에서 그 죄의 범위를 정하고 있다. 성희롱, 성폭행과 함께 성폭력의 하나이다.

강간, 윤간 이외에 똑같이 신체적 접촉을 통한 성적 수치심 유발 행위를 말하며 성폭력의 범주에 들어가기 때문에, 이 행위는 형법 제298조 강제추행죄와 이에 대한 특별법인 〈성폭력 범죄의 처벌 및 피해자 보호에 관한 법률〉에 의거하여 처벌된다.

현진건의 『B사감과 러브 레터』는 1925년에 발표된 현진건의 단편소설이다.

기숙사제 여자 고등학교인 C여학교에 근무하고 있는 B사감이라는 기숙사 사감의 이야기이다. 이 기숙사 사감은 교원 직을 겸직하고 있으며, 30대 후반의 못생긴 노처녀요, 독신주의자에 가까운 기독교 신자인 B 여사로 이 학교내에서 무서운 딱장대로 알려질 대로 알려진 유명한 여성이다. 이 여성이 끔찍하게 싫어하는 남학생들에게 오는 러브 레터가 오는 날마다 '누구에게 온 것이냐, 왜 모른다고 하느냐' 라고 기본적으로 2시간 이상 혼을 내면서, 마룻바닥에 무릎꿇고 '하느님, 이 어린 양이 사탄의 유혹에 빠지지 않게 하소서.' 라고 기도했다. 심지어 B사감이 남자가 있는 가족을 면회하는 것을 엄격히 금지했을 때, "뭐 저런 사람이 다 있냐" 라고 학생들이 큰 불만을 하여 휴학투쟁을 유발했고, 교장에게 불려가 혼나기도 했으나, 여전히 학교내 이성의 출입을 금하였다. 이 이유로 많은 학생들이 단체로 휴학하기도 했으며, 이를 본 다른 선생님들과 교장, 이사장마저 B사감을 혼내면서 화냈음에도 버릇을 고칠 생각을 하지 않았다.

그러던 어느날부터 밤중에 기숙사에서 의문의 연인들의 목소리가 들렸다. 기숙사에 있는 3명의 여학생이 이 소리가 어디서 났는지를 찾아보려고 갔더니만, 다름 아닌 사감실에서 이 교내에서 악명이 높기로 유명한 그 B사감이 혼자서 학생들에게 압수당한 러브 레터를 남자와 여자의 목소리를 번갈아가면서 흉내내며 고백했다. 한마디로 B사감이 1인 2역 (남자와 여자) 을 한 황당한 짓거리를 연출한 조작이었다. 이에 첫째 학생은 "황당하다" 고 말하고, 둘째 학생은 "미친 게 틀림없다" 고 말하며, 셋째 학생은 "B사감이 불쌍하다" 면서 손으로 고인 눈물을 씻었다.

현진건의 『B사감과 러브 레터』는 마지막 장면의 극적인 반전이 인상적이다. 완고한 여교사가 저녁 늦게 혼자 있는 공간에서 여학생들로부터 압수한 러브 레터(Love letter)를 읽으며 한껏 자유로움을 만끽하는 것이다. 그 작품의 많은 사람들의 가슴에 남을 수 있었던 것은 작가가 누구나 갖고 있지만 감히 발설 못하는 인간 심리를 예리하고 솔직하게 표현했기 때문이다.

리처드 기어(Richard Tiffany Gere) 주연의 「프라이머 피어」는 이러한 심리를 진일보하게 표현하고 있다. 존경받는 추기경이 은밀한 뒷전에서는 학생들끼리 난교하게 하고 이를 비디오에 담기까지 하는데 이에 대한 검사의 자세는 오히려 담담하다. 뭐 그리 특별한 것도 대단한 일도 아니며 그냥 사건 처리에 필요한 하나의 자료로서 받아들이는 것이다.

최근 말썽이 일고 있는 교장 선생의 여중생 성추행 사건도 법적으로나 도덕적으로 보면 시끄럽지만 심리적으로 보면 전혀 이해가 안 가는 것도 아니다. 서로 맞고소 중이라 아직 진위는 밝혀지지 않았지만 권위적이고 도덕적인 사람이 어둠 속에서 추악한 모습을 보여 준 것은 어제 오늘의 일이 아니다. 의식(빛)에서 도덕적이기 위해 악마적인 모습을 무의식(어둠) 속에 억압해 놓았기에 정작 어둠 속에서는 그 악마적인 요소가 더 활개를 치는 것이다. 무의식의 악마가 현실의 어둠 속에서 활개치지 못하게 하려면 평소부터 악마의 힘을 빼 놓아야 한다.

그 방법은 악마를 빛 가운데 내놓는 것, 바로 솔직하게 사는 것이다. 마치 드라큘라가 빛을 쬐면 힘을 못 쓰는 것 같이. 솔직하게 사는 사람은 어둠 속의 악마적인 요소에 덜 사로잡힌다. 도덕적이고 젊잖은 외면을 위해 악의 요소응 많이 억압하면 할수록 악을 몰아서 힘을 발휘하지만 평소부터 솔직해 악을 많이 흩뿌리는 사람들에게 악은 그 사람의 일상을 뒤덮을 만한 끔직한 위력을 발휘하지는 못한다. 권위적인 사람들이 이해하기 힘든 성취행은 바로 여기서 비롯된 것 같다.

우리 사회는 그 동안 권위주의 사회로 집단의 질서를 특히 강조한 사회였다. 집단의 질서와 효율이 앞서다 보니 솔직한 사람들은 그다지 환영받지 못했다. 이것은 문민정부로 들어와서도 마찬가지다. 삶의 질을 얘기하고 정보화 사회, 변화를 얘기하지만 아직도 개개인이 솔직하고 당당하고 자유로울 수 있는 분위기는 형성되지 못한 것 같다. 아마도 여전히 집단의 질서, 아니 효율적인 통제가 앞서서일 것이다. 우리 사회에 대충대충 넘어가고 일이 터지면 일단 덮고 보자는 풍조가 만연해 있는 것은 개개인이 자기 느낌에 당당하지 못하기 때문이다. 어디까지 당당하고 어디까지 솔직하고 어디까지 타협해야 이 사회에서 잘 적응하고 받아들여지는지를 가늠하기가 어렵기 때문이다. 솔직하게 살기 힘든 사회에서 개인의 자유로움은 어둠 속에서 많이 행해진다. 어둠 속의 범죄, 권위자의 성추행, 정치인들의 눈 가리고 아웅하는 작태들도 권위와 체면, 집단을 중시하는 풍토에서 싹튼 것일 게다.

그러나 앞으로 개성화 시대에 발빠르게 적응하려면 우리도 맹목적인 집단 위주의 사고에서 빨리 벗어나야 할 것이다. 창의성은 인적으로 자유롭고 당당한 가운데서 나오기 때문이다. 그래서 이번 사건은 여러 모로 흥미를 끄는 점이 많다. 어둠이 한 줄기 빛에 의해 사라지듯이 개인의 솔직함이 집단을 방패로 악을 행하는 사람들에게 경종을 울릴지, 아니면 또 그냥 유야무야되어 개인만 희생될지에 따라 우리 사회의 솔직성의 허용 정도가 가늠될 것이기 때문이다.[136]

라. 청소년 성폭력

성폭력(sexual violence, 性暴力)은 상대방이 원하지 않는 성적 행위를 통해 타인에게 정신적·육체적 손상을 주는 행위를 일컫는

다. 성희롱, 성추행(강제추행), 성폭행(강간) 등 성에 관련한 범죄를
전부 아우르는 개념으로, 언어적 성희롱과 음란성 메시지, 불법촬
영 등 상대방의 의사에 반해 가해지는 모든 신체적·정신적 폭력
을 포함한다.

　　또한, 일상생활에서 막연히 느끼는 불안이나 공포, 행동의 제약
도 넓은 의미에서 성폭력에 해당할 수 있다. 개인의 성적 자기결정
권을 침해해 피해 당사자에게 신체적, 정신적, 성적 피해를 주는
심각한 인권 문제로, 세부적인 법적 기준은 지역이나 나라마다 다
르다.

　　「형법」에서 규정하는 성폭력으로는 성풍속에 관한 죄, 강간과
추행의 죄, 강도강간죄가 있다. 성풍속에 관한 죄는 음란물 배포나
성매매, 공연음란죄 등이 해당한다. 강간과 추행의 죄는 강간죄와
유사강간죄, 강제추행(성추행), 미성년자 등에 대한 간음죄와 업무

상 위력 등에 대한 간음죄, 강간 등 상해·살인죄 등을 말한다. 여기에는 해당 행위에 대한 미수도 포함한다.

「성폭력범죄의 처벌 등에 관한 특례법」 상의 성폭력으로는 특수강도강간, 특수강간, 친족 관계에 의한 강간, 장애인에 대한 강간과 강제추행, 13세 미만 미성년자에 대한 의제 강간 및 강제추행, 공중 밀집 장소에서의 성추행, 성적 목적을 위한 침입행위죄, 통신 매체를 이용한 음란행위죄, 불법촬영 등이 해당한다.

"아동·청소년"은 19세 미만의 사람을 말하는데, 19세에 도달하는 연도의 1월 1일을 맞이한 사람은 대상에서 제외됩니다(「아동·청소년의 성보호에 관한 법률」 제2조제1호).

아동·청소년 중에서도 13세 미만(가해자가 19세 이상이면 13세 이상 16세 미만)의 사람에 대한 간음 또는 추행은 강간이나 강제추행 등으로 처벌이 되고, 공소시효도 적용되지 않는 등 일반 성범죄에 대한 처벌보다 엄중하게 처벌하고 있습니다(「형법」 제305조 및 「아동·청소년의 성보호에 관한 법률」 제20조제3항).

※ 강간(強姦) : 폭행 또는 협박으로 사람을 강제로 간음하는 것을 말합니다.

※ 유사강간(類似強姦) : 폭행 또는 협박으로 사람에 대하여 구강, 항문 등 신체(성기는 제외함)의 내부에 성기를 넣거나 성기, 항문에 손가락 등 신체(성기는 제외함)의 일부 또는 도구를 넣는 행위를 말합니다.

※ 추행(醜行) : 성욕의 흥분 또는 만족을 얻을 동기로 행해진 정상의 성적인 수치감정을 심히 해치는 성질을 가진 행위를 말합니다. 이 행위는 남녀·연령 여하를 불문하고 그 행위가 범인의 성욕을 자극·흥분시키거나 만족시킨다는 성적 의도 하에 행해짐을 필요로 합니다(국가법령정보센터 홈페이지, 법령용어 검색).

☞ 이런 행위도 모두 성폭력입니다.

· 원하지 않는데 강제로 성관계를 하는 것은 성폭력입니다.

· 몸의 중요한 부위들, 성기나 가슴 그리고 엉덩이나 배 등 수영복으로 가려지는 부위들을 원하지 않는데 만지거나 부비거나 빠는 것 모두 성폭력입니다.

· 성기나 가슴과 같은 신체 부위가 아닌 다른 신체부위라고 하더라도 상대방의 성적인 즐거움을 위해 이용당한 느낌을 받으면 성폭력입니다.

· 원하지 않는데 자기의 신체부위를 보여주거나 만져달라고 하는 것도 성폭력입니다.

· 행동으로 하지는 않더라도 신체부위나 성행위에 대한 말로 기분 나쁜 농담을 하거나 놀리는 것도 성폭력입니다.

· 야한 비디오나 음란물을 보여주는 것도 성폭력입니다. 강제로 보여주는 것이 아니더라도 어린이나 지적능력이 낮은 사람의 호기심을 자극해서 보여주는 것도 성폭력에 해당합니다.

· 어린이의 경우에는 스스로 동의했다고 하더라도 어른이나 나이 많은 청소년이 성적인 행동을 유도하는 것은 성폭력입니다. 생각이나 판단이 다 자라지 못한 어린이들 몸과 마음을 다치지 않도록 어른들이 보호해줘야 합니다. 그러니까 어린이가 동의했다고 하더라도 어른이나 나이 많은 청소년이 성적인 행동을 함께 한다면 그것은 성폭력입니다(여성가족부 서울해바라기센터(아동) 홈페이지, 아동·청소년 성폭력이란).

여성가족부는 여성과 가족 및 청소년에 관한 정책을 관장하는 중앙행정기관. 여성정책의 기획·종합, 여성의 권익증진 등 지위향상, 청소년의 육성·복지 및 보호, 가족과 다문화가족 정책의 수립·조정·지원, 여성·청소년·아동에 대한 폭력피해 예방 및 보호 등에 관한 사무를 담당한다.

　어떤 기자에게서 이런 전화가 왔다. 충남 아산의 초등학생 성폭행 사건을 조사했더니 의외의 사실이 밝혀졌다는 것이다. 그 초등학생은 상당히 밝히는 애였다는 것이다. 처음에는 성폭행을 강제로 당했겠지만 그 이후에는 그 학생이 먼저 남자들에게 대담하게 다가가기도 했다는 것이다. 그러면서 지금 십여 명의 사람들이 구속이 됐는데 그들만이 탓할 수 있느냐, 그 소녀의 심리가 이해가 되지 않는다고 했다. 그때 나는 그 소녀의 심리가 이해가 된다고 하면서 한 예를 들려 주었다.

　곱고 참한 한 여학생이 어느 날 택시를 탔다. 그 택시 운전사는 그녀를 끌고 산으로 데려가서 성폭행한 후 사창가로 팔아넘겼다. 그 학생의 부모는 전국을 돌아다니며 딸을 찾았지만 도저히 찾을 수가 없었다. 몇 년 후 한 시골의 사창가에서 드디어 딸을 찾게 되

있는데 그녀는 물론 만신창이가 된 다음이었다. 그러나 그녀는 그 사창가에서 유명한 여자가 되어 있었다. 섹스를 상당히 밝히고 적극적이고 기묘한 짓까지 서슴지 않는다는 것이다.

그렇다면 우리는 그녀를 선천적으로 밝히는 여자로 생각해야 할까? 오히려 납치된 사건 때문에 창녀라는 자기의 길을 좀더 빨리 간 것으로? 그렇게는 도저히 생각할 수 없다. 그녀는 어린 나이에 성폭행을 당하면서 깊은 본능의 상처를 입은 것이다. 나이가 들면서 천천히 소화되고 의식화되어야 하는 본능이 너무 일찍, 그것도 깊숙이 상처를 받게 되자 본능은 불쑥 고개를 들면서 소녀를 지배해 버리고 만 것이다.

그 본능이란 다름 아닌 삶의 본능인 성욕과 죽음의 본능인 자포자기인 것이다. 이 두 본능은 생명을 영속시키면서 또한 지키는 것이라 서로 밀접하게 관련되어 있다. 그래서 자아가 이 본능에 휘어잡히게 되면 겉으로 밝히는 것 같으면서도 속으로는 강한 죽음의 그림자를 잉태하게 된다.

아산의 부모 없는 초등학생이 그렇게 밝히는 여자였다면 그녀는 열네 명의 남자를 잡아먹은 것으로 포만감과 뿌듯함을 느껴야 하는데 그렇지 않고 그녀는 자살을 선택했다. 그것은 바로 어린 나이에 자기가 감당할 수 없는 깊은 본능의 상처를 입었기 때문이고 그렇기 때문에 우리는 미성년자 성폭행만큼은 절대로 관대하게 봐줄 수가 없는 것이다. 아직 자기를 지킬 힘도 분별할 능력도 부족한 소년 소녀들에게 너는 선천적으로 밝히는 애가 아니냐고 책임을 물을 수는 없는 것이다. 그들은 이리의 이빨에 피를 흘리면서 자포자기로 돌아다니다 쓰러져 죽고 마는 불쌍한 희생자이기 때문이다. 우리가 잡고 몰아 내야 할 것은 이리이지, 피흘려 쓰러지는 아이에게 너 왜 그리 비실비실하냐고 비난할 일은 아니다.

성폭행을 당한 후 성욕이 항진되는 경우가 많다. 어린 시절 근친 강간을 당하면, 성장 뒤에 원치 않는 성폭행을 당했을 때 자기가 원치 않음에도 불구하고 본능이 노출되어 성역이 왕성해지는 것이다. 그래서 우리가 미성년자 성폭행을 다룰 때는 무조건 강한 법적 조치를 취하는 수밖에 없다. 이리들의 무책임하고 무분별한 행동을 인간 사회에서 막을 수 있는 길은 몰아 내는 방법밖에 없기 때문이다.[137]

마. 사회 병리에서 본 성희롱

성희롱(性戱弄, sexual harassmen)[138]은 성과 관련된 말 또는 행동으로 상대방에게 성적 수치심, 굴욕감을 주거나 고용·업무상에 있어서 각종 불이익을 주는 등 피해를 입히는 행위이다.[139]

"성희롱" 이란 업무, 고용, 그 밖의 관계에서 국가기관·지방자치단체 또는 대통령령으로 정하는 공공단체의 종사자, 사용자 또는 근로자가 다음 각 목의 어느 하나에 해당하는 행위를 하는 경우를 말한다(양성평등기본법 제3조 제2호).

·지위를 이용하거나 업무 등과 관련하여 성적 언동 또는 성적 요구 등으로 상대방에게 성적 굴욕감이나 혐오감을 느끼게 하는 행위.

·상대방이 성적 언동 또는 요구에 대한 불응을 이유로 불이익을 주거나 그에 따르는 것을 조건으로 이익 공여의 의사표시를 하는 행위.

성희롱 행위: 업무, 고용, 그 밖의 관계에서 공공기관[140]의 종사자, 사용자 또는 근로자가 그 직위를 이용하여 또는 업무 등과 관련하여 성적 언동 등으로 성적 굴욕감 또는 혐오감을 느끼게 하거

나 성적 언동 또는 그 밖의 요구 등에 따르지 아니한다는 이유로 고용상의 불이익을 주는 것을 말한다(국가인권위원회법 제2조 제3호 라목).

"직장 내 성희롱" 이란 사업주·상급자 또는 근로자가 직장 내의 지위를 이용하거나 업무와 관련하여 다른 근로자에게 성적 언동 등으로 성적 굴욕감 또는 혐오감을 느끼게 하거나 성적 언동 또는 그 밖의 요구 등에 따르지 아니하였다는 이유로 고용에서 불이익을 주는 것을 말한다(고용평등법 제2조 제2호).

성희롱에 대한 법적 정의 및 관련 규정은 1996년 여성발전기본법(현행 양성평등기본법)에서 처음 법제화되면서 이루어졌다. 이 법은 성희롱의 개념을 명시하고 국가와 지방자치단체, 사업주 등에게 성희롱 예방 조치를 취할 의무를 부과했다. 이어서 2014년 이후 국가인권위원회법 및 남녀고용평등과 일·가정 양립 지원에 관한 법률(이하 '고용평등법'이라 한다.)에 '성희롱' 에 대한 내용이 규정되었다.

이러한 대한민국 현행법상 성희롱 개념을 대법원은 다음과 같이 요약했다.

성희롱이란 업무, 고용, 그 밖의 관계에서 국가기관·지방자치단체, 각급 학교, 공직유관단체 등 공공단체의 종사자, 직장의 사업주·상급자 또는 근로자가 ① 지위를 이용하거나 업무 등과 관련하여 성적 언동 또는 성적 요구 등으로 상대방에게 성적 굴욕감이나 혐오감을 느끼게 하는 행위, ② 상대방이 성적 언동 또는 요구 등에 따르지 아니한다는 이유로 불이익을 주거나 그에 따르는 것을 조건으로 이익 공여의 의사표시를 하는 행위를 하는 것을 말한다. (대법원 2018. 4. 12. 선고 2017두74702 판결)

'상대방이 불쾌하면 성희롱' 이라는 인식이 널리 퍼져 있으나,

법원은 그렇게 보지 않는다. 어떤 행위가 성희롱으로 평가되면 불법행위가 되어 손해배상책임이 발생하고, 징계나 해고처분 대상이 되므로 그 성립 여부는 당연히 객관적으로 판단되어야 한다.[141]

성희롱의 전제요건인 '성적 언동 등'이란 남녀 간의 육체적 관계나 남성 또는 여성의 신체적 특징과 관련된 육체적, 언어적, 시각적 행위로서 사회공동체의 건전한 상식과 관행에 비추어 볼 때 객관적으로 상대방과 같은 처지에 있는 일반적이고도 평균적인 사람으로 하여금 성적 굴욕감이나 혐오감을 느끼게 할 수 있는 행위를 의미하고(대법원 2007.6.14. 선고 2005두6461 판결), 위 규정상의 성희롱이 성립하기 위해서는 행위자에게 반드시 성적 동기나 의도가 있어야 하는 것은 아니지만, 당사자의 관계, 행위가 행해진 장소 및 상황, 행위에 대한 상대방의 명시적 또는 추정적인 반응의 내용, 행위의 내용 및 정도, 행위가 일회적 또는 단기간의 것인지 아니면 계속적인 것인지 여부 등의 구체적 사정을 참작하여 볼 때, 객관적으로 상대방과 같은 처지에 있는 일반적이고도 평균적인 사람으로 하여금 성적 굴욕감이나 혐오감을 느낄 수 있게 하는 행위가 있고, 그로 인하여 행위의 상대방이 성적 굴욕감이나 혐오감을 느꼈음이 인정되어야 한다.

따라서 객관적으로 상대방과 같은 처지에 있는 일반적이고도 평균적인 사람으로 하여금 성적 굴욕감이나 혐오감을 느끼게 하는 행위가 아닌 이상 상대방이 성적 굴욕감이나 혐오감을 느꼈다는 이유만으로 성희롱이 성립할 수는 없다.

다만, 대법원은 다음과 같이 부연한다.

법원이 성희롱 관련 소송의 심리를 할 때에는 그 사건이 발생한 맥락에서 성차별 문제를 이해하고 양성평등을 실현할 수 있도록 '성인지 감수성'을 잃지 않아야 한다(양성평등기본법 제5조 제1

항 참조). 그리하여 우리 사회의 가해자 중심적인 문화와 인식, 구조 등으로 인하여 피해자가 성희롱 사실을 알리고 문제를 삼는 과정에서 오히려 부정적 반응이나 여론, 불이익한 처우 또는 그로 인한 정신적 피해 등에 노출되는 이른바 '2차 피해'를 입을 수 있다는 점을 유념하여야 한다. 피해자는 이러한 2차 피해에 대한 불안감이나 두려움으로 인하여 피해를 당한 후에도 가해자와 종전의 관계를 계속 유지하는 경우도 있고, 피해사실을 즉시 신고하지 못하다가 다른 피해자 등 제3자가 문제를 제기하거나 신고를 권유한 것을 계기로 비로소 신고를 하는 경우도 있으며, 피해사실을 신고한 후에도 수사기관이나 법원에서 그에 관한 진술에 소극적인 태도를 보이는 경우도 적지 않다. 이와 같은 성희롱 피해자가 처하여 있는 특별한 사정을 충분히 고려하지 않은 채 피해자 진술의 증명력을 가볍게 배척하는 것은 정의와 형평의 이념에 입각하여 논리와 경험의 법칙에 따른 증거판단이라고 볼 수 없다(대법원 2018. 4. 12. 선고 2017두74702 판결).

바람둥이들의 얘기를 들으면 우리 나라 여자들이 참 약하다는 생각이 많이 든다. B씨는 여자들이 자기 팔장을 끼기만 한다면 백 퍼센트 모텔로 데려가서 정복할 수 있다고 자랑한다. 늦게 까지 술을 마시다가 이 차 가자고 모텔로 들어갔을 때 거부하는 여자는 아무도 없다는 것이다. 물론 모텔에 들어가면 간혹 거부하는 여자들도 있지만 이미 때는 늦다. B씨는 오히려 그렇게 저항하는 여자들에게 더 성욕을 느껴 과격해지니 말이다.

B씨는 자기가 노리는 여자들을 공략하는 데 한번도 실패한 적이 없다고 한다. 그가 무슨 전략을 구사했는지는 구체적으로 밝히지 않아 잘 모르겠지만 아마도 집요하게 추근거리며 쫓아다닌 것 같다. 여자들이 시달리지 못해 몸주고 빨리 가라 그런 거나 아닌지 모르겠다.

C씨는 미팅해서 여자랑 만나게 되면 그녀를 품에 안고 키스하는 것은 시간 문제라고 한다. 한두 번 만나서 서로 호감이 생길 때 화장실 갔다 오는 척하면서 그녀 곁으로 가 어깨에 손을 얹으면 그녀는 긴장하면서 가만히 있다는 것이다. 그때 어깨를 당겨 품에 안으면 대개는 입술을 정복한다는 것이다.

이런 얘기를 듣다 보면 우리 나라에서 이상적으로 순수한 사랑을 꿈꾸는 남자들은 참으로 멍청한 존재들이다. 그들은 이미 뻔뻔한 남자들이 공략할 대로 공략한 여자들을 가지고 이상적으로 몽상항할 테니 말이다. 바람둥이들 논리대로 한다면 우리 나라에서 여자는 일단 잡아먹고 보는 것이다. 물론 요즘은 여자 바람둥이들도 많아 남자를 잡아먹는 경우도 많아졌지만 아직까지도 먹히는 쪽은 여자들이 많다. 약하다고 해서 당하는 것은 우리 사회의 뿌리 깊은 힘 본위의 가치관 때문인 것 같다.

언제부턴가 우리 나라는 약한 자들은 거들떠보지도 않는 풍토를

굳게 가졌다. 약한 자들이 아무리 왁왁대도 왁왁댈 때만 좀 만져
줄 뿐 근본적으로 섬세하게 대책을 세우는 경우는 거의 없다. 정신
질환자, 장애자 등 복지 사업은 물론이거니와 심지어 전국민 의료
보험까지 그러하다. 언제부턴가 의사들은 의료보험과 실랑이하는
것을 포기했다고 한다. 수나 구조나 체계가 너무 엉망인지라 이제
는 의료 현실이 망할대로 망해서 뭔가 정신을 차리겠기 때문이다.
그러나 아무리 의료 현실이 망한다고 해도 거기에 주의를 기울이
는 사람들은 거의 없다. 의료보험료는 의료보험료대로 내고 치료비
는 치료비대로 바가지 쓰고 진료는 진료대로 파행을 걷고 있지만
이상하게 조영한 것이 우리 사회다. 미국에서는 영부인인 힐러리
여사가 의료보험 문제를 주요 쟁점으로 갖고 다니지만 우리 사회
에서 의료보험에 관심을 기울이는 것은 아주 먼 나라 얘기 같다.
바로 의료의 대상은 약한 병자들이기 때문이다.

  약한 자들에게 세심한 주의를 기울이는 것은 우리 사회에서는
언제부턴가 아주 어리석은 일이 되어 왔다. 우리 사회에서는 국가
와 민족을 위해 열심히 사는 건강한 남자, 군인 같은 남자들을 제
외하고는 병약자나 여자 같은 약한 사람들은 사람 취급을 못받는
다. 약한 사람은 그저 숨죽이고 있어야지 괜히 나섰다가는 놀림감
만 될 뿐이다. 그런 현상은 비단 정부 차원의 정책에서뿐만 아니라
우리 모두에게 뿌리 깊게 박혀 있다. 강간을 당해 만신창이가 된
여자에게 너도 다리를 벌리지 않았느냐고 호통치는 경관 수사 얘
기도 도처에서 들을 수 있다.

  그렇다면 우리 나라는 왜 이렇게 약한 자들에게 가혹한 걸까?
그건 바로 성장 일변도의 정책과 가치관 때문일 것이다. 급성장하
려면 빨리 달려야 하는데 뒤처지는 약한 자들을 챙겨 줄 여유가
없는 것이다. 뒤처지면 그저 호통쳐 독려하는 것이 우리 사회의 일

관된 흐름이었다. 이렇게 약한 자들을 무시하는 사회에서 약육강식의 결과가 만연하는 것은 당연하다. 힘있는 자는 없는 자를 무시하고 마음껏 유린하는 것이다. 복지단체나 정신병원은 힘없는 정신환자나 불구자들을, 의료보험은 힘없는 의사나 환자들을, 힘센 남자들은 여자들을 마음껏 잡아먹는 것이다. 그러다 보니 우리 사회에서는 인간적인 상식으로서는 도저히 이해할 수도 납득할 수도 없는 파렴치한 사건들이 도처에서 터지고 있다. 그러나 그것을 동물적인 상식으로 바라보면 아주 이해가 잘 된다. 바로 힘이 없으면 무조곤 잡아먹고 보는 동물들이 살기에는 우리 사회는 너무 좋은 원시림인 것이다.

인간이 다른 동물에 비해 지금 같은 발전을 이룰 수 있었던 것은 힘없는 약한 자들을 보호하면서 그들의 내적인 힘을 이용했기 때문이라고 생각한다. 대개 자연계에서 동물적인 힘을 발휘하는 자들은 외향적인 사람들로, 그들은 외적인 적응 면에서는 뛰어나나 내적인 감성이나 상상력의 측면에서는 취약하다. 이에 반해 내성적인 사람들은 외적으로는 약하나 내적으로는 감성과 상상력이 풍부하다. 동물들의 경우엔 이러한 내성적인 쪽들은 모두 도태되어 버렸을 것이나 사람들은 이를 보호하고 함께했기에 놀라운 정신의 발전을 이룩했다고 본다. 즉 돌을 갖고 싸우는 외향적인 사람의 뒤에서 내성적인 사람들은 철을 발견해 달구었던 것이다. 유비와 제갈량은 덕과 지혜를 발휘해 싸움을 지휘했던 것이다. 아마도 미국이 짧은 시간에 지금같이 발전할 수 있었던 가장 큰 이유는 약한 자들을 보호하고 그들의 능력을 십분 샀기 때문일 것이다.

그러나 우리 사회는 아직 약한 자들의 가능성이나 능력을 과소평가하고 무시하기 때문에 약한 여자들에게 행해지는 성희롱은 끊이지 않고 그에 대한 비명도 네가 잘못을 못 지켰기 때문이 아니냐, 네가 바보 같았기 때문이 아니냐는 식의 비난조로 모아지는 것이 아닌가 한다. 그러나 무조건적으로 밀고 나가는 우리 사회의 이러한 추세도 이제는 통하지 않는 시대가 온 것 같다. 세계는 바야흐로 문화 전쟁의 시대로 돌입했기 때문이다. 문화 경쟁의 시대에는 힘만 앞세우는 외향적인 사람들은 별로 환영을 받지 못한다. 이제야말로 약한 사람들의 내적 공상이 힘을 발휘할 시대가 된 것이다.

그러나 이것은 우리의 약한 자들의 현실이 되기까지는 앞으로도 많은 시련을 거쳐야 할 것 같다. 세상은 바뀌어도 우물 안의 개구리들은 여전히 자기가 최고인 양 거침없이 행동하기 때문이다. 아무래도 우리 사회에 인간성의 새벽이 오기까지는 약한 사람들은 스스로나 서로 연대해서 성희롱에 대비한 여러 가지 대비 태세를 갖추는 것이 필요할 듯하다. 괜히 순진할 때 바람둥이에게 당해서 자포자기로 살지 말고.[142]

바. 영혼을 해치는 폭력

신문이나 TV를 보면 남자의 폭행에 시달리는 여자들이 많이 나온다. 그들의 사연을 들어보면 '어떻게 그런 남자가 있지' 할 정도로 피해자가 불쌍하고 가엾어만 보인다. 그러나 남자의 폭행에도 어느 정도 이유가 있다고 본다. 폭행은 절대 안 되고 상에서 가장 못된 인간이 아니와 여자를 패는 인간이라고 하지만, 정말 선량한, 폭행이라고는 전혀 쓰지 않았던 사람들이 여자를 폭행할 때가 있기 때문이다. 그때는 아마도 남자가 궁지에 몰렸을 때일 것 같다. 쥐도 막바지에 몰리면 고양이를 문다는 것처럼 남자도 막바지에 몰려서 자기도 모르게 폭력을 쓰는 것이다.

　남자만 폭행을 하는 게 아니라 여자도 폭행을 한다. 여자 폭행은 남자처럼 주먹을 휘두르는 게 아니라 말로 하는 것일 때가 많다. 여자의 말이 단순한 말이 아니라 상대의 자존심을 모욕하고 짓밟고 현실적으로는 한계까지 몰아치는 수준까지 이르게 되면 남자는 자기도 모르게 폭력을 쓰게 된다.

　남자는 여자에 비해 언어화 능력이 선천적으로 부족하다. 그래서 말로하면 여자를 당해낼 수 없다. 여자의 폭포와 같이 쏟아내는 말을 제대로 대응할 수 없을 때 나오는 것이 남자의 폭력이다. 그래서 데이트 폭력이라는 말도 나왔을 것이다. 여자의 히스테리[143](Hysterie; 정신적 원인으로 일시적으로 일어나는 병적인 흥분 상태를 통틀어 이르는 말), 특히 왕히스테리는 남자의 주먹에 못지않은 폭력이다.

　시대가 많이 바뀌었다고 하지만 남자들은 여전히 어자의 바람, 특히 육체적인 바람에 예민하다. 여자의 바람이 확인됐을 때, 남자들은 대개 돌아버린다. 그리고 자기도 모르게 폭행한다. 여자가 바람피워놓고 정작 남자가 폭행으로 고소당하는 경우가 있다. 이미 이성을 잃어 현실 판단 능력을 상실했기 때문일 것이다. 그런 경우에는 남자는 이혼, 피소, 자식과의 생이별 등의 고통 속에서 심신이 피폐해지기도 한다.

　사람은 말이 통해야 한다고 하지만 남녀는 서로 말이 안 통할 때가 많다. 합리적이고 진실된 말이라고 다 통하는 것은 아니기 때문이다. 말속에는 요구가 있고, 그 요구를 받아들이지 않을 때는 어떤 말을 해도 부정하고 부인하고 아예 안 들으려고 하기도 한다. 말이 안 통해 답답할 때 자기도 모르게 폭력을 쓰는 경우가 있다. 특히 한쪽이 자기 요구만을 하고 대화를 거부할 때 남자의 폭력이 유발하기도 한다.

☞ 화(火) 낼 줄 모르는 사람이 화를 낼 때

평소는 화(火: 못마땅하거나 언짢아서 생기는 노엽고 답답한 감정)를 잘 내지 않던 사람이 화를 낼 경우가 있다. 그가 화를 내지 않으면 안 될 상황까지 몰고 갔을 경우 등이 그러하다. 화를 낼 줄 모르는 사람에게서 화가 한 번 터지면 걷잡을 수 없이 화가 커지기도 한다. 화가 탄력을 받는 것이다. 그때는 상대의 잘잘못에 관계없이 폭력이 뒤따르기도 한다.

여자는 항상 폭력의 피해자인 것 같지만 사실 여성 폭력이 더 무서운 경우가 많다. 여성의 폭력은 잔소리, 간섭, 무조건적인 지배 등의 형태로 나타난다. 어떤 부부는 늦둥이를 낳아서 잘 키우고 있었는데 엄마가 암에 걸려 덜컥 죽어버리고 말았다. 그후 아버지는 아들을 콘트롤(control; 제어하다. 통제하다. 관리하다. 조절하다. 지배하다)할 수 없어 깊은 우울증에 빠졌다. 아들이 아빠 말을 무조건 안 들었기 때문이다. 엄마 있을 때는 너무도 바르고 멋지게 크던 애가 엄마가 없고 나니 완전히 제멋대로인 것이다.

「그 여자 작사 그 남자 작곡」 140)이라는 영화에 이런 장면이 나온다. 애들이 저녁 늦게 시끄럽게 떠들며 놀자 엄마가 말한다. "아빠 간다." 그러나 애들은 들은 척도 안 하고 계속 떠들썩하다. 엄마가 이번에는 "엄마 간다" 고 했더니 애들은 쥐 죽은 듯이 조용해졌다.

대부분 가정에서 아이들은 엄마는 무서워해도 아빠는 물로 본다.

엄마들이 아이들을 잡기 위해 쓰는 표현을 보면 '집 나가라' 등 극단적인 표현도 많다. 그러나 아빠들은 그런 언어 폭력은 잘 쓸 줄 모른다. 여자는 집요하게 상대를 지배하는 경향이 있어 그런 것들이 노골화될 때 자식도 잡고 남편도 잡고 애인도 잡는 것 같다.

현대인은 문화인이고 현대사회에서 폭력은 어떤 경우에도 용린되지 않는다. 그러나 법은 멀고 주먹은 가깝다고, 폭력이 튀어나오는 경우가 있다. 그러나 어떤 이유가 됐건 그 폭력마저도 자제해야 한다. 폭력은 그 자체가 지닌 원시적인 공격성으로 상대의 자존심에 엄청 상처를 주기 때문이다. 여자를 폭행했던 어떤 남자는 여자가 더 큰 폭력으로 그를 공격하자 폭력성이 쏙 들어갔다. 자기가 폭력을 당해보니 너무 자존심이 상하고 무기력해지는 게 사람이 당할 짓이 못됐기 때문이다.

폭력은 습관이다. 한 번 쓰면 자기도 모르게 자꾸 쓰게 된다. 폭력을 통해 원시본능이 충족되면서 자유로움을 느끼기 때문이다. 그러나 상대와 정말 끝낼 경우가 아니라면 폭력은 무조건 자제해야 한다. 폭력을 당하는 사람은 그 아픈 기억을 영혼에 깊이 새기기 때문이다. 그건 여성 폭력도 마찬가지다.[145]

10. 나는 당신에게 죄를 짓고 있는 건가요

　사랑하는 J! 이런 이별은 너무도 싫지만 어쩌면 이런 식만이 지금 우리의 사랑을 가능하게 하는 것일지도 모르기에 이 운명을 받아들입니다. 기다림! 기다림! 얼마나 오랜 세월을 기다려야 하는지는 모르나 우리의 사랑은 반드시 실현될 것으로 믿습니다.

　내 사랑! 만남에서 끊임없는 부담과 상처만을 안겨 주었지만 내 영혼은 이미 당신의 것, 그러나 우리의 인연이 지금의 사랑을 허락하지 않기에 기다리고 또 기다립니다.

　내 사랑! 나는 당신에게 죄를 짓고 있는 건가요. 내가 당신을 버리고 있는 건가요. 아! 당신은 왜 그다지도 나를 단죄하나요. 당신은 왜 그다지도 서두르시죠. 그러나 아무리 얘기해도 당신의 고통에 어찌할 수 없기에 침묵을 지키렵니다. 우리의 사랑이 당신 뜻에 맞게 신이 허락할 때까지 침묵을 지키렵니다. 사랑해요.

　사랑하는 J! 당신도 더 이상은 편안한 길이 예비되지 않은 것 같아. 더 이상 말이야. 나 하고의 알 수 없는 미지의 형극의 길이 싫어 육 개월 안에 결혼하고 싶다면 마음대로 해. 그러나 인생은, 특히 신의 섭리는 아무리 피하려고 해도 피할 수 없는 것이 아니냐. 결국 우린 만날 거야. 난 기다릴 거야. 언제까지라도, 언제까지라도…….

　J! 오늘도 로또복권은 당첨되지 못했어. 난 복권을 살 때마다 당신과의 사랑에 대한 하늘의 뜻을 물어. 어쩌면 우리 사랑이 결실을 맺는 날은 복권이 당첨되는 날 인지도 몰라.

　내 사랑! 그 확률은 사람이 번개에 맞을 확률보다도 작다고 하지. 그러나 이 실 같은 희망이라도 걸 수밖에 없는 것이 우리의 운명이야.

어제는 글을 쓰면서 이런 생각을 했었지.

'죽음이 마치 꿈과 같은 것이라면 죽음 뒤의 세상은 현실과 반대가 되리라. 우리가 꿈을 억지로 꿀 수 없듯이 죽음도 억지로 맞이하면 안 되리라. 그러나 죽음을 자연스럽게 맞아 저 세상에 가게 되면 저 세상은 현실과 반대의 모습으로 나를 맞이 하리라. 지금 같은 고통은 모두 축복으로 바뀌리라. 신은 최선을 다하는 자에게 그 길을 열어 보이니 나 또한 최선을 다해 삶을 살리라.'

J! 난 그런 생각을 한 적이 있어. 우리 인생은 짧지만 우리 영혼의 세계는 무한히 길다는 생각을. 나는 요즘 죽음과 삶을 넘나드는 생각을 많이 해. 사랑하는 J!. 당신이 그리워. 우리 언제 다시 만날 수 있는 거지?

J!. 오늘 전철을 타고 오면서 이런 생각을 했어. I said to my soul. Waitout hope, love ……나는 당신을 생각하면서 가끔씩 야속할 때가 있지. 우리가 정말 사랑한다면 우리는 서로가 자신을 버려야 할거야. 난 아마도 당신이 이래 주기를 바랄지 몰라. 그러나 당신의 그 안정 논리가 결국은 모든 걸 불가능하게 해. 당신은 이제는 안정해서 쉬고 싶다고 했지. 무리가 우리 둘 다에게 맞는 조건을 원한다면 기다려야 해. 신이 허락할 때까지. 그것이 이승이 아닌 먼 저 세상에 갈 때까지라도. 그 조건이 이루어질 때까지 기다려야 해.

내 사랑! 난 신의 뜻을 거역하면서 순간적인 내 욕심(慾心)만 채울 수는 없어. 미안해, 당신의 고통(苦痛)을 외면하는 것만은 아니야.

아…….146)

지금쯤 기찻간에서 열차표 한 장을 만지작거리겠지.

지금쯤은 기차안에서 글을 쓰고 있을 거야!

아니, 지금쯤은 창 밖을 내다보며 내 생각하고 있을지도.

지금쯤은 머리 아파 자고 있을지도 몰라.

지금쯤은 체념했을지도 몰라.

지금쯤은 혼자 오기를 잘 했다고 생각할지도 몰라.

지금쯤은 기차 안에서 뭘 사 먹고 있을지도 모르지.

당신과 함께 기차 안에 있다면 신날 거야.

당신과 함께 기차 안에 있다면 멋질 거야.

당신과 함께 기차 안에 있다면 당신 품에 안겨 있을 텐데.

당신과 함께 기차 안에 있다면 내 시를 읽어 줄 텐데.

당신과 함께 기차 안에 있다면 당신 얼굴만 쳐다 볼거야.

당신과 함께 기차 안에 있다면…….

당신은 홀로 여행 중이야. 혼자서 여행 중이라구.

언제나 그렇듯 당신은 가고 나는 남아 지금쯤은…하면서 당신을
그리워해!

봄이야! 이왕 떠나는 여행, 봄내음을 실컷 들이마시고 와요.

당신의 삭막해진 내 마음에 봄기운을 불어넣어 줄거야.

여전히 겨울인 내 마음에 생명을 불어넣어 줄거야.

당신이 가는 곳이 어딜까? 혹시 바다 내음을 묻혀 오지 않을까?

바다가 그리워!

며칠 사이 별이 뜨질 않았거든.

바다를 갖다 줬으면…….

한참 동안 안 만나다가 만났을 땐 건강해진다고 약속했었지?

건강한 모습의 당신이 보고 싶군.

그러나 아직은 당신이 우리 집에 맘놓고 연락 못 하고.

나 또한 맘놓고 연락을 못해.

자유로워지는 날 새롭게 당신을 만날 거야.

오늘밤엔 꼭 별이 떴으면 좋겠어요.

지금쯤 —

기차 안에서 남은 열차표 한 장을 다 대신 잡고 있겠지.

지금쯤은 한 번도 안타깝게 하지 않았던 인(人)으로 인해서

안타까워하고 있을 거야

기차 안에서 —

기차 안에 둘이 앉아 얘기하면 세상 좋을 거야.

당신 만나면 모든 아픔이 사라질 텐데.

당신이 내 손을 잡아 주면 그게 그냥 좋아요.

당신이 하늘 보며 별을 느끼면 그게 그냥 좋아요.

풋풋하게 바라보면 그게 그냥 좋아요.

나한테 시 써 주면 그게 그냥 좋아요.

당신이 날 막 사랑함을 느끼면 그게 그냥 좋아요.

당신이 내게 얘기해 주면 그게 그냥 좋아요.

얘기 들어주는 당신이 그냥 좋아요.

시 쓰고, 수필 쓰고, 소설 쓰고 쓰고 쓰면서 그 안에 내가 있음을 알면 이 세상 부러울 게 없어요.

세상 아무리 험악하다 해도 날 바래다 주면 이 세상 무서울 게 없어요.

내가 아무리 철모르는 어린애 투정 잘하는 못난이 심술꾸리기라 해도 절대로 떠나지 않는 내 사랑이 있으니 이 세상이 든든해.

둘레둘레 돌아다보면 어디나 당신을 느껴요. 이 세상이 포근해요.

내 마음 이제 더 이상 아프지 않으니 당신을 아프게 하지도 않

을 거야.

내 마음 이제 행복이 넘치는 당신은 사랑의 속삭임을 들을 거야.

아직은 여기저기 상처가 아무리 않았지만 당신이 어루만졌으니 금방 나을 거야.

당신한테 할 얘기가 너무 많아서 늘 얘기를 해요.

하늘 보고 땅 보고 사람들 보고, 살며 느끼며 생각한 것들을 모두 모두 얘기해 주고 싶어.

그러다가 진짜 당신 보게 되면 빨빨리 모두 얘기하려니 숨이 가쁘고 빼먹는 것도 많아. 우리들 또 테트리스(Tetris)해야 하고 다른 사람들 한테 시간을 쪼개 주고 연극도 봐야 하니까 시간이 너무너무 없어요.

거기다가 우리 자신과 가족과 나라와 인간을 위해 궁리도 해야 하고 일도 해야 하고…….

맑은 날을…….

당신께 눈물을 드렸는데, 오늘은 내가 잔잔한 기쁨이 있으므로

당신께 화사한 웃음을 지을 수가 있어요.

지하철(긴 터널) 뚫고 나올 때 아직도 환한 하늘 가운데 별 하나

그리고 내 손을 힘 있게 잡는 당신의 손이 계속 끄덕이며 뭔가를 다짐하는 당신이 모습이 결과야 어떻든 뭐 내가 당신 삶의 중요한 몫임이 새삼스레 느껴지면서 뿌듯합니다.

사랑해요.

결국……어차피…… 하는 말들이, 체념에 가까운 당신의 아픈 말들이 내 마음을 아프게 합니다.

체념이 아니라 기쁨으로 내게 오는 당신을 맞이 하고 싶습니다.

그러기 위해 체념을 한숨이 함께 있어야 함을 알고 있지만 나는 그래도 당신이 내게 옴에 기쁨이고 싶습니다.

이래도 저래도 비극인 나는 알아.

왜 당신이 '어쩔 수 없이', '결국은' 하면서 무거운 숨을 내쉬어야 하며 죽음을 불러들이는지 알아!

당신을 휩싸고 있는 그 비극의 무거움을 내가 가볍게 해 줄 수는 없을까.

나도 그 무게에 큰 몫임을 알지만 덜어주고 싶어.

비극의 무게에서 어떻게 하면 내가 빠져나와 당신 삶의 핵이 될 수 있을까.

파란만장한 일 년의 세월이 내 얼굴에 수심을 드리웠지.

당신은 그걸 싫어하지. 내 눈물을.

내가, 내가 봄을 받아들이고 밝아지면 당신은 가벼워질까?

당신이 싫어하는 건 하지 않아.

난 울지 않을 테야. 아직은 눈물이 그렁그렁하지만은 절대로 흘리지 않을거야.

당신은 약속했지. 나 하고 한 약속을 모두 지키겠다고.

난 당신이 파란 날 신선한 바람을 몰고 내 곁을 오기를 기다려.

난 당신에게 달아나는 것이 아니야.

나를 안아올린 그 두 팔, 뜨거운 가슴을 도망치는 게 아니야.

기다림이 있어야 하겠지만은 당신에게 가는 거야.

한 발짝 한 발짝 가고 있는 거라구.

한동안 보이지 않는다고 해서 달아나는 게 아니야.

예전의 내가 아니라 당신의 사랑을 담뿍 안은 애가 되어 당신을 만날 테야.

그러면 당신 가슴도 덜 아플 거고 당신은 행복할 거야.

나는 요즘 공상 좇기를 하고 있어.

…… 난 목련을 좋아해요. 목련꽃을 좋아한다기보다는 목련을 좋

아해요. 꽃이 지고 잎이 나는. 반드시 잎에서 꽃으로가 아닌 그 역(逆)도 성립할 수 있다는 그 하얀 목련꽃 이파리에 빨간 피를 흘리고 싶어요 — 세상을 건들건들거리며 살 수도 없으면서 그렇게 건지 말아요 — 겉옷보다는 속옷에 속옷보다는 혈관 속의 피가 그보다는 영혼이 맑은 사람이 되시길 …… — 쭈그리고 앉아서 기다린다 — 그랬다. 그는 날 엄청난 힘으로 잡아당겼다. 그의 세계로! 그러나 그의 세계로 내가 발을 들여놓자 나는 너무나도 잎이 나고 꽃이 피는 것들에 길들여져 있었다. 숨이 찼고 나는 도망쳤다. 그리고 홀로 꽃피고 잎이 될 수 있는지를 시험했다. 그저 가능하면 그에게 가리라. 그러나 …….[147]

시인 박목월이 가사를 쓰고 김순애 씨가 작곡한 〈4월의 노래〉다.[148]

목련꽃 그늘 아래서 베르테르의 편질 읽노라
구름 꽃 피는 언덕에서 피리를 부노라
아 멀리 떠나와 이름 없는 항구에서 배를 타노라
돌아온 사월은 생명의 등불을 밝혀 든다
빛나는 꿈의 계절아

김원각의 '달팽이 생각'을 음미(吟味)해 본다.

"다 같이 출발했는데 우리 둘밖에 안 보여./ 뒤에 가던 달팽이가 그 말을 받아 말했다./ 걱정 마 그것들 모두 / 지구 안에 있을거야."

11. 남녀의 사랑은 약속만으로 이루어지지 않는다

오늘날 우리 연애는 왜 이렇게 어려운 걸까.

젊은 세대의 물적 조건과 가장 민감하게 묶여 있는 영역, 섬세한 정치가 작동하는 관계. 연애는 먹고 사는 문제이자 어떤 이에게는 죽고 사는 문제이기도 하다. 낭만으로 가득차야 할 사랑에 생존의 문제가 얽혔다. 신자유주의 시대를 향유하는 청년들의 연애는 더 이상 사랑만으로 지속될 수 없다.

사랑은 다른 사람을 애틋하게 그리워하고 열렬히 좋아하는 마음 또는 그런 관계나 사람이다. 따라서 다른 사람을 아끼고 위하며 소중히 여기는 마음 또는 그런 마음을 베푸는 일로 어떤 대상을 매우 좋아해서 아끼고 즐기는 마음에서 출발한다.

가. 사랑의 시작

마음 속에 생각하고 있는 것이나 감추어 둔 것을 숨김없이 말하는 것. 보통은 사랑고백을 일컫는다.[149]

한자로는 고할 고와 흰 백을 쓴다. 희게(숨기는 것 없이) 고한다는 의미였다면 白告가 되었을 것이고, 실은 여기서 白은 흰 백이 아니라 '아뢸 백'으로 새겨야 한다.

영어 'Go back(되돌아가다)'과 동음이의어인데, 이 때문에 고백을 하면 그 이전의 관계로 go back하기는 대단히 어렵다는 우스갯소리도 있다. 이게 아예 틀린 말은 아닌게, 남녀관계에서 좋아하는 감정을 고백하면, 그 뒤에는 보통 연인으로 관계가 발전되냐, 인간 관계 단절이냐 두 가지로 결국엔 귀결된다. 친구로 남자고 하는 경우도 있지만, 이 의미는 보통 완곡한 거절의 의미이기 때문에, 몇 달 정도 시간이 흐르면서 친구 관계도 호지부지되고, 결국엔 남남과 같은 사이가 되는 경우가 부지기수다. 왜 그렇게 되냐면, 남녀 관계에서 보통 남자가 여자에게 접근하고, 돈과 시간, 관심(정신 에너지)을 투자하게 되는데, 여자가 고백을 거절하면, 굳이 돈과 시간, 관심(정신 에너지)을 투자할 이유가 없어지고, 그 돈과 시간을 다른 가능성 있는 여자에게 투자하는 것이 낫기 때문이다. 그리고 고백을 거절한 여자도 계속 솔로로 있는게 아니고, 몇 달 뒤나 6개월, 1년 안에 남자친구가 생기는 경우가 대부분이고, 남자친구가 생기면 연락을 하기가 뻘쭘해지면서 자연스럽게 관계가 소원해지기 때문이다.

고백을 받아줄 가능성이 가장 높은 방법을 찾자면 고백하는 상대도 자신을 좋아하게 만드는 것이다. 상대도 자신을 좋아하는 마음이 있으면 성공할 가능성이 제일 높아진다. 명확하지만 가장 어려운 방법. 요즘은 썸이라는 단계를 거치니까 이 문제는 간단히 해결할 수 있다고도 하지만 이 단계로 진입하는 과정도 큰 문제이다. 상대가 자신의 마음은 이야기하지 않으면 알 수 없기 때문에 상대의 지인들에게 첩보를 입수하거나 주변인들이 관계의 진전을 위해서 도와주면 조금 더 좋다.

많은 이유가 있지만 고백을 받는 입장에서 완벽하게 모든 걸 안다고 생각하지 않는 사람의 고백은 일단 거절하고 본다. 그 때문에 고백하는 사람은 거절당할 가능성을 최대한 배제하고 좋은 관계를 오랫동안 이끌기 위해 고백을 모든 구애가 끝난 이후로 미루는 분위기가 확산되었기 때문이라는 의견이 지배적이다. 불확실한 고백은 그것이 받아들이든 아니든 둘의 관계를 변화시키기 때문에 이전과의 같은 관계를 계속 이어나갈 수 없기 때문이다. 그리고 고백이 실패하면 두 사람이 속한 커뮤니티에서는 생활이 불가능할 정도로 큰 피해를 입을 수 있기 때문에, 고백은 고백을 하는 사람이 받는 부담이 매우 크다. 그래서인지 현대의 고백은 마음의 고백이라는 실질적인 의미를 거의 상실하였으며 오히려 잘 모르는 상대에게 마음을 알린다는 식으로 고백한다면 이상한 사람이라는 눈초리를 피하기 힘들어지고 극단적으로 고백받은 사람이 악의적으로 소문을 내는 경우 커뮤니티 안에서 매장당할 가능성이 높다.

나. 현대인의 사랑

'썸'이 있기 전, '자유연애'가 있었다. 중매로 짝을 맺던 시절 연애는 결혼을 조건으로 한 경우가 대부분이었다. 하지만 이제는 '썸'이라는, 연애인 듯 연애 아닌, 정의되지 않는 형태의 사랑이 더 흔한 세상이다.

'자유연애'라는 말은, 전통적 공동체에서 벗어난 개인이 오롯이 자기 마음의 동기에 의해서만 '사랑'을 한다는 말과 같다. 따라서 과거 드라마나 영화를 보면 집안의 반대, 사회적 계급 차이,

사회적 조건과 같은 외부적 요인이 이들 사랑의 유일한 장애물이
었다. 근대사회에서의 개인은 처음으로 자신의 마음을 자각한 것이
다.

현대사회로 넘어오면서는 한 개인이 '자유'를 획득하는 것을
넘어서서, 자유에 잇따르는 수많은 '위험'까지 감수해야만 하는
상황이 되었다. 즉, 현대사회의 개인은 자기 계발을 통해 '개인의
능력치'를 끊임없이 검증시켜야 하는 것이다. 공동체의 울타리가
사라지고 경계가 불분명한 현대의 개인은 자신 스스로를 보호해야
한다.

'썸'도 이런 시대적 분위기 안에서 탄생했다. '사랑'조차
'리스크'인 세상에서 개인을 보호할 수 있는 수단이 바로 썸이
다. 정의되지 않은 관계에서의 불안함, 그러나 아직 '공식적 관
계'는 아니기에 여러 미래의 위험요소를 방지할 수 있다는 차원
에서의 안도감. 이 모순된 감정이 썸을 계속 타게 하는 요인이다.
따라서 요즘 로맨스물에서의 사랑은, 개인의 발전, 감정 등 내부요
인에 의해서 어려움을 겪는다.

바꿔 말하면 현대 사회의 사랑의 동기는 오직 '사랑'뿐인 것
이다. '행복'이라는 단어만큼 추상적이지 않을 수가 없다. 섹슈
얼한 느낌이 '사랑'이라고 정의하는 사람도 있고, 편안한 감정에

서 오는 안정감이 '사랑' 이라고 정의하는 사람도 있다. 물론, 어떤 '사랑' 이건 간에 주변의 이야기나 많은 콘텐츠에서 다뤄지는 사랑 이야기는 비슷한 레퍼토리를 가지고 있다.

'깻잎 논쟁' 이나 '여사친, 남사친 논쟁', '내가 바퀴벌레로 변하면 어떻게 할 거야?' (연인, 가족에게 일종의 리액션을 기대하는 릴스) 등의 주제를 쫓아보면, 결국은 끊임없이 서로의 사랑을 확인해야만 하는 불안한 현대 상을 반영한다. 내가 아닌 다른 여자, 남자의 깻잎을 떼어준다거나 다른 친구인 여자, 남자와 친하게 지낸다는 등의 문제가 항상 논쟁거리가 된다는 사실은 '사랑이 식으면 관계도 곧 끝' 이라는 전제를 동반한다.

그만큼 '사랑' 은 유동적이다. 더 이상 한 사람만을 바라보는 헌신적인 사랑이 이상적인 사랑이라고 평가되지는 않는다. 오히려 각자의 개인사에 대해 크게 속박하지 않고, 쿨한 관계, 서로가 윈윈하는 관계가 '이상적인 사랑' 이라고 여겨진다. 연애도 스펙인 시대에서 우리는 괜찮은 상대를 찾기 위해 또 끊임없이 자기 계발 한다.

반대로, 어울리는 상대를 찾기 위한 조건(외적이던, 내적이던)도 따진다. 연애를 위해 서로에 대해 알아가는 과정 또한 굉장히 효율적으로 이루어진다. 수많은 연애 프로그램에서 며칠 만에 결실을 맞는 게 과연 가능한가 싶으면서도? 바쁘다 바빠 현대 사회에서 프로그램을 통해 (그래도 나름 검증이 된) 공통의 목적을 지닌 남녀들이 짧은 시간 안에 '사랑' 이라는 결과를 낼 수 있다고 생각하면, 어떻게 보면 나쁘지 않은 방법일 수도 있겠다 싶었다. 말그대로 선택과 집중이다.

이렇듯 사랑하기 힘든 세상이라고 하지만 연애와 사랑은, 아직도 중요한 문제인 듯하다.

　그럼 2023년이라는 현대를 살아가는 민지연이라는, 나 개인의 삶은 어떠한가? 말하면. 나 또한 수많은 위험부담을 계산하며 살아가는 현대인일 뿐이다. 개인의 발전과 이상을 더 중요시 하는 편에 가까웠던 나는 '사랑'이라는 리스크를 굳이 감수하는 선택을 하지 않았다. 좋게 말하면 이렇지만, 뭐 결론은 연애 경험이 적다는 이야기이다. 그런 나를 향해 무의식적으로 힐난했던 적이 있다.

　'신여성'이라는 말이 나온 지는 100년이 다 되어 가는데, 호감 있는 상대가 있으면 난 왜 적극적으로 행동하지 못하는가. 여성적이라고 여겨지는 행위를 습득, 모방하지 못한 나로서는 연애에 있어서 본질적으로 약점을 가지고 있는 걸까? 등등의 생각들. 한편 '나' 정도 되면 하는- 상대방의 마음을 저울질하며 스펙을 따지는 티 나지 않는 계산적인 생각도 분명 자리했었다.

　또한, 누군가의 우주를 이해하고 포용해야 하는 일 자체가 굉장히 버겁게 느껴지기도 했다. 나도 아직 부족한 게 많은데. 이와 같은 무한의 내적 소용돌이가 사랑 앞에서는 나를 '얼음' 만드는 요인이기도 했다.

　그러나 이 소용돌이가 결국 소용이 없을 때 사랑이 찾아왔다. 솔직히 말하면, 나의 약점을 그대로 인정하고 받아들인 데서 시작된 것 같다. 연애도 결국 사람 사귐의 일이다. 수많은 위험 요소를 고려하는 탓에 그 무엇도 시작 못 할 거면, 차라리 고려를 안 하는 게 낫다. 물론 끊임없이 생각이 오가겠지, 어떤 계약서로 사랑을 의무화한 게 아니므로 '너 나 사랑해?' 등의 뻔한 말을 내뱉을 것이다.

"EQUUS is a dramatic play about a boy with a secret love for horses."

현대인의 사랑의 동기는 오직 '사랑' 뿐이다. 오히려 '결혼' 이라는 제도 안에서는 '사랑' 외에 기댈 수 있는 요인 많기 때문에 역설적으로 또 사랑을 지속할 수 있을지 모른다. 하지만, 지금처럼 결혼이 자연스러운 선택지로 여겨지지 못한 상황에서 연인은 서로 간의 사랑 확인을 매번 해야하는 상황에 처하게 된다. 영원의 약속이라고 여겨지는 계약이라도 있으면, 이렇게 불안하지는 않을 텐데.『연애정경』150)을 펴낸 박소정의 말에 의하면, 연애는 정반합이 없는 반복 재배열되는 사랑이다.

그렇다면 또다시 반문해보자. 어차피 반복 재배열되는 것이 사랑이라면 우리는 왜 이 행위를 지속하는 걸까. 시간 낭비, 감정소모를 동반하는 사랑을 우리는 왜 해야 할까. 그 이유 역시도 역설적으로도 또 '사랑'이다.

이처럼 현대인의 사랑의 동기가 오직 '사랑'뿐이라면, 한번 기대해 볼 수 있지 않을까? 오직 '사랑'을 위해서만. 다른 것 다 떠나서 말이다. 어차피 나는 그렇게 대단한 사람도, 그렇게 못난 사람도 아니다. 사랑 이야기가 늘 흔해빠진 레파토리로 반복되는 이유도 그런 이유에서 일 것이다.

'사랑' 앞에서는 우리 모두는 '보통'이 되니까. 이상할 것도, 별날 것도 없는 보통의 사람이 살아가는 정반합 없는 인생에서, 유일하게 우리가 기댈 수 있는 것 역시 보통의 사람이니까. 그러므로 한번 빠져보자. 숨 꾹 참고 Love Dive.[151][152]

다. 사랑의 담화

대학을 갓 들어간 해동은 정말 뭐가 뭔지 알 수가 없었다. 어떻게 이렇게 여자만 만나면 차이는지 그 이유를 알 수 없었다. 준수한 외모에 좋은 학벌 등 외적으로 뭐 하나 빠지는 게 없는데 여자한테는 항상 찬밥 신세다. 친구들은 해동의 말을 믿지 않았다. 네가 차일 리가 없다는 것이다. 괜히 네가 싫으니까 차인 척하며 실제론 찬 거 아이냐는 것이다. 해동은 억울했다. 분명히 차인 건 나이고 그것도 잔인하게 차였는데 아무래도 나에게 무언가 문제가 있다. 그래서 해동은 노트를 하나 만들기로 했다. 왜 여자한테 차이는지, 차이는 이유는 무엇이고 그것을 극복하자면 어떻게 해야 할지를 일일이 적어보기로 했다

그렇게 해서 만들어진 것이 『해동의 사랑 노트』이다. 해동은 사랑의 신이 자기를 도와 답을 써 줄 것으로 생각하고 노골적으로 노트에 질문을 적기로 했다.

☞ 사랑의 신님! 저는 여자들을 만날 때마다 바보 맹추 같다는 생각이 듭니다. 말하는 것도 어디서 다 주워들은 말이고 제 판단과 결정, 행동 또한 모방적인 것뿐입니다. 아무 생각 없이 나갔다가 식당에서 돈이 없어 그냥 나온 적도 있습니다. 그때 여자가 당황하던 모습이라니. 저에게 여자들은 하나같이 다 과분해 보이기만 합니다. 그래서 그런지 여자들에게 걸핏하면 차이곤 합니다. 저에게떤 문제가 있는지, 있다면 어떻게 그 문제를 해결해야 하는지 하명해주십시오.

♡ 해동 씨, 너무 걱정마세요. 해동 씨는 그동안 공부만 열심히 해서 사회 경험이 부족할 뿐이에요. 사회를 헤쳐나가는데 경험이 부족하니 남들 경험을 모방할 수밖에 없죠. 그러나 세월이 흐르면서 경험과 공부가 축적되다 보면 해동 씨 나름대로 감각과 창조성이 생길 거예요. 그때 되면 순발력 있게 다양한 상황을 멋지게 헤쳐갈 수 있을 거예요. 데이트하는 데 뭐가 필요한지도 떠올라 비할 수도 있구요. 해동 씨는 지금 자기 생각에 스스로 아무 것도 없는 바보 맹충이 같다고만 여겨지겠지만 해동 씨를 둘러싸고 있는 해동 씨의 기운은 충분히 아름답고 신비로우니 너무 걱정하지 않으셔도 되어요.

해동 씨는 지금 젊음의 한 가운데 있잖아요. 젊음은 신이 인간에게 잠시 빌려주는 신성으로 그 안에서는 무엇이든 모든 것이 다 가능해요. 그 자체로도 빛이 나구요. 자신의 젊음에 충분히 자신을 갖고 이것저것 많이 공부하고 경험하고 자기에 맞는 길을 찾아보세요. 세월이 가면서 해동 씨는 충분히 세련되어져서 여자를 리드하는 입장에 설 수 있을 거예요. 지금은 사랑은, 감정을, 사회를 공부하는 첫 단계이니 너무 높은 수준에 이르려 조급하게 욕심 부리지 마세요. 초등학교 1학년이 미적분을 당장 풀 수 있는 것은 아니 잖아요.

지금 해동 씨에게 중요한 것은 자신감이에요. 지금 자기가 갖고 있는 것, 담고 있는 것만 생각하면서 위축되지 말고 앞으로 가질 수 있는 것, 담을 수 있는 것을 생각하면서 자신감을 가지세요. 여 자들은 현실적이라 모든 걸 완벽하게 다 갖춘 남자를 원해 해동 씨를 홀대하기도 하지만 지내다 보면 해동 씨의 가능성을 보고 사 랑하는 현명한 여자도 만날 수 있을 거예요. 지금 만나는 여자들 이, 지금 만나고 있는 해동 씨 모습이 변치 않는 세상의 기준은 아 니니 너무 염려 말고 하루하루 열심히 자신의 가능성, 주체성, 창 조성을 찾아 공부하세요. 해동 씨는 기운이 무척 좋고 밝으니 기 죽지 말고 정진하세요. 그러면 좀더 더 세련되고 행동하고 남들에 도 좋은 인상을 줄 수 있는 멋진 젊은이가 될 거예요.

☞ 사랑의 신님! 어떻게 이럴 수가 있습니까? 이렇게 잔인해도 되는 건가요. 사랑과 결혼을 약속하고, 그래서 키스까지 했는데 어 쩜 이렇게 헤어질 수가 있는 건가요? 도대체 이유를 알 수 없습니 다. 그 정도 사귀었으면 헤어지더라도 이유를 말해줘야 하는 것 아 닙니까? 그녀는 무조건 몰라, 몰라 하면서 밀어내고 피하기만 합니 다. 그녀를 잊기가 힘듭니다. 어떻게 해야 합니까? 저도 소설 속의 주인공들처럼 한평생 그녀를 기다리며 그녀가 마음을 돌리기만을 기다려야 하나요?

♡ 잊으세요. 그녀가 그렇게 행동한다면 잊어주는 게 예의입니 다. 그녀를 위해서도, 임을 위해서도요. 그동안 사랑의 세월이 있어 쉽게 잊을 수는 없겠지만 그래도 반드시 잊어야 합니다. 임은 할

만큼 했습니다. 그녀를 잊지 못하면 못할수록 임의 인생에 마이너
스로 작용하게 될 겁니다. 그녀가 그렇게 나온 이상 그녀는 임의
인연이 아닙니다. 남녀의 사랑은 약속만으로 이어지지 않습니다.
사랑을 선택하고 결정하는 데는 많은 이유가 있습니다. 그리고 그
이유는 남녀가 각기 다릅니다. 여자의 경우에는 특히 현실적인 것,
미신적인 것에 많이 작용합니다. 아무리 사랑해도 점쟁이 말 몇 마
디에 마음을 돌이킬 수 있는 여자도 있습니다. 여자의 선택에 너무
좌지우지 되지 말고 임의 인생을 옹글게 사세요. 지금 임이 할 수
있는 최선은 그녀를 잊는 것입니다. 한동안 힘들겠지만 반드시 잊
어야 합니다. 한 번 어긋난 인연, 인간의 힘으로 억지로 다시 붙일
수는 없습니다.

☞ 사랑의 신님! 세상은 제가 생각하는 것처럼 상식적인 사람들
이 사는 것은 아닌 것 같네요. 어떻게 그런 이기심이 작용할 수 있
는지, 사랑을 배신할 수 있는지 받아들이기가 힘들었습니다. 그러
나 이제는 받아들일까 해요. 하지만 나는 내가 두려워요. 이 상처
는 앞으로 여자를 믿지 않고 살게 될까봐. 앞으로 전 어떻게 해야
하지요

♡ 해동 씨가 만난 그 여자는 전체 여자를 대표할 수 있는 아니
랍니다. 임처럼 심성이 맑고 순수한 여자가, 그래서 사랑의 약속을
지키고 사랑을 위해 시련을 견디고 극복할 수 있는 여자가 세상에
는 얼마든지 있어요. 그 여자 하나 때문에 임이 여자를, 인간을, 세
상을 불신하고 산다면 그것이야말로 정말 불행한 일입니다. 남을
믿지 못하며 남도 나를 믿지 못하고 그렇게 되면 임에게는 처참한
외로움밖에 안 남아요. 하지만 이 기회를 통해서 임도 한 가지는

깨달았으면 좋겠어요. 정말, '아닌' 사람은 깨끗하게 잊고 포기하는 겁니다. 아닌데도 붙들고 있으면 임만 상처받아요. 세상의 반은 좋은 사람이고 반은 나쁜 사람일 수도 있어요. 그러니 아니다 싶으면 과감하게 털어내야 해요. 무조건 믿으면서 버티는 것은 임만이 파멸을 초래할 뿐이랍니다.

세상은 50퍼센트는 믿되 50퍼센트는 경계해야 해요. 사람을 믿되 확인해야 하고, 믿을만한 사람에게는 확실한 신뢰를 주지만 아닌 사람은 과감히 정리할 수 있어야 해요. 이번 경험은 해동 씨가 세상을 살아가는 데 아주 소중한 교훈이 될 거예요. 이번 일로 세상과 사랑에 좀더 신중하게 주의를 기울일 수 있다면, 이번 경험은 해동 씨에게 큰 복이 될 거예요.

해동 씨! 이번 경험은 이 험난한 세상을 헤쳐가는 다리-bridge over trouble water-로 삼았으면 합니다. 이 경험만 잘 소화해도 앞으로의 인생은 훨씬 지혜롭게 헤쳐갈 수 있을 겁니다.[153]

사랑은 사랑만을 사랑할 뿐

나는 너를 사랑한다 내가 알지 못하는 모든 여인을 위하여
나는 너를 사랑한다 내가 체험하지 못한 모든 시간을 위하여
-폴 엘뤼아르, 〈나는 너를 사랑한다〉

"네가 왜 너 아닌 걸 사랑하는 줄 알아? 너를 닮아서야. 너의 복제를 사랑하는 거지. 그러니까 너는 너 자신을 사랑하는 것 뿐이라고. 사랑은 자기반영과 자기복제니까. 사랑은 유전자가 시켜서 하는 거라고."[154]

12. 나 보다 더 나를 사랑한 당신께

벌써 많은 세월이 흘렀군요. 나름대로 주어진 업(業)에 충실한다고 살아왔지만 당신에게는 고통만 안겨 준 것 같아요. 왜 나는 당신의 고통에 대해서는 그렇게 무심할 수 있는지 나 자신도 모르겠어요. 아마도 용기가 부족해서 그런가 봐요. 용기도 없고 자신감도 없고 독립적이지 못하면 사랑도 꿈꾸지 말아야 하는데 그러면서도 사랑만은 부려잡으려고 하니 아주 욕심 많은 놈이죠!

이번 생에 마주치는 사랑의 아픔들은 전생에 얽어 놓은 수많은 응보(應報, 행동의 선악에 따라 그 대가로 길흉(吉凶)과 화복(禍福)을 받음) 때문인 것 같아요. 알 수 없이 다가오고 끌어들이고 말려들고 하는 인연들은 그 이상의 다른 말로 설명할 수가 없어요. 그래서 무녀에게 이런 안타까움을 호소했더니 나는 전생의 업 때문에 이번 생에는 무지무지 일을 많이 해야 된대요. 만나는 인연도 피하지 말고 맞닥뜨려 얽힌 업을 다 풀고 가야 한다나요. 이제는 사랑도 여난(女難)도 지겨워 조용히 살고 싶다고 했더니 아직도 두 사람이 더 남아 있대요. 참 기구한 운명이죠?

여자를 만나면 좋은 것 같지만 여자란 감정이라 많이 시달려요. 지치기도 하구요. 그러나 어떤 여자를 만나도 당신을 잊을 수는 없었어요. 그녀들과 하는 얘기란 주로 당신 얘기죠. 달리다 달리다 지쳐 한때는 당신을 잊으려고 해 본 적도 있었어요. 내 발목을 매달고 그저 앞으로만 달려가는 운명의 수레바퀴가 너무 가혹해 그만 편안해 보려고 교활하게 웅크린 적 있었어요. 그러나 운명의 신은 가혹하게 채찍을 휘둘러 당신께 내몰더군요.

당신이 이겼어요. 당신의 사랑이 그만큼 강하고 진실하기 때문일
거예요. 당신의 맑고 곧은 앞에서는 항상 초라한 범인(凡人)에 불
과하지만 운명을 피할 만큼 어리석지는 않아요. 전에는 신들의 장
난이 두렵기도 했지만 이제는 신들의 장난이 궁금하기도 해요. 그
들은 또 어떤 장난을 칠까? 그러나 전 같이 욕심부리거나 분노에
떨거나 흥분하지는 않을 테니까요. 개구쟁이 신들이 우리에게 극적
인 재미를 원한다면 우리의 사랑을 가능케 해야 할거예요. 그거야
말로 가장 어려운 문제를 가장 재미있게 푸는 일일테니까요.

　그러나 어떻하죠, 그렇게 우여곡절 끝에 당신과의 사랑을 이뤄도
내가 또다시 닥쳐올 운명의 두 여자에게 넋이 나가면요. 아마 당신
은 내가 딴 여자에게 눈이 돌아가면 날 용서하지 않을 거예요. 당
신은 누구보다도 강하게 사랑을 짊어지니까 사랑의 짐을 내려놓고
한눈파는 나를 이해하지도, 용서하지도, 견디지 못할 거예요. 아마
그래서 우리의 마지막 만남에서 나는 당신에게 "아직 때가 아니다.
가라. 저기서 다른 여자가 기다리고 있다." 라고 말했을 거예요. 어
쩌면 이 모든 게 신의 섭리죠. 나라는 인간이 그렇고 그러니까 우
리는 이렇게 헤어지고 나는 또 그렇고 그렇게 살고…….

　그러나 아직 나도 나 자신을 포기하지는 않았어요. 어떤 때 열심
히 살면 당신같이 맑고 강한 기운이 솟아오를 때가 있어요. 그것은
오래지 않아 곧 사라져서 그렇지 아주 없는 것은 아니에요. 오래전
어린 시절에는 그것이 바로 나의 기운이었을 거예요. 그때는 나도
당신만큼 고집쟁이였으니까요. 어렸을 때는 주위에서 내 뜻을 받아
주지 않으면 엄마건 누구건 다 뿌리치고 과감히 혼자서 앞으로 쭐
레쭐레 걸어갔어요. 누가 쫓아와서 나를 붙잡을 때까지 뒤도 돌아
보지 않고 걸어갔죠. 그런 내가 왜 이렇게 됐을지 모르겠어요. 아
마도 운명의 힘이 나보다 강해서 그런가 봐요. 아무튼 갈 때까지

가 보죠. 이놈이 소용돌이가 나를 어디까지 끌고 들어갈지. 소용돌이를 벗어날 수 있는 사람이 어디 있나요.

　사랑해요. 생명은 영원한 거니까 만날 날이 있을 거예요. 이번 생이 아니면 다음 생에서라도, 다음 생이 아니면 영혼 한가운데 서라도. 우리가 다시 만나 서로 사랑하는 날은 아마 나도 당신같이 밝아져 있을 거예요. 그래서 우리가 지금 헤어져 있는 건 아닐까요? 행복하세요. 그리고 날 용서하세요. 용서하고 싶지 않다면 한 번쯤은 불쌍하게 생각해 주세요. 운명의 수레바퀴에 걸려서 어쩔 줄 모르고 끌려다니는 한 사람을……155)

어떤 주례사

주례를 서기 위해
과거를 깨끗이 닦아 봉투에 넣고
전철을 탔는데
맞은편 자리에 앉아있는 노부부의 풍경이
예사롭지가 않다
키가 아주 큰 남편이 고개를 깊이 숙이고
키가 아주 작은 아내의 말을
열심히 귀 기울여 들으며
연신 고개를 끄덕이고 있다
초등학교 일 학년 학동 같다
그렇다, 부부란 키를 맞추는 것이다
키를 맞추듯 생각도 맞추고
꿈도 맞추고
목적지도 맞추는 것이다

그렇게 살다가 내릴 역에 다다르면
눈빛으로 신호를 보내
말없이 함께 내리는 것이다 —안홍열(1949~)

　3월의 대학교 교정은 파릇파릇하다. 초록만 그런 것이 아니라 사람도 파릇파릇하다. 새싹 같은 사람들이 목소리도 낭랑하게 떠드는 것을 듣고 있자면 흐뭇해진다. 화제 중에서도 연애 이야기가 나오면 톤이 높아지는 것은 옛날이나 지금이나 똑같다. 나도 연애하고 싶다는 푸념이라든가 누구한테 관심 있다는 이야기까지, 청춘의 3월은 흥미진진하다. 사랑하기 좋은 계절, 사랑 그 자체를 사랑하는 사람들에게 사랑의 시 한 편을 소개하고 싶다.

　이 시에는 '사랑'이라는 단어는 한마디도 등장하지 않는다. 다만 주례를 설 만큼 나이가 지긋한 시인이 지나가다 목격한 부부 이야기만 나온다. 노부부는 서로에게 키를 맞추어 다정하게 이야기를 나누고 있다. 대단히 화려한 장면도 아니고 눈에 확 들어오는 결정적 장면도 아니지만 시인은 거기서 사랑의 정수를 찾아낸다. 저렇게 서로를 바라보며 서로에게 맞추는 마음이 사랑이구나. '우리 지금 사랑에 빠졌어요' 하는 의식이 없이도 노부부는 평생 자연스럽게 사랑을 실천했을 것이다. 사람으로 태어나 이렇게 살면 얼마나 성공적일까. 크게 부자가 된 사람, 권세 있는 사람이 부럽지 않다. 저 노부부의 사랑만이 부럽다.[156]

접시꽃 당신

도종환

옥수수잎에 빗방울이 나립니다
오늘도 또 하루를 살았습니다
낙엽이 지고 찬바람이 부는 때까지
우리에게 남아 있는 날들은
참으로 짧습니다.
아침이면 머리맡에 흔적없이 빠진 머리칼이 쌓이듯
생명은 당신의 몸을 우수수 빠져나갑니다.
씨앗들도 열매로 크기엔
아직 많은 날을 기다려야 하고
당신과 내가 갈아 엎어야 할
저 많은 묵정밭은 그대로 남았는데
논두렁을 덮는 망촛대와 잡풀가에
넋을 놓고 한참을 앉았다 일어섭니다.
마음놓고 큰 약 한번 써보기를 주저하며

남루한 살림의 한구석을 갈아 꾸려오는 동안
당신은 벌레 한 마리 함부로 죽일 줄 모르고
악한 얼굴 한 번 짓지 않으며 살려했습니다
그러나 당신과 내가 함께 받아들여야 할
남은 하루하루의 하늘은
끝없이 밀려오는 가득한 먹장구름입니다.
처음엔 접시꽃 같은 당신을 생각하며
무너지는 담벼락을 껴안은 듯
주체할 수 없는 신열로 떨려왔습니다.
그러나 이것이 우리에게 최선의 삶을
살아온 날처럼, 부끄럼없이 살아가야 한다는
마지막 말씀으로 받아들여야 함을 압니다.
우리가 버리지 못했던
보잘것없는 눈 높음과 영욕까지도
이제는 스스럼없이 버리고
내 마음의 모두를 더욱 아리고 슬픈 사람에게
줄 수 있는 날들이 짧아진 것을 아파해야 합니다.
남은 날은 참으로 짧지만
남겨진 하루하루를 마지막 날인 듯 살 수 있는 길은
우리가 곪고 썩은 상처의 가운데에
있는 힘을 다해 맞서는 길입니다,
보다 큰 아픔을 껴안고 죽어가는 사람들이
우리 주위엔 언제나 많은데
나 하나 육신의 절망과 질병으로 쓰러져야 하는 것이
가슴 아픈 일임을 생각해야 합니다.
콩댐한 장판같이 바래어 가는 노랑꽃 핀 얼굴 보며

이것이 차마 입에 떠올릴 수 있는 말은 아니지만
마지막 성한 몸뚱아리 어느 곳 있다면
그것조차 끼워 넣어야 살아갈 수 있는 사람에게
뿌듯이 주고 갑시다.
기꺼이 삶의 어느 부분도 떼어주고 가는 삶을
나도 살다가 가고 싶습니다.
옥수수잎을 때리는 빗소리가 굵어집니다
이제 또 한 번의 저무는 밤을 어둠 속에서 지우지만
이 어둠이 다하고 새로운 새벽이 오는 순간까지
나는 당산의 손을 잡고 당신 곁에 영원히 있습니다.

불치병에 걸린 아내를 바라보는 시인의 암담한 심정을 노래하는
것으로, 암에 걸려 하루하루 머리카락이 빠져가는 아내를 지켜보는
안타까운 마음에 갈아야 할 논. 밭들이 그대로 남아 있지만 풀을
뽑을 엄두를 못 내고 넋을 놓고 있을 뿐입니다.

넉넉하지 못한 생활이지만 순수하고 착한 마음으로 살아온 아내
였는데, 이 아름다운 여인의 마지막을 받아 들여야 한다니 그 절망
감이 먹장구름처럼 밀려오고, 다가오는 죽음의 그림자로 인한 절망
감을 노래하고 있습니다.

절망감을 이겨내고 긍정적인 태도를 가지면서, 지난날의 불필요
한 영욕을 모두 버리고 오히려 자신과 죽어가는 아내보다 더 고통
스러운 사람들을 위해 자신의 몸뚱이라도 떼어줄 수 있다는 살신
성인의 자세를 갖고 살아가겠다고 다짐합니다.

옥수수 잎을 때리는 빗소리가 굵어지는 깊은 밤, 오늘이 가고 새
벽이 올 때까지 결코 당신의 손을 놓지 않고 영원히 당신을 사랑
하겠다고 다짐하고 있습니다.

사랑은 사랑만을 사랑할 뿐

  사랑은 자기번영과 자기 복제. 입은 비뚤어져도 바로 말하자. 내
가 너를 통해 사랑하는 건 내가 이미 알았고, 사랑했던 것들이다.
내가 너를 사랑한다 해서, 시든 꽃과 딱딱한 빵과 더렵혀진 눈(雪)
을 사랑할 수 없다. 내가 너를 사랑한다 해서, 썩어가는 생선 비린
내와 섬뜩한 청거북의 모가지를 사랑할 수는 없다. 사랑은 사랑스
러운 것을 사랑할 뿐, 아장거리는 애기 청거북의 모가지가 제 어미
에게 얼마나 예쁜지는 너는 알지 못한다.
          ─『달의 이마에는 물결무늬 자국』(문학과 지성사, 2012)

"묵은 잎을 떨궈야 새잎이 싹튼다"

욕심이 가득하면 꽃이 잡초로 보이고 사랑이 가득하면 잡초도 꽃으로 보인다. 누구나 새잎 시절이 있거늘 어떤 이는 꽃으로 살고 어떤 이는 잡초로 산다. 꾸미는 게 나쁜 건 아니지만 뭔가 감추기 위한 것이라면 잡초가 생겨나기 마련이다. 아름다움의 기준이 뭔지는 몰라도 가꾸는 것과 꾸미는 건 다른 것이다. 마음 가꾸기를 해야 새잎이 돋는 거지 마음 꾸미기만 하면 어찌 새잎이 돋겠는가? 아무리 영원한 사랑이라도 가꾸지 아니하면 시드는 것이다.

용서는 새잎을 돋아나게 하는 훌륭한 거름이다. 사랑도 그러하고 '괜찮다, 괜찮다'라는 말도 그러하다. 새해맞이 하면서 마음속에 새잎을 틔울 수 있겠지만 아침 명상, 걷는 것만큼이나 하겠는가. 남을 사랑하는 일도 어렵지만 용서하는 일은 더더욱 힘들다. 모름지기 땅이라는 건 가꿔야 하는 것이다. 가꾸지 않고 결과만 기다린다면 씨를 뿌리지 말아야 한다. 마음을 가꾸지 아니하고 꾸미기만 하면 뜻한 바를 이룰 수 없다. 꿈에 속아서 일생을 망치는 사람이 얼마나 많은가. 어떡하든 봉우리에 오르겠다는 사람들! 장비에 의존해서 오르는 걸 당연하다 여길 수 있겠지만 마음을 믿고 오르는 것이 먼저다. 봉우리에 오른다고 꿈을 이룬 것도 아니다. 봉우리를 바라보는 것만으로도 꿈은 이룰 수 있다. 봉우리에 오른다 한들 새잎이 없으면 꿈은 시든다. 날마다 새잎을 가꿔야 하는 까닭이 거기에 있다. 사랑하는 마음으로!

가는 곳마다 길이 막히고 솟아날 구멍마저 보이지 않을 때가 있다. 나도 여러 번 눈앞이 캄캄한 적이 있었다. 한번은 어둠 속에서 희미한 별을 보고는 눈물을 쏟았다. 나는 버틸 실력도 없었고 어둠을 헤쳐나갈 능력도 없었다. 세상에 기댈 사람 없고 나 혼자뿐이라는 걸 알았을 때 빛이 날아와 나를 어루만져 주었다. 눈앞이 캄캄하다는 건 아무것도 생각나지 않는다는 것이다. 마치 배선이 끊어져 전기가 들어오지 않는 것처럼. 사람은 빛에 익숙해서 잠시라도 어둠을 만나면 당황한다. 나도 그랬다. 그때 마음속에 새잎이 있었다면 그렇게까지 당황하지는 않았을 것이다. 지금까지 내가 살아온 건 그야말로 '하늘이 보우하사'라고 할 수 있다. 나는 종교가 없다. 하지만 누군가가 나를 도왔다. 눈앞에 보이는 빛만 빛이 아니다. 마음속에서 나를 어루만져 주는 새잎도 빛이다. 산에서 길을 잃고 헤맨 적이 있었다. 산에서는 해가 금방 진다는 걸 알면서도 길을 믿었다가 어둠을 맞이했다. 옷이 찢어지고 손에서 피가 나는 줄도 모르고 숲을 헤쳐나갔다.

북극성은 북극성일 뿐, 두려움은 좀처럼 떨어져 나가지 않았다. 아무도 살지 않는 폐가를 발견하고는 긴 한숨을 쉬었다. 동틀 무렵 저 멀리 새잎처럼 돋아나는 해를 바라보는데 눈물이 고였다. 나는 언제쯤 나를 용서할 수 있을까! 내 마음은 왜 이리 황폐할까? 언제쯤 내 마음에 새잎이 돋아날까? 목놓아 울지는 않았지만 목놓아 소리쳐 보았다.

얼었던 시냇물이
풀려서 흘러가듯
시린 가슴에 묵은 슬픔도
흘러가면 좋겠네
어두운 꿈길에서
별을 찾는 나그네여
그대 외로운 발걸음마다
꽃이 피면 좋겠네

내가 봄이 되어 봄바람으로
그대 겨울로 스며 들어가
춥고 서러운 그대 가슴에
새잎 되고 싶다
미움이 사랑 되고
슬픔이 기쁨 되는
해거름 하늘에 꽃구름처럼
꿈이여 다시 한번
- '새잎' (1989)157)158)

사랑해도 되는 사람

울적한 눈물이 고이는 날
말재주 없는
어설픈 유머일지라도
나를 웃게 만들어 주려 애쓰는 사람

허전함에
한숨짓는 내 모습에
한달음에 달려가
떡볶이, 튀김,
순대 범벅..
잔뜩 사 들고 오는 사람

먹기 싫은 음식을 먹을 때는
맛있는 척
함께 먹어 주며
입맛 돋게 해주는 사람

하루가 시작되는 아침
밝은 목소리로
"힘내자! 즐겁자!"
잊지 않고 안부 전하는 사람

부슬부슬 빗물이
조용히 스며드는 날
찻잔에
원두 향기를 부어주는 사람

산들바람 불어와
들뜬 기분이 드는 날
감미로운 노래를

홍얼거려 주는 사람

나를 바라보는
소리 없는 두 눈 가득
햇살처럼 반짝이는
빛이
머무는 사람

사랑한다 말할 때는
진실한 마음을 가득 버무려
아름답게,
속삭여 주는 사람.

　새물결〈위험사회〉라는 저서로 유명한 사회학자 울리히 벡이 그의 부인과 함께 집필한 〈사랑은 지독한, 그러나 너무나 정상적인 혼란〉(이하 〈사랑은 지독한 혼란〉)은 사랑, 결혼, 가족에 대한 근원적인 성찰을 보여주는 책이다.

　이 책은 사랑이 '보편 종교'가 되어버린 시대에 우리에게 정말 필요한 것은 사랑하는 방식에 대한 근본적인 성찰이라는 깨우침을 준다. 또한 사랑, 결혼, 가족이라는 말로 찬미되고 은폐되고 신성화되는 우상들을 벗겨낸다.

　(1) 산업혁명이 야기한 근대적 사랑 방식

　언젠가 SBS 〈솔로몬의 선택〉에서 '사랑 없는 결혼 생활'에 대해 아내가 남편에게 위자료를 청구하는 소송을 소개한 적이 있다. 이 소송에 대해 20대 안팎으로 보이는 젊은 여성 게스트는 사랑 없이 결혼 생활을 할 수 없으니 당연히 위자료를 주어야 한다고 주장했다.

　그러나 이에 대해 50대 정도로 보이는 나이든 여성 게스트는 사랑 없이도 결혼하고 함께 산다고 반박했다. 그리고 둘은 이해할 수 없다는 듯한 표정으로 서로를 바라보았다. 여기서 우리는 전근대의 사랑·결혼 방식과 근대의 사랑·결혼 방식의 차이를 극명하게 보게 된다.

　우리 시대에는 연인의 사랑을 마치 시공을 초월한 인간의 보편성에서 비롯한 절대적인 무엇 또는 온갖 환상이 투영된 희망적인 무엇으로 찬양한다.

　그러나 우리가 사랑에 여러 가지 복합적인 희망을 투여하는 것은 근대적 현상이며, 우리 시대에 특유한 것이라고 <사랑은 지독한 혼란>은 설명한다. 사랑을 위한 결혼은 겨우 산업혁명이 시작되고 나서야 존재하기 시작했으며, 따라서 산업혁명의 발명품이었다는 것이다.

　근대에는 사랑을 결혼의 전제조건으로 여기지만, 근대 이전에는 사랑과 결혼, 성관계는 모두 별개의 것일 수 있었다. 즉 근대 이전에는 사랑하기 때문에 결혼한다는 생각이 없었으며, 그들의 결혼은 가업유지와 아이생산의 수단이었다.

　즉 인류가 '사랑하기 때문에' 결혼하고 '사랑하기 때문에' 성관계를 맺는다는 생각을 갖게 된 것은 산업혁명이 야기한 사회구조의 변화에 기인한 현상이다. 산업혁명이 불러일으킨 사회가 인류 역사상 일찍이 없었던 사회구조를 만들어 낸 것처럼, 마찬가지로 사랑, 결혼, 가족에 대한 생각과 유형도 크게 바뀌게 되었던 것이다.

　(2) 왜 낭만적 사랑이 근대사회에서 '보편 종교'가 되었나?

　근대는 사랑이 '보편 종교'가 되어버린 시대다. 우리는 매일 TV드라마에서 소설에서 가요에서 사랑에 대한 찬미가를 듣는다.

낭만적 사랑이 범람하는 시대인 것이다. 일찍이 이처럼 사랑이 찬미 받고 중요한 때는 없었다. 그렇다면 왜 근대에 들어와서야 사랑은 중요한 것이 되었을까?

근대 이전 인간의 삶은 가족, 마을 공동체, 고향, 종교로부터 사회적 지위와 성별 역할에까지 모두 여러 결속들에 의해 결정되었다. 그것들은 한편으로는 개인의 선택을 엄격하게 제약하지만 다른 한편으로는 친숙함과 보호, 안정적인 자리매김과 확실한 정체성을 제공했다.

그러한 결속이 존재하는 곳에서 개인은 결코 혼자가 아니었다. 개인은 더 큰 단위에 포함되어 있었다. 그러나 근대는 개인이 파편화된 시대이다. 그에게는 근대 이전의 개인에게 제공되던 안정감과 확실한 정체성이 더 이상 미리 주어져 있지 않다.

더구나 산업사회는 개인을 소외시키고 있다. 산업사회 속의 인간은 자신의 삶을 살지 않고 미리 주어진 기능을 수행한다. 일하는 동안 그들은 그들 자신의 욕구와 능력을 충족시키지 못하고 소외 속에서 작업한다. 이러한 사회에서 개인은 홀로 외롭고 고통스럽게 자신의 삶을 개척하고 삶의 의미를 찾아 나서야 한다.

여기서 사랑에 대한 찬미가 생겨난다. 자기 자신의 사회적 환경을 창조하거나 찾아내야 하는 개인들에게 사랑은 삶에 의미를 부여하는 중심축이 된다고 이 책은 설명한다.

"우리들의 사랑법 속에는 사랑에 대한 찬미가 있다. 이러한 찬미는 우리가 일상의 생활 속에서 잃어 버렸다고 느끼는 것들을 상쇄해 주는 일종의 균형추이다. 신이나 사제나 계급 또는 이웃도 아니라면 최소한 그래도 '너'는 있어야 하는 것이다."

그래서 우리의 삶에 의미와 안전을 제공해줄 다른 준거점들이 점점 더 사라져 갈수록 우리는 더욱더 우리의 열망을 사랑하는 사람에게 쏟아 붓게 된다. 그리고 바로 이것이 오늘날 사랑에 대한 찬가가 넘쳐나는 이유다.

(3) 핵가족 등장과 함께 새로운 정체성 형성돼

한편 이는 결국 가족과 결혼을 묶어주는 것이 물질적 안정과 애정이라기보다는 오히려 '혼자가 되는 것에 대한 두려움'이라는 것을 보여준다. 이러한 분석에는 낭만적 사랑이라는 것이 사실은 TV드라마나 영화, 또는 소설에만 존재하는 환상일 뿐이며 현실에는 존재하지 않는 것이라는 생각이 깔려있다.

그리고 이는 아이에 대한 사랑에도 마찬가지라고 이 책은 설명한다.

"아이는 외로움에 대한 최후의 대안이 되고, 이제는 점점 사라져 가고 있는 사랑받을 기회를 지켜줄 수 있는 보루가 된다. 이것은 사방에 만연해 있는 실망감을 벌충하기 위해 생활에 다시 마법을 거는 사적인 방법이다."

이 책은 근대적 사랑 방식에 대한 근원적 성찰과 함께 가족의 변화와 새로운 정체성의 등장에 대해서도 논한다. 우리가 이미 알고 있듯이 산업혁명 이후 가족의 형태는 핵가족이 '정상 가족'이 되었다.

이 책은 핵가족은 감정이 가족 영역을 점령하도록 하면서 우리가 갖고 있는 가족에 대한 근대적 이미지의 특성인 프라이버시와 친밀성을 도입했으며, 나아가 이로 인해 새로운 정체성이 출현하게 되었다고 설명한다.

"가족에 대한 그리움은 사람들이 점차 지향점을 상실하고 있다고 느끼게 되면서 커졌다. 가족은 내적 고향상실을 좀 더 견딜만한 것으로 보일 수 있게 만들어주는 피난처가 되었으며 낯설고 적대적인 것으로 되어가는 세계 속에서 하나의 항구가 되었다. 역사적으로 말하자면 이는 새로운 형태의 정체성의 출현이다."

이렇게 새로운 정체성이 출현했기 때문에, '가족의 사랑이 삶의 전부'인 것도 가능해지고, '사랑 때문에 자살' 하는 일도 가능해지게 되었다. 이는 모두 근대 이전의 사회에서는 볼 수 없었던 오늘날 사회의 특이한 현상인 것이다.

(4) 새로운 생계 방식 출현과 함께 사랑 방식도 또다시 변해

근대인은 근대 이전의 사랑 방식을 대할 때 의아함을 느낀다. 그러나 우리의 후손들은 근대의 사랑 방식을 대할 때 의아함을 느끼게 될 것이다. 그도 그럴 것이 최근에는 또 다시 사랑 방식에 변화가 오고 있다.

현대는 다시 사랑과 결혼과 성이 모두 별개의 것이 되어가고 있다. 이러한 변화는 경제적 단위로서의 가족이 점점 붕괴되고 노동시장과 개인에게 의존하는 새로운 생계 방식이 출현하고 있는 사회변화와 맞물려 있다.

이제는 사랑한다고 해서 결혼하리라 생각하는 것은 더 이상 당연하지 않으며, 또 결혼하기로 했다고 해서 당연히 아이를 낳으리라고 생각할 수도 없다. 또한 마찬가지로 결혼은 섹스와 분리될 수 있고, 섹스는 부모되기와 분리될 수 있으며, 부모되기는 이혼과 그에 따라 생기는 여러 형태들 속에서 이루어질 수 있다.

'사랑-결혼-섹스-아이' 라는 하나의 도식이 더 이상 당연한 것이 아닌 시대가 다가오고 있다. 뿐만 아니라 사랑, 결혼, 가족의 변화와 함께 이 책은 이제 모성과 임신도 이전과는 다르게 규정되고 있다고 설명한다.

"이제 아이들과 모성은 더 이상 자연적 운명이 아니다. 최소한 원칙상으로는 아이들은 원해서 낳는 것이고, 따라서 모성도 계획되는 것이다."

"임신은 더 이상 자연스런 사건으로 받아들여지지 않는다. 임신은 예방조처와 의학적 모니터를 요구하는 문제적인 상황이다."

(5) 수많은 가능성 속에서 스스로 삶을 창조해야 하는 현대인의 운명

현대는 전통적인 사랑, 근대적인 사랑, 탈근대적인 사랑이 전혀 어울리지 않는 동료처럼 공존하고 있다. 그리고 사랑 방식의 변화와 함께 가족의 형태도 다양하게 변하고 있다. 현대는 더 이상 핵가족이 '정상 가족'인 시대가 아니게 되었다. 현대는 다양한 가족의 형태들이 동시에 존재하는 세상이 되어가고 있다.

그리고 수많은 차이와 다름의 공존 속에서 모든 것은 '개인의 실존적 선택'에 맡겨져 있다. 결혼을 해야 할지 안해야 할지, 동거만 할 것인지, 아이를 낳고 키우는 일을 가족 안에서 할지 아니면 밖에서 할지, 그리고 이런 저런 일을 직업을 얻기 전에 할지 아니면 어느 정도 경력을 쌓은 후에 할 것인지...

이 모든 것이 이제는 더 이상 자명하지 않게 되었다. 확고한 규준들이 줄어들었고, 이제 우리는 더욱더 우리 스스로의 힘으로 그런 규칙들을 만들어내야 한다. 무엇이 옳고 무엇이 잘못된 것인가? 내가 원하는 것은 무엇이고, 나는 무엇을 할 것인가? 우리는 무엇을 해야 하는가? 우리는 끊임없이 질문하고 대답해야 하는 운명에 처해졌다. 그러나 어떠한 사랑 방식이나 어떠한 가족의 형태가 더 우월하다거나 더 도덕적이라거나 더 정상적이라고는 말할 수 없다. 다만 개인의 실존적 선택이 있을 뿐, 그 선택에 대한 근원적 우월성은 존재할 수 없다.

그래서 스스로 행동하고 창조함으로써 삶을 개척해야한다는 실존주의 철학자 사르트르의 통찰은 현대 사회에 매우 적절하다. 그리고 이 점이 또한 울리히 벡의 또 다른 저서 〈위험사회〉와 맥락

이 닿는다. 이 책은 〈위험사회〉의 구체적인 사례로 읽어낼 수도 있다.

(6) 우리에게 정말 필요한 것은 사랑하는 방식에 대한 근본적 성찰

새로운 세대는 사랑, 결혼, 가족에 대한 '실험이 강요된 시대'에 살고 있다. 그 실험은 "우리는 서로 사랑하고 싶다. 그러나 어떻게 해야 할지 모른다" 는 고백에서 시작해야 할 것이다.

사랑, 결혼, 가족에 대해 근원적인 성찰을 담고 있으며, 시장경제는 궁극적으로 무자녀 사회라는 현대 사회에 대한 뛰어난 사회학적 분석을 담고 있는 〈사랑은 지독한 혼란〉을 새로운 삶을 개척할 용기가 있는 이들에게 권한다.

"대부분의 사람들은 평생 함께 사는 여러 가지 다른 방식들을 시험해 보고 있는 중이며, 그에 따르는 고통과 노력들을 견뎌내고 있다. 그러나 그러한 시험의 끝이 어떨지 또 무슨 결과를 가져올지는 아무도 모른다. 온갖 실수에도 불구하도 또다시 시도해보는 것을 단념시킬 수 있는 사람은 아무도 없을 것이다." [159)]

"인생은 지금부터 시작이다!"

나는 꿈을 가진 사람들이 너무 좋다. 보기만 해도 좋다. 꿈이 있다는 말만 들어도 좋다. 꿈을 이루기 위해 수많은 유혹과 욕망을 달래야 하는 밤, 그런 밤을 먼저 보내온 사람만이 공감할 수 있는 이 계절의 열병. 당선된 사람은 올겨울에 작가가 될 것이고 다수의 사람은 겨울밤 절망을 덮고 잘 것이다. 어느 쪽이든 쉽게 쓰인 글은 없다. 열정이 사라지거나 꿈을 이루고 나면 이 밤들이 그리워질 것이니, 당락을 떠나 아름다운 기억이 될 거라고 말해주고 싶다.

글쟁이가 되면서 바뀐 생각이 있다. 인생은 늘 지금부터 시작이라는 것. [160)]

Ⅲ. 나가는 글

지구상에 생명체가 탄생한 것은 에너지가 고이면서부터다. 태양과 지구 사이의 거리가 적당해 에너지가 고일 수 있었던 것이다. 에너지가 고인 것은, 에너지가 순환을 통해 더 큰 자유로 나아가기 위함이다. 폭탄이 폭발할 때 나중에 힘이 떨어지면 나선형으로 회전하면서 나아가듯이 나선형으로 회전해 더 멀리 나아가는 곳이 바로 지구가 된 것이다. 이 나선형의 구조에서 생명체가 탄생했다. 생명체는 에너지를 모으고 더 크게 방출하는 특징을 가졌다. 처음 탄생한 생명체는 식물이었다. 식물은 천지 자연에서 단순히 에너지를 모으고 방출하기만 했다. 에너지를 좀더 효율적으로 모으고 방출하기 위해 초식동물이 탄생했다. 초식동물은 식물을 뜯어 먹음으로써 식물처럼 복잡하게 광합성을 하지 않아도 좀더 많은 에너지를 쉽게 구할 수 있었다. 다음으로 육식동물이 나타났다. 육식동물은 초식동물을 잡아먹음으로써 좀더 효율적으로 에너지를 관리할 수 있었다. 그래서 육식동물은 공격성과 성욕이 더 발달했다. 남들보다 더 빨리 가서 더 좋은 에너지를 구해야 했기에 공격성이 발달했고, 자기를 복제하면서 더 큰 자유를 향해 뻗어나가기 위해 성욕이 발달했다. 그러나 그들은 남들보다 빠르고자 하는 공격성은 크게 발달한 반면, 성욕은 상대적으로 떨어졌다.

마지막으로 인간이 탄생했다. 인간은 다른 육식동물과는 달리 음식을 저장하는 방법을 개발하고 발달시켰다. 그러다 보니 공격성은 떨어졌고 성욕은 증가했다. 그래서 인간은 다른 동물들과는 달리 발정기 외에도 항상 섹스를 할 수 있는 유일한 존재가 되었다.

　인간은 지구상에서 가장 효율적으로 사는 동물이다. 효율성은 식물, 초식동물, 육식동물을 거쳐 인간을 탄생시켰다. 한때 크로마뇽인과 네안데르탈인이 같이 살던 시대가 있었다고 한다. 그러나 좀 더 효율적인 크로마뇽인은 살아남았고 네안데르탈인은 멸종했다. 즉 현재 살아남은 인류는 가장 효율적으로 살려고 노력하는 종(種)이다.[161]

　"남자 나라 사람들과 여자 나라 사람들이 만나기 전에 그들은 각자 별개의 세계에서 수 세기 동안 행복하게 살고 있었다. 그러다가 하루 아침에 모든 것이 변했다. 남성이 망원경으로 다른 별을 바라보았고, 아름다운 여성들을 보자 그 남성의 몸이 불꽃처럼 타올랐다. 다른 남성들도 너도나도 망원경을 만들었고, 그 후 남성들은 여성들에게 반하기 시작했다. 딱딱한 남성에 비해서 여성은 부드러웠고, 남성이 모난 데 비해서 여성은 둥글었으며, 남성은 무뚝뚝하다면 여성은 따뜻했다. 남성들은 너무나 신기했고 함께 하면 행복할 것 같았다. 그들은 함께 있어야겠다고 생각하게 되었고, 남성들은 여성이 사는 별로 날아가기 위해 비행선을 만들게 되었다." 그래서 요즘은 남자가 여자에게 사랑을 느끼면 몸에서 불꽃이 일고, 여자는 남자를 기다리고 남자는 여자에게 다가서고 그러는 게 자연스럽다는 것이다. 이런 설정으로 생각하면 남자와 여자의 차이를 이해할 수 있게 된다. '아, 쟤들은 참 남자 나라 별에서 온 외계인이지' 라고 여기면 마음이 풀어진다.

　남자들의 철학은 승리와 패배다. 승리하지 않으면 패배하는 이분법적인 사고(思考; 무엇을 헤아리고 판단하고 궁리함. 개념, 구성, 판단 등을 행하는 인간의 이성 작용. 심상이나 지식을 사용하는 마음의 작용)를 가진 사람들이다. 스포츠에 열광하는 것을 보면 알 수 있다.

　그러니까 남자들도 여자들이 이상할 때는 이렇게 생각하라. '참

재들은 외계인이지!' 그러면 이해 못할 일이 없게 된다.[162]

성적 오르가슴을 중심에 두었던 쾌락사회가 지난 몇 년동안 거의 모든 금기 영역을 깨뜨려버렸다고 『현대 심리학지』는 지적한다.[163] 거리의 광고판에는 벌거벗은 채 잠옷만 살짝 걸친 여인들과 속옷 차림의 근육질 남자들이 유혹의 눈길을 보낸다. 텔레비전을 켜면 거의 매일 초녁부터 남녀의 성교 장면이 나온다. 토크쇼 초대손님들은 육욕 행위를 주제로 토론을 벌이거나, 괴상망측한 외설적 장식물들을 호기심 어린 눈으로 들여다 본다. 포로노 비디오는 더이상 불결한 물건이 아니라 길거리 아무데서나 몇 푼만 주면 구입할 수 있게 되었다. 음란 전화는 존 벌이가 잘되는 새로운 서비스 업종으로 자리 잡았고 '잠깐의 섹스 갈증을 위하여' 이라는 식의 야한 광고로 손님을 유혹한다.

성충동은 이미 고대시절부터 우리 인간에게 우리에게 엄청난 기여를 해왔다. 우리들 각자는 단 하나밖에 없는 개별적 혈통의 살아있는 후손이다. 이러한 사슬에 연결된 각각의 고리는 고록적인 육욕의 명령을 충실히 따랐고, 그 덕분에 성공적으로 번식이 이루어졌다. 그런데 새천년이 시작된 지금 돌풍처럼 변화의 바람이 몰아쳐 그 흐름을 위협하고 있다. 오늘날의 세계는 사회적·기술적 변혁의 소용돌이에 휘말려 돌아가고 있는데, 그 명제가 더 이상 태고시절의 추진력과 일치되지 못하고 전혀 딴판으로 나아가고 있다.[164]

나는 완전히 무심하다. 어떤 대비를 해야 하는지도 모르겠다. 노후에 필요한 것들을 생각해보았다. 경제력이 기본이겠지만, 그것만큼 중요한 것이 좋은 억이 아닐까 싶다. 과거를 후회하지 않는 사람, 지나온 삶을 반추하는 것이 뿌듯한 사람, 열심히 사랑한 사람, 늙는 일에 최선을 다한 사람. 나는 노년에 경제 부자로 사는 사람보다 마음 부자로 사는 사람이 더 멋져 보인다.

(부언)

　현생의 삶은 힘들고도 어렵지만 많은 사람들의 도움과 인내, 희생으로 그 어려움을 극복하곤 한다. 그럴 때 나는 전생 인연의 도움이 느껴지기도 한다. 나를 지옥만큼 괴롭히는 사람에 대한 분노도 이처럼 생각하면서 벗어나기도 했다. 그래, 전생의 도반으로 나의 깨달음을 위해서 악역을 맡았던 게지. 이런 식으로 생각하면 나를 사랑했던 사람도, 나를 괴롭혔던 사람도 다 그렇게 고마울 수가 없다. 모든 것이 다 소중한 경험이기 때문이다. 이번 생에서 이렇게 지독한 사랑의 업을 거쳤으니 내 아이들만큼은, 내 다음 생에서만큼은 좀더 안정되게 사랑했으면 하는 바람이다.[165]

　하노버 대학의 성과학자 우베 하르트만은 인인간의 내부에 들어 있는 성충동을 멸종 위기에 처한 동물처럼 취급하기를 거부한다.[166] “나는 낙관론자로서, 성욕이 멸종 위기에 처했다고 생각하지 않는다. 인간의 기본 욕구와 동기는 고집스럽게 옛날 모습대로 남아 있을지라도, 성욕은 늘 그렇듯이 얼굴 모습을 수시로 바꾸고, 갑자기 다른 옷을 입고 나타난다. 인간이 성욕으로 인해 어쩔 줄 몰라하고 그 속에서 스스로를 인식한다면, 그 매력은 상실되지 않을 것이다.”[167]

　겨울바람에 나뭇잎들이 죄다 떨어진다. 떨어진 것들은 금세 메말라서 서걱서걱 소리를 내며 차가운 바닥을 뒹군다. 의지할 곳을 잃고 헤매다가 말라비틀어진 잎새들은 사방에서 날아와 다시 쌓인다.

　생도 이제 가을에 접어든 것 같다. 내 몸에 붙어 영양과 생기를 공급해주던 세포들이 하나씩 떨어져 나가는 걸 느낀다. 엽록소도 없고 습기도 없고 바람을 가를 기력도 없지만, 아름답게 산 것들이 먼저 떨어져 다음 세대의 거름이 된다.

명품받아야 '진짜 프러포즈'...2030
"가짜사랑마저 고프다"

오늘날 소셜미디어에는 사랑과 행복이 넘쳐난다. '내가 더 잘났다'며 과시하는 경쟁 사회에서 '자랑'으로 전시된 일상이 점철된 까닭이다. 그 밑바닥엔 낙오된 루저가 되고 싶지 않다는 불안이 깔려 있다. 현대인들이 참담한 현실을 외면하고 허황된 사랑과 돈에 더욱 집착하게 된 이유다. 동시에 인간을 혐오하고 증오하게 된 젊은이들도 빠르게 늘었다.

김태형 심리학자는 그의 신작 '가짜 사랑 권하는 사회'를 통해 완전히 파편화된 핵개인 시대에서 나타난 가짜 사랑의 면면을 촘촘히 추적했다. 특히 저자는 가짜 사랑을 하는 원인을 개인에게 묻는 주류 심리학의 한계를 일갈했다. 사람들이 진짜 사랑에 실패하는 근본에는 병든 사회가 있다는 설명이다. 저자가 '싸우는 심리학자'라고 불리는 이유다.

공동체를 파괴한 신자유주의는 두 가지 불안을 키웠다. 생존 불안과 존중 불안이다. 과거의 생존 불안은 공동체 사람들과 함께 겪은 불안이었다. 그러나 오늘날의 생존 불안은 나 홀로 겪는 혼자만의 끔찍한 공포다. 고립적 생존 불안이 극대화된 이유다. 이 같은 이유로 저자는 1990년대 이후 불평등은 계급 간 불평등에 개인 간 불평등까지 더해진 '최악의 불평등'이라 설명한다.

존중 불안은 인간으로서 존중받지 못한다는 것에서 비롯된 공포다. 과시 행동을 하는 상대가 자신을 경멸한다는 느낌에서 시작된 고통이 자기보다 서열이 낮은 사람한테 다시 과시하는 방식으로 되풀이되는 현상과 맞닿아 있다. 예컨대 고급 외제차를 타는 사람이 국산 대형차를 타는 사람에게, 대형차를 타는 사람이 중형차를 타는 사람에게, 중형차를 타는 사람은 소형차를 타는 사람에게 과시하는 '학대 도미노'가 이어진다.

이처럼 서열 동물이 되도록 강요받으면서 사랑은 도구가 됐다. 한 마디로 가짜 사랑이다. '결혼 시장'이라는 표현이 대표적이다. 현대인들은 쇼핑카트에 담을 물건을 고르듯 결혼 상대를 선택한다. 돈 많은 남성을, 또 예쁜 여성을 구입하려 한다. 이 과정에서 특히 외모는 이윤을 효과적으로 창출하는 탁월한 자본이 됐다. 에바 일루즈는 "문화산업은 미모 숭배와 나중에는 건강 숭배, 성적 특징으로만 남성과 여성을 정의하도록 무자비하게 몰아붙였다"고 비판했다.

"사랑은 어느 때보다 더 중요해졌지만, 동시에 그 어느 때보다도 불가능하게 될 것이다." 독일의 사회학자인 울리히 벡과 사회심리학자 엘리자베트 벡-게른스하임의 경고처럼, 저자 또한 진짜 사랑할 만한 조건이 갖춰지지 않은 사회에서 사랑하는 능력을 갖기란 매우 어렵다고 지적한다. 공동체를 상실한 채 파편화된 개인으로 경쟁하는 사회에서, 돈이 인간 위에 군림하는 세상에서, 진짜 사랑을 추구하기 위해서는 결국 '사회 개혁'이 동반되어야 한다는 뜻이다.

저자는 그 해법으로 소득, 직업, 주택 등 기본적인 생활을 위한 조건을 보장하는 '기본 사회'를 제시했다. 경쟁에서 낙오되더라도 생존 자체가 어려워질 거라는 생존 불안에서는 최소한 해방되기 위해서다. 기본적인 생계가 보장되는 사회에서는 경제적 우위에 따른 권력은 타인의 존엄을 짓밟기 어렵다. 그렇다면 존중 불안도 해소할 수 있다.

이와 함께 공동체가 되고자 하는 인간의 이런 본성을 발휘할 수 있는 사회를 만들면 개인은 불건전한 욕망에서 해방될 수 있다. 저자는 "우리가 이 땅에 이상사회를 건설하는 그날이 오면, 마침내 사랑의 문제는 궁극적으로 해결될 것"이라고 말했다.[168)169)]

그러나 소비사회에서 사랑에 대한 기대와 현실 간에는 커다란 심연이 존재한다. 이것이 바로 사랑이 고통스러운 이유이다. 모든 것을 재빨리 갈아치우라고 종용하는 소비사회는 파트너 또한 자동차처럼 갈아치우라고 종용한다. 안정을 원했지만 사랑은 불안을 가져온다. 모든 사람들이 차별적일 것을 강조하는 사회는 정작 나에게 맞는 파트너를 만나는 일을 어렵게 만든다. 선택지의 확장은 가능성의 확장이 아니다. 낭만적 욕구를 자본과 연결시키는 사회는 사랑을 위해 좋은 상품이 될 것을 촉구한다. 자존감 고취를 원했지만 정작 우리는 자신을 좋은 상품으로 만드는 일에 매진하게 된다.

모두가 사랑을 갈망하나 아무도 사랑하지 못하는 사회. 모두가 출산율을 강조하지만 아무도 사랑할 수 없는 사회. 결국 우리의 청년들은 사랑하기를 거부하기에 이르렀다.[170)171)]

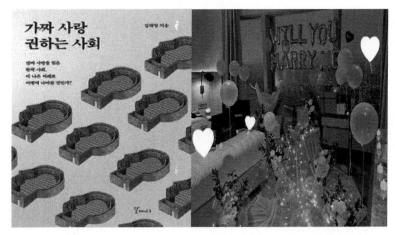

가부장제를 배반하는 이성애를 위하여

줄리아 로버츠와 리처드 기어가 주연한 영화 '귀여운 여인' 스틸컷. '사랑을 재발명하라'의 지은이 모나 숄레는 이 영화가 신데렐라 콤플렉스에 기반해 있으며 의존적 여성상을 부추긴다고 비판한다.

"남자와 여자의 애정 관계는 지배자와 피지배자가 서로 사랑한다고 가정되는 사회적 지배 관계일 뿐이라는 점에서 독특하다."

스위스 출신 프랑스 기자이자 작가인 모나 숄레의 책 '사랑을 재발명하라'에 인용된 여성 학자들의 말이다. 숄레 역시 그 말에 어느 정도 일리가 있다고 생각한다. "냉정하게 고려해보면 이성애는 착오다." 이것은 숄레 자신이 쓴 문장이다. 이성애가 착오라는 판단이 동성애로 이어지는 것은 자연스러워 보인다. 프랑스의 레즈비언 소설가 겸 영화감독 비르지니 데팡트처럼 "나는 이성애적 유혹과 그것의 일방적인 강요에서 해방되었다!"고 홀가분하게 외칠 법도 하다. 그렇지만 숄레는 이 동료 여성들의 비판과 선언에 흔쾌히 동참하지 못한다. "이 책은 나의 뒤죽박죽인 개인적 감정에서 탄생했다" 는 고백처럼, 그는 이성애에 대한 비판과 그럼에도 떨쳐 버리지 못하는 그에 대한 미련 사이에서 곡예를 하듯이 글을 써 나간다.

숄레는 '마녀' '지금 살고 싶은 집에서 살고 있나요?' 같은 책들이 국내에도 번역돼 있는 페미니스트 작가다. 2021년작인 '사랑을 재발명하라' 에서 그는 페미니즘의 관점에서 이성애를 구출해 내기 위한 힘겨운 모험을 펼친다. 그 과업을 위해 그는 우선 이성애를 가부장적 이성애와 '깊은 이성애' 둘로 나눈다. 가부장적 이성애는 현실에 널리 퍼져 있는 불합리하고 불평등한 이성애이고, '깊은 이성애' 는 "가부장제 및 그 이해관계와 결별하는 이성애, 즉 가부장제를 배반하는 이성애를 의미한다."

'깊은 이성애' 라는 말은 미국의 여성학자 제인 워드가 자신의 책 '이성애의 비극' (2020)에서 쓴 표현이다. 워드는 "나는 이성애의 비극에 좌절하지 않는다. 다른 길이 가능하기 때문이다" 라고 그 책에 썼는데, 그가 말하는 '다른 길' 과 '깊은 이성애' 개념을 받아서 숄레 역시 이렇게 제안한다.

"우리는 우리의 사랑을 고려하는 방식의 경기 규칙을 바로잡고, 강제된 도정이라는 부르주아적 굴레와 파괴적 열정이라는 관습적이고 제한적인 굴레를 동시에 분쇄하여 사랑에 생명력을 불어넣을 필요가 있다."

이성애에 깊이와 생명력을 불어넣기 위해서는 먼저 잘못된 규칙을 고치고 부당한 굴레를 깨부숴야 한다. 그를 위해 숄레는 여성과 남성에게 서로 다른 기호를 각인시키는 문화적 관습을 문제 삼는다. 가령 키가 크거나 힘이 세거나 지적으로 뛰어난 여성은 많은 남성들에게 그다지 매력적으로 받아들여지지 않는다. 돈을 잘 버는 여성들, 오스카상을 받은 여배우들, 선거에 당선된 여성들, 경영자 위치에 오른 여성들이 그렇지 않은 여성들보다 이혼할 가능성이 훨씬 높다는 통계도 있다. 남성이 지배적이고 여성은 복종적이어야 한다는 통념에 반하는 여성들의 성취가 이성애를 위협하는 것이다. 사회학자 에바 일루즈의 표현을 빌리자면 '사회적 지위'가 '성적 지위'를 망친 셈이다.

지배와 복종에 관한 통념은 남성의 폭력을 대하는 일그러진 태도로 이어진다. 이성애 관계에서 여성 파트너에게 행사하는 남성의 폭력에는 자주 동화와 공감의 프리즘이 동원되고, 피해자인 여성에게는 이해와 희생이 요구된다. 폭력의 가해자인 남성이 피해자인 여성보다 더 많은 지지와 공감을 받는 현상을 철학자 케이트 만은 '힘패시'(himpathy, him + sympathy)라는 신조어로 겨누었다. 심지어는 살인을 저지르고 감옥에 갇힌 남성에게 매력을 느끼고 사랑을 고백하는 여성들의 사례도 적지 않다. '살인자를 사랑하는 여성들'의 지은이 실라 아이젠버그는 그것이 폭력과 살인을 에로틱한 남성적 매력으로 보이게 만드는 가부장제 문화와 관련이 있다고 설명한다.

'아니요'를 감추어진 '네'로 이해하고, 여성들의 분노와 저주를 가식과 초대로 받아들이는 '강간 문화'와 그런 문화를 부추기는 대중문화의 표현들이 사태를 더욱 악화시킨다. "대중문화는 남성에게 독신에 대한 향수를, 남자들끼리의 여가활동을, 더 젊은 여자들과 생식과 무관한 성관계를 꿈꿀 욕망에 불을 지핀다." 솔레는 "가정 착취의 낭만화를 보여주는 교과서적 사례"로 영화 '러브 액츄얼리'를 들고, 신데렐라 콤플렉스에 기반한 영화 '귀여운 여인'은 의존적 여성상을 부추긴다며 비판한다. '깊은 이성애'의 전제는 착취와 의존의 사슬을 끊고 자립을 확보하는 것이다.

그렇지만 연애 관계에서 흔히 여성은 남성에 비해 더 많은 관심과 에너지를 쏟고, 그런 모습은 의존적인 것처럼 보이기도 한다. 여성이 감정적이고 애정을 갈구하는 반면 남성은 냉정하고 독자적인 태도를 취한다. 그것을 여성 특유의 모성의 욕구로 해석하는 견해도 있지만, 솔레는 그에 동의하지 않는다. 그보다는 한 남자와의 결혼에 자신의 경제적 안정과 사회적 지위를 의탁해야 했던 여성들의 오랜 경험이 남긴 '의존의 흔적'이라고 본다. 게다가 이런 상황이 지금이라고 완전히 개선된 것은 아니다. 여성들은 여전히 남성보다 심한 경제적 불안에 시달리고 있고, 그것이 이성애 관계에서 그들이 보이는 의존 및 집착과 무관하지 않다.

이렇듯 "우리가 이성애적으로 여기도록 배우는 것이 사실은 '남성을 위한 또는 남성에 의한 성'" 그러니까 가부장적 이성 애라면, 숄레가 그 반대항으로 제시하는 '깊은 이성애'는 어떻게 가능할까. 책에서 그에 관해 풍부한 사례나 희망적인 전망을 만나기는 쉽지 않다. 서로 다른 집에 거주하며 최소한의 독립성을 확보한 메리 울스턴크래프트-윌리엄 고드윈 부부와 프리다 칼로-디에고 리베라 부부의 사례가 모범으로 제시되지만, 일반화하기에는 무리가 따른다. 상대에 대한 지나친 의존을 줄이고 무엇보다 자기 안의 질서를 세우는 여성의 자립적 존재 방식, 그리고 "호기심을, 열린 정신을, 자신감을 드러내며 그런 여성을 받아들이거나 심지어 찾기도" 하는 일부 남성에 거는 기대는 현실과는 거리가 있어 보인다. "나의 페미니스트 신념과 사랑에 대한 신비주의적이고 절대주의적인 관점 사이의 내적 갈등"으로 흔들리는 지은이의 모습이 눈에 어른거리는 듯하다.[172][173]

저자 에바 일루즈(Eva Illouz)는 문화적 상상력의 빈곤이 사랑을 더 어렵게 만들며, 지극히 내밀하고도 개인적인 행위로 여겨지는 섹스조차 실은 다분히 사회적인 행위라고 역설한다.

내안의 브리짓 존스의 일기(Bridget Jones's Diary)

브리짓 존스의 일기는 영국의 저명한 작가 헬렌 필딩이 1996년에 출간한 소설로, 현대의 헤로인인 브리짓 존스의 삶을 따라가는 이야기를 그린다. 이 소설은 일기 형식으로 쓰여져 있으며, 브리짓이 30대 중반의 싱글 여성으로서 자신의 삶과 사랑, 일과 친구, 가족 등 다양한 면을 기록한다. 브리짓은 완벽한 삶을 꿈꾸지만, 현실은 그렇지 않다. 그녀는 자신의 무모하고 어색한 행동으로 자주 어려움에 처하며, 사랑을 찾는 여정에서 다양한 남성들과 만나게 된다. 이 소설은 브리짓의 유머러스하고 사려 깊은 일기와 함께, 현대 여성의 삶에 대한 사실적인 표현으로 독자들에게 사랑과 용기, 자기 수용 등을 고민하게 한다. 영화로도 제작되어 브리짓의 모험과 로맨스를 화면으로 즐길 수 있다.

브리짓 존스의 일기 영화는 대한민국에서도 많은 관심과 사랑을 받았습니다. 이 영화는 제인 오스틴의 고전 소설 '오만과 편견'을 현대적으로 각색한 작품으로, 레니 젤위거가 주인공 브리짓 존스 역을 맡아 뛰어난 연기를 선보였습니다. 영화는 로맨틱 코미디 장르의 흐름을 바꾸며 세계적인 화제를 모았고, 완벽하지 않은 현실적인 캐릭터로 여성들에게 큰 공감을 얻었습니다. 또한, 콜린 퍼스와 휴 그랜트의 연기도 여성들에게 폭발적인 인기를 얻었습니다. 대한민국에서는 브리짓 존스의 일기 영화가 2000년대 초중반에 출판된 원작 소설과 함께 좋은 반응을 얻었습니다. 원작 소설은 일러스트 분위기의 소설로 출간되어 유쾌한 분위기를 선사했고, 영화

역시 이러한 분위기를 잘 살려내며 관객들에게 즐거움을 제공했습니다.

특히, 레니 젤위거가 맡은 브리짓 존스 역은 많은 이들에게 사랑받는 캐릭터가 되었습니다. 영화는 9년 만에 제작된 속편 '브리짓 존스의 일기 - 열정과 애정'을 통해 다시 한번 관객들의 관심을 모았습니다. 이 속편은 봉준호 감독으로부터도 높은 평가를 받으며, 대한민국 관객들에게도 긍정적인 반응을 얻었습니다. 또한, 영화는 박스오피스에서도 성공을 거두었음에도 불구하고 2001년 개봉작에 비해 다소 낮은 평가를 받기도 했습니다.

브리짓 존스의 일기는 해외에서 매우 긍정적인 반응을 얻었습니다. 이 책은 영국 문화와 사회적 배경을 다루고 있지만, 그와 관련된 유머와 사랑 이야기는 세계 어디에서나 공감을 이끌어 냈습니다. 브리짓은 완벽하지 않은 캐릭터로, 그녀의 실수와 고민은 많은 독자들과 관객들에게 재미와 위로를 주었습니다. 또한, 이 책은 현대 여성들이 직면하는 다양한 문제를 다루고 있어서, 여성들 사이에서 특히 인기를 끌었습니다. 영화로 제작된 브리짓 존스의 일기는 이러한 책의 매력을 더욱 확대시켰습니다. 르네 젤위거가 브리짓의 캐릭터를 매우 잘 소화하여, 그녀의 유머와 매력을 완벽하게 표현했습니다.

또한, 휴 그랜트와 콜린 퍼스 같은 유명 배우들이 출연하여 영화에 대한 기대를 더욱 높였습니다. 이 영화는 로맨스와 코미디를 섞은 재미있는 이야기로, 여러 관객들에게 사랑을 받았습니다. 브리짓 존스의 일기는 여성들 사이에서 특히 인기를 끌었습니다. 그녀의 캐릭터는 완벽하지 않지만, 그럼에도 불구하고 사랑하고 행복을 찾아가는 모습이 많은 여성들에게 용기를 주었습니다. 이 책은 여성의 자아 발견과 자기 수용에 대한 고민을 다루고 있어서, 많은 여성들이 공감할 수 있었습니다. 따라서, 해외에서도 브리짓 존스의 일기는 많은 사랑을 받았으며, 여전히 많은 사람들에게 추천되고 있습니다.

브리짓 존스의 일기는 1990년대 후반부터 2000년대 초반에 걸쳐 영국에서 큰 인기를 끌었던 헬렌 필딩의 소설입니다. 이 작품은 당시 사회적, 문화적 배경을 반영하며, 30대 초반의 독신 여성 브리짓 존스가 일상생활, 사랑, 자아 발견의 여정을 겪는 이야기를 유쾌하고 솔직하게 담아냈습니다. 브리짓 존스의 일기는 제인 오스틴의 고전 소설 '오만과 편견'을 현대적으로 재해석한 작품으로, 로맨틱 코미디 장르에 새로운 바람을 일으켰습니다. 1990년대 말 영국은 경제적으로 안정적인 시기를 맞이하고 있었으며, 여성 사회 진출이 활발해지고 개인주의가 강조되는 시대였습니다. 이러한 배경 속에서 브리짓 존스의 일기는 당시 여성들이 겪고 있던 직장 생활, 연애, 자아실현의 고민을 현실감 있게 그려냈습니다.

브리짓 존스는 평범하지만 매력적인 캐릭터로, 완벽하지 않은 모습을 솔직하게 드러내며 많은 독자들의 공감을 얻었습니다. 이 작품은 브리짓 존스가 일기 형식으로 자신의 일상, 감정, 생각을 기록하면서 진행됩니다. 브리짓은 자신의 체중, 담배 소비량, 알코올 섭취량 등을 기록하며 자기 관리에 대한 고민을 드러내는 한편, 사랑과 직장 생활에서의 다양한 도전과 실패를 유머러스하게 풀어냅니다. 이러한 일기 형식은 독자들에게 브리짓의 내면세계와 감정을 깊이 있게 전달하며, 독특한 목소리를 가진 작품으로 자리매김하게 합니다. 브리짓 존스의 일기는 단순한 로맨틱 코미디를 넘어서, 당대 여성들의 삶과 사회적 위치, 그리고 개인적인 행복을 추구하는 과정을 섬세하게 포착합니다. 브리짓은 사랑을 찾아나서는 과정에서 자신의 가치와 행복을 스스로 정의하려 노력하며, 이 과정에서 겪는 성장통은 많은 독자들에게 감동과 용기를 줍니다. 또한, 이 작품은 제인 오스틴의 '오만과 편견'에 등장하는 캐릭터와 플롯을 현대적으로 재해석하여, 고전 문학과 현대 문학의 연결고리를 제시합니다. 브리짓 존스와 마크 다아시, 다니엘 클리버 등의 캐릭터는 오만과 편견의 엘리자베스 베넷, 미스터 다아시, 위컴 등을 연상시키며, 고전적인 사랑 이야기에 현대적인 감성을 더합니다. 브리짓 존스의 일기는 그 시대의 여성들이 겪는 다양한 문제와 감정을 유머와 따뜻함으로 풀어내며, 여성들의 자기 발견과 사랑을 찾아가는 여정을 그린 작품으로, 오늘날에도 여전히 많은 사랑을 받고 있습니다. 이 작품은 여성의 독립과 자아실현을 추구하는 현대 사회의 흐름을 반영하며, 개인의 행복과 사랑에 대한 보편적인 메시지를 전달합니다. 이처럼 브리짓 존스의 일기 영화는 대한민국 관객들에게 유쾌하고 현실적인 로맨틱 코미디의 매력을 전달하며, 여성들에게 특히 큰 공감과 사랑을 받았습니다. 원작 소설과 영화 모두 시대를 초월한 사랑과 인간 관계의 본질을 탐구하며, 많은 이들에게 즐거움과 감동을 선사했습니다. 여러분에게 자랑스럽게 소개할 무서운 괴물, '브리짓 존스의 일기' 입니다. 이 작품은 19세기 런던의 거리를 배경으로 브리짓의 일상을 담은 소설로, 빅토리아 시대 사회적 풍경과 미덕을 담고 있습니다.

이 소설은 일기 형식으로 구성되어 있으며, 브리짓이 자신의 삶과 사랑, 친구, 가족 등 다양한 주제에 대해 기록하고 있습니다. 브리짓은 19세기 중반의 영국 여성으로, 사회적인 압력과 기대 속에서 자신의 모습을 찾아가는 여정을 담고 있습니다. 그녀는 완벽한 여성상을 따르려고 노력하지만, 때로는 실패하고 괴로워 합니다. 그러나 그녀는 자신의 실수와 결함을 인정하고, 자신의 욕망과 꿈을 쫓는 용기를 지니고 있습니다. 이 소설은 당대의 여성들이 직면

한 다양한 문제들을 다루고 있습니다. 사회적 기대와 성역에 대한 압박, 결혼과 가족에 대한 욕망, 그리고 개인적인 자아 발견과 자기 수용에 대한 고민 등이 주요 주제로 등장합니다. 브리짓은 자신의 일기를 통해 이러한 문제들에 대해 솔직하게 이야기하고, 독자들에게 공감과 용기를 전해줍니다. 물론, 이 작품은 로맨스와 유머를 결합한 재미있는 이야기로도 알려져 있습니다. 브리짓이 만나는 다양한 남성 캐릭터들과의 로맨스는 독자들을 끌어당기는 매력적인 측면입니다. 또한, 브리짓의 유머러스한 일기와 사회적인 비판은 독자들에게 재미와 사유를 제공합니다. 이 소설은 19세기 런던 사회적 배경과 문화를 섬세하게 그려내었으며, 빅토리아 시대의 여성들의 삶과 욕망에 대한 통찰력을 제공합니다. 또한, 브리짓의 캐릭터는 여전히 현대 독자들에게도 공감을 이끌어내는 매력을 지니고 있습니다. 따라서, '브리짓 존스의 일기' 는 과거와 현재를 아우르는 시대를 초월한 전통적인 소설로서 여전히 많은 독자들 사랑을 받고 있습니다.[174]

'기지촌'에 대한 인식

"매우 애지중지하여 금이나 옥처럼 귀중히 여기는 모양을 이르는" 우리 말에 '금이야 옥이야'가 있다. 6남매의 외동딸로 집에서 '금이야'로 불린 아이가 있었다. 집안의 사랑을 독차지한 아이였지만 가난 때문에 어린 나이에 객지로 나가 돈을 벌어야 했으며 인생이 안 풀리다 보니 기지촌에 가서 몸을 팔아야 하는 신세로 전락했다.

미군에게 몸을 팔던 어느 날 밤에 이 '금이야'는 몸을 산 미군 병사에게 코카콜라 병으로 맞아 숨졌다. 코카콜라 병은 음부에, 항문에는 우산대가 그것도 직장 안으로 26㎝나 들어가 꽂힌 처참한 모습으로 '금이야'의 시신이 발견되었다. 1992년 10월 28일 26살 꽃다운 나이의 청년 윤금이는 외국군 병사에게 맞아 그렇게 셋방에서 홀로 죽었다.[175]

2022년 대통령 직속 국가균형발전위원회(위원장 김사열)는 취약지역 개조사업 신규 대상지 68개소를 선정했다. 이른바 '새뜰마을' 사업이다. 새뜰마을 사업의 취지는 빈집·노후주택 정비, 슬레이트 지붕 개량, 상·하수도 정비 등을 통해 생활여건을 개선하고 주민 공동체 활성화를 지원하는 데 있다고 한다. 노인 돌봄과 건강관리 프로그램 등 휴먼 케어(human care)와 주민 역량 강화사업도 포함되어 있다.

뜻은 좋아 보인다. 그러나 이 사업이 1970년대 '새마을운동의 재현'인지 돌봄 사회가 추구하는 '마을 만들기'인지 여부는, 사업 자체가 아니라 추진 과정에서 드러날 것이다. 마을 만들기라면,

국가가 그 대상을 지정하고 지원 내용이 건설사업 위주여서는 안
될 것이다. 그렇게 되면 마을 만들기가 아니라 마을 파괴다. 또한
문화유산이 생활여건 개조사업이라는 명분으로 검토의 여지도 없
이 사라질 가능성이 크다.

선정 지역 중, 우려를 넘어 문화유산 삭제가 목적으로 보이는 곳
이 경기 의정부시 고산동의 뺏뻘마을이다. 뺏뻘은 "한번 빠지면
다시 나올 수 없다"는 의미로, 미군정 이후 미군이 70년 넘게 남
한에 주둔하면서 생긴 상징적, '대표적' 기지촌(基地村)이다. 기
지촌(military camp town)은 말 그대로 단지 군 기지가 있는 지역
일 뿐인데, 한국 사회에서는 여성의 극심한 빈곤과 수탈로 인해 성
산업 공간을 의미하게 되었다. 주지하다시피 오랫동안 멸칭과 낙인
의 장소였다.

한편 기지촌은 성 산업에 종사하는 여성들과 지원운동가들이 국
가와 미군을 상대로 끈질기게 저항해 온 역사의 공간이다. 특히
1986년 3월17일, 의정부시 가능동 주한미군 2사단 사령부 캠프 레
드 클라우드 앞에서 시작된 우리나라 최초의 기지촌 여성운동 단
체인 '두레방(My Sister's Place)'은 한국 여성운동의 역사는 물
론이고, 한·미관계사, 지역운동사 차원에서 매우 중요한 곳이다(1
년 후인 1987년, 현재의 캠프 스탠리 옆 뺏뻘마을로 이전했다).

지난 38년간 두레방은 '기지촌 여성'들의 상담소, 쉼터, 공동
체였다. 그들은 함께 식사하고 마을 아이들을 돌보았다. 2022년 9
월29일, 대법원은 기지촌 성 산업 제도를 국가 폭력으로 인정했다.
8년3개월에 걸친 여성운동의 성과였다.

이러한 배경에도 불구하고 지금 의정부시는 두레방의 건물 이전
을 요구하고 있다. 두레방 건물을 철거하거나 다른 용도로 사용하
겠다는 것이다. 문화유산의 의미가 지자체 공무원의 인식에 의해

좌우되고 있다. 역사는 스토리, '콘텐츠'다. 수많은 이야기와 의미를 가진 문화유산이 지자체의 단견에 의해 사라지는 것이다.

이에 두레방은 즉각 입장문을 발표하고 두레방 건물에 대한 계획 철회를 요청하며 투쟁 중이다. 두레방은 미군 위안부 피해 생존자들, 동두천시 성병 관리소 보존을 위한 공동대책위원회, 기지촌여성인권연대, 경기지역시민단체 등과 함께 두레방이 뻬뻘마을에 계속 존재해야 한다고 외치고 있다.

두레방은 과거 기지촌 여성들의 성병 검사와 관리를 해왔던 보건소 건물에 자리 잡고 있다. 시설 내부는 인근 주민들의 주거 환경만큼이나 노후하고 협소하지만, 과거 기지촌 여성들의 애환과 고통이 고스란히 남아 있는 역사적인 장소가 아닐 수 없다.

1. 왕조 중심 역사가 문제

두레방은 기지촌 여성들의 고통과 상처가 치유되고 회복된다는 염원을 담고 있는 공간이다. "두레방이 있기에 기지촌의 역사를 바로 알고 기지촌 여성들에 대해 새롭게 배우고 간다"는 방문자들이 남기고 간 소감들은, 그동안 두레방이 내담자 지원 활동뿐만 아니라 여성주의 시각에서 시민들에게 기지촌을 알리는 활동을 해

온 탈식민주의 운동의 산실임을 입증한다.

두레방 건물은 중요한 근대 문화유산이다. 미군 범죄, 주한미군의 생활사, 한·미 동맹에서 여성의 위치, 기지촌 성 산업의 의미, 기지촌 소설, 기지촌 문학…, 한국 현대사와 미국의 관계를 압축한 공간이다. 보존은 물론이고 이 건물의 역사를 알릴 수 있는 조형물이나 안내물을 설치해야 한다. 아울러 기지촌 여성 박물관도 필수적이다. 아픔의 역사도 선별적이다. 전국의 그 많은 일본군 '위안부' 소녀상에 비해, 기지촌 여성 기념관이 안 될 이유는 없다.

근대 서구의 제국주의자들은 침략과 함께 식민지의 문화유산을 빼앗아 자국에 전시하며 스스로 문명국임을 자처해왔다. 반면 우리는 '있는 문화유산'도 제대로 채록, 관리하지 못하고 있다.

문화유산에 대한 개념 자체가 임의적이어서, 어떤 유산은 보존하고 핫 플레이스가 되는 반면 어떤 유산은 그 의미를 아는 이들이 드물다. 역사의식의 과잉과 결핍이 공존하기 때문이다. 역사를 왕조사 중심으로 생각하면 한국은 역사의식 과잉 사회다. 그러나 지역사, 향토사, 여성사 등을 주변적 역사로 간주한다는 의미에서 역사의식이 없는 사회다. 후자는 전문가도 드물고 사회적, 학문적 차원에서도 양성하지 않는다. 왕조 중심의 사고는 "문화유산=왕릉"이라는 사고를 낳았다. 왕릉이 철거되는 경우는 드물다. 지자체의 대표적 문화유산으로 등극하고 시민들도 많이 찾는다.

지금도 매일매일 공사 현장에서 어떤 유산들(집, 골목, 상점…)이 사라지는지 아무도 모른다. 현행 문화유산관리법에 따라 반세기를 넘겨야 등록문화재 대상이 되기 때문에, 50년 안 된 건물은 평가조차 못 받고 사라진다. 50년이라는 기준도 왕조 중심 역사관의 산물이다. 한국 현대사의 독특한 격동성과 압축적 변화를 생각할 때 50년은 너무 짧다. 모든 역사에는 영욕이 함께한다. 이에 대한 안목과 판단은 사회적 역량에 달려 있다.

한국처럼 건설(파괴) 자본주의 위주에다 부동산 중심의 경제에서는, '청산'이라는 이름 아래 무조건 부수고 새로 짓기가 정책을 대신한다. 1995~1996년 진행된 조선총독부 건물 철거는 충격적이었다. 당시 나는 조선총독부 건물 철거에 반대했다. 일제 잔재(殘滓)의 의미부터 논의되었어야 했다.

일제강점기가 없었더라도 '외부'와 왕래가 있는 한 어느 사회에서나 문화는 혼용되고 잔재(殘在)는 남는다. 명나라가 망하고 소중화(小中華)를 자처했던 조선이든 일제강점기든 현재의 미국 문화든, 깨끗하게 정리한다는 의미의 청산(淸算)은 바람직하지도 않고 무엇보다 불가능하다. '국적 불명', 하이브리드가 문화의 본뜻이다.

의정부시에 묻는다. 두레방처럼 주민들과 여성운동가들의 노력으로 역사가 뚜렷하고 무엇보다 의미가 있는 작은 건물을 부수어 혼적을 없애는 일이 그토록 다급한 업무인가. 의정부시의 두레방 철거 정책은 "수치스러운 역사"라는 사고방식보다는 단순한 무지, 즉 두레방의 의미를 모르기 때문인 듯하다. 두레방을 없애기 전에, 의정부시 담당 공무원에 대한 교육이 절실하다.

2. 평택과 오키나와의 경우

근현대 유산을 평가하는 목적은 결국 남길 것과 부술 것을 가리기 위함이다. 빼뻘은 기지촌 여성들의 상징적 고향이며, 두레방은 여성들의 유일한 쉼터이자 사랑방이다. 과거에 비해 다양한 이유로 마을에 사는 기지촌 여성들의 수가 줄었으나, 지금도 두레방에 의지하며 살고 있는 역사의 산증인들인 70·80대 여성의 숫자가 여전히 많다. 오랜 세월이 흘렀음에도 빼뻘과 인접한 의정부, 동두천, 서울을 넘어 미국에서까지 두레방을 찾아오는 여성들의 발길이 끊이질 않는다.

주일미군의 76%가 집중되어 있는 오키나와에 위치한 오키나와 현립 박물관·미술관은 참고할 만한 중요한 사례다. 미군이 자행한 과거를 볼 수 있는 사료와 예술작품을 통해 지역민뿐 아니라 오키나와를 찾는 전 세계인들에게 '더 이상 전쟁이 일어나서는 안 된다'는 평화의 메시지를 전달하고 있다. '다크 투어'의 모델이 아닐 수 없다.

국내에서도 두레방과 비슷한 기지촌 여성들과 함께하는 평택시의 '햇살사회복지관'은, 2022년 에코뮤지엄 사업을 통해 '일곱집매'라는 이름으로 지역의 역사적 가치를 잇는 문화공간으로 재탄생되었다. 일곱집매는 기지촌 여성들의 삶을 지원하는 돌봄 공간이자, 지역의 역사 배움터가 되었으며 다양한 예술가들의 작품을 감상할 수 있는 공간으로 자리 잡았다. 일곱집매가 평택 지역을 넘어 시민들의 발걸음이 끊이지 않는 데에는 평택시의 기지촌 역사와 여성들에 대한 열린 시각과 실질적인 지원이 있었기 때문이다. 같은 지자체라도 평택시와 의정부시가 이렇게 다르다. 의정부시의 현명한 판단을 기대한다.[176]

1960~1961년께 인천 부평 미군기지 기지촌 풍경

참고문헌

곽금주. 도대체, 사랑, 서울: 쌤앤파커스, 2012.

김영번. 사랑에 **빠**지면 왜 아프고 외로울까, 문화일보, 2012. 2. 10.

김정일. 가장 사랑하는 사람이 가장 아프게 한다, 서울: 웅진출판주식회사, 1996.

김정일. 가장 사랑하는 사람이 가장 아프게 한다 2, 서울: 도서출판 두리미디어, 2007.

김진애. 남자 당신은 흥미롭다, 서울: ㈜ 도서출판 한길사, 2000.

김진애. 여자 울리는 쿨하다, 서울: ㈜ 도서출판 한길사, 2000.

김형석. 영원과 사랑의 대화, 경기: 김영사, 2023.

나민애. 나민애의 시가 깃든 삶-약속의 후예들-, 동아일보, 2024. 2. 2.

나민애. 나민애의 시가 깃든 삶-임께서 부르시면-, 동아일보, 2024. 2. 16.

나민애. 나민애의 시가 깃든 삶-봄, 여름, 가을, 겨울-, 동아일보, 2024. 2. 23.

나민애. 나민애의 시가 깃든 삶, 어떤 주례사, 동아일보, 2024. 3. 15.

나민애. 나민애의 시가 깃든 삶-낮 동안의 일-, 동아일보, 2024. 3. 22.

박소정. 연애 정경, 서울: ㈜ 스리체어스, 2021.

박혜성. 사랑의 기술, 서울: ㈜경향신문사, 2022.

박혜성. 사랑의 기술 2, 서울: ㈜경향신문사, 2022.

박혜성. 사랑의 기술 3, 서울: ㈜경향신문사, 2022.

배정원. 성(性)을 억압하면 병든 사회 된다, 시사저널, 2024. 4. 7.

서정록. 잃어버린 지혜, 듣기, 서울: 샘터사, 2007.

이은정. 사랑하는 것이 외로운 것보다 낫다. 경기: 이정서재, 2024.

정덕희. 밤은 낮보다 짧다, 중앙 M&B, 1999.

정재찬. 우리가 인생이라고 부르는 것들, 서울: ㈜인플루엔셜, 2023.

정현주. 다시, 사랑, 서울: 스윙밴드, 2015.

정현주. 그래도, 사랑, 서울: ㈜중앙일보에스, 2023.

정현주. 거기, 우리가 있었다, ㈜중앙북스, 2015.

정혜선. 남자&남자, 서울: 도서출판 개마공원, 2011.

한무경. 또 다른 '젊은 나' 꿈꾸며, 매일경제, 2017년 6월 26일.

함성중. 인생 이모작」, 『제주일보』, 2022. 12. 15.

헤밍웨이. 노인과 바다/김욱동 옮김, 서울: 민음사, 2012.

사라베이크렐. 어떻게 살 것인가/김유신 옮김, 서울: 책읽는 수요일, 2012.

헤르만 헤세. 싯다르타/박병덕 옮김, 서울: 민음사, 1997.

아리에스. 죽음에 선 인간/유선자 옮김, 서울: 동문선, 1997.

로먼 크르즈나릭. 인생학교 일/강혜정 옮김, 서울: 원더박스, 1013.

알베르 카뮈. 이방인/김화영 옮김, 서울: 민음사, 2011.

헤밍웨이. 오후의 죽음/장왕록 옮김, 서울: 책미래, 2013.

Eva Illouz(에바 일루즈). 사랑은 왜 아픈가/김희상 옮김. 서울: 돌베개, 2023.

Mark Johnson(존슨). 마음 속의 몸/노양진 옮김, 서울: 철학과 현실사, 2000.

Rolf Degen(롤프 데겐). 오르가슴/최상안 옮김, 경기: ㈜도서출판 한길사, 2007.

Blechner, M. J. 'Sex Changes: Transformations in Society and Psychoanalysis.' New York and London: Taylor & Francis, 2009.

Fritsch, Sibylle/Wolf, Axel: Der schwierige Umgang. mit der Lust. Psychologie beute, August, 2000.

Hartmann, Uwe: Gegenwart und Zukunft der Lust. Ein Beirtag zu biopsychologischen und klinischen Aspekten sexueller Motivation. Sexuologie Nr. 3/4 2001, S.191-204.

Lawrence, D. H. 'Lady Chatterley's Lover.' New York: Signet, 1928/2003.

Levine, Roy J.: Human male sexulity: Appetite and arousal, desire and drive. In: Legg, Charles R./Booth, David(Hg.): Appetite. Oxford University Press, Oxford, 1994.

Masters & Johnson Human Sexual Response, Bantam, 1981 ISBN 978-0553204292; 1st ed. 1966.

Potts, Malcolm/Short, Roger,: Ever since Adam and Eve. The evolution of human sexuality. Cambridag Huiversity Press, Cambridge, 1999.

Roberts William A.: Are animals stuck in time? Psychological Bulletin, Bd. 128(2002), S. 473-489.

Wallen, Kim: The Evolution of Female Sexual Desire. In: Abramson, Paul R./Pinkerton, Steven D.(Hg.): Sexual nature, sexual culture. University of Chicago Press, Chicago, 1995.

(주석)

1) Rolf Degen(롤프 데겐). 오르가슴/최상안 옮김, 경기: ㈜도서출판 한길사, 2007: 20.
2) 박소정. 연애 정경, 서울: ㈜ 스리체어스, 2021 28-30.
3) 함성중. 인생 이모작, 제주일보, 2022. 12. 15.
4) 한무경. 또 다른 '젊은 나' 꿈꾸며, 매일경제, 2017. 6. 26.
5) 김정일. 가장 사랑하는 사람이 가장 아프게 한다 2, 서울: 도서출판 두리미디어, 2007: 202.
6) 정재찬. 우리가 인생이라고 부르는 것들, 서울: ㈜인플루엔셜, 2023: 232-233.
7) 김정일. 가장 사랑하는 사람이 가장 아프게 한다, 서울: 웅진출판주식회사, 1996: 6-7.
8) 원래 뜻대로라면 고질량 식단으로 살을 찌우는 것도 다이어트로 볼 수 있다. 씨름, 스모 선수의 식단이 이에 해당한다.
9) 김정일. 가장 사랑하는 사람이 가장 아프게 한다 2, 서울: 도서출판 두리미디어, 2007: 155-158.
10) Klusmann, Dietrich: Warum gibt es Gefuhle? Eine Einfuhrung in die Evolutionspsychologie.
11) 김정일. 가장 사랑하는 사람이 가장 아프게 한다, 서울: 웅진출판주식회사, 1996: 310-313.
12) 곽금주. 『도대체 사랑』, 쌤앤파커스, 2012. 02. 14.,
13) 김영번. 사랑에 빠지면 왜 아프고 외로울까, 문화일보, 2012. 2. 10.
14) 박혜성. 사랑의 기술, 서울: ㈜경향신문사, 2022: 16.
15) 당신이 섹스에 대해 알고 싶었던 모든 것은 미국의 영화 감독 우디 앨런(Woody Allen)이 성과 관련된 여러 단편을 엮어서 만든 영화다. 원작은 데이비드 루벤이 (David Reuben) 쓴 같은 제목의 책에 바탕은 둔 영화이다.
16) 박소정. 연애 정경, 서울: ㈜ 스리체어스, 2021: 40-41.
17) 김정일. 「가장 사랑하는 사람이 가장 아프게 한다」, 서울: 웅진출판주식회사, 1996: 53-54.
18) 너에게 가는 길(Coming to you)은 한국에서 제작된 변규리 감독의 2021년 다큐멘터리 영화이다.
19) 홍혜은. 차별금지법과 트랜스젠더, 경향신문, 2022. 5. 14.
20) 전족(纏足)이란 단어에서 전(纏)이란 글자는 묶는다, 휘감는다는 뜻이다. 심지어 그조차도 계속적인 관리를 하지 않아 전족(纏足)이 거의 풀린 상태다. 전족은 계속 발을 동여매고 뼈를 곪게 해야 하지만 현대에 남은 노년 여자들은 더 이상 발을 고통스럽게 동여매지 않고 편하게 풀고 있기 때문이다.
21) 김동욱. 「'현대판 전족' 하이힐 신고 빙판길을 질주한 여인」, 한국경제,

2010. 1. 6.
22) 로이드 E. 이스트만/이승휘 옮김, 중국사회의 지속과 변화-중국사회경제사 1550-1949, 돌베개, 2000.
23) Patricia Buckley (Edited), Cambridge Illustrated History of China, Cambridge University Press, 2001.
24) 존 K. 페어뱅크·에드윈 O.라이샤워, 엘버트 M.크레이그/김한규 외 옮김, 동양 문화사(상), 을유문화사, 1995.
25) 린다 손탁/ 남문희 옮김, 유혹, 아름답고 잔혹한 본능, 청림출판, 2004.
26) 김태식. 19세 이상 관람가 '춘화' 특별전, 연합뉴스, 2010. 9. 8.
27) 김정일.『가장 사랑하는 사람이 가장 아프게 한다』, 서울: 웅진출판주식회사, 1996: 55-57.
28) Darling, Carol A./Davidson, J. Kenneth: Enhancing Relationships: Understanding the Feminine Mystique of Pretending Orgasm. Journal of Sex £ Marital Therapy, Vol. 12(1986), S. 182-196.
29) Rolf Degen(롤프 데겐). 오르가슴/최상안 옮김, 경기: ㈜도서출판 한길사, 2007: 230-231.
30) Rolf Degen(롤프 데겐). 오르가슴/최상안 옮김, 경기: ㈜도서출판 한길사, 2007: 278-279.
31) Sex는 성별을 의미하는 영어 단어이다. 이 단어의 어원은 '분리하다'와 같은 뜻을 가진 라틴어 단어인 Secare에서 파생된 '남성이거나 여성인 상태'와 같은 뜻을 가진 명사인 Sexus가 14세기 후반에 들어 영어에서 Sex로 변형된 것이라 고 한다.
32) 개인차가 있지만 일반적으로 질의 입구로부터 약 3~5㎝ 안의 위쪽 벽에 위치 해 있다. 특별한 기능은 없지만 강렬한 성적 자극을 동반하는 성감대로 알려 져 있다.
33) 1950년 독일의 산부인과 의사 에른스트 그레펜벨크에 의해 처음 알려져서 '그래펜벨크-스폿' 이라고도 불린다. 그러나 G-스폿의 실존 여부에 대해서 는 많은 논란이 있으며, 학술적으로 명확하게 규명된 적은 없다.
34) 박혜성. 사랑의 기술, 서울: ㈜경향신문사, 2022: 16-17.
35) 박혜성. 사랑의 기술, 서울: ㈜경향신문사, 2022: 18.
36) 박혜성. 사랑의 기술, 서울: ㈜경향신문사, 2022: 37-38.
37) 임미옥. 홍매화 핏빛 바람, 충북일보, 2024. 03. 07.
38) 엄민용. '잔인한 달' 4월은 사랑하기 좋은 때다, 경향신문, 2023. 4. 3.
39) Laumann, Edwrd O. et al: The Social Organization of Sexuality. Sexual Practies in the United States. The University of Chicago Press, Chicago/London, 1944.
40) Rolf Degen(롤프 데겐). 오르가슴/최상안 옮김, 경기: ㈜도서출판 한길사, 2007: 236.
41) 그는 프랑스의 소설가이자 비행기 조종사로 아프리카·남대서양·남아메리카 항공로의 개척자이며, 야간 비행의 선구자 중 한 사람이다.
42) 어린왕자(Le Petit Prince)는 프랑스의 소설가 생텍쥐페리가 1943년에 발표한 작품이다. 비행기 고장으로 사막에 불시착한 주인공이 어떤 별에서 우주 여행 을 온 어린 왕자와 만나면서 벌어지는 이 이야기는, 인간이 고독을 극복하는

과정을 어린 왕자를 통해 상징적으로 표현하는, 어른들을 위한 동화이다.
43) 대한민국의 시인이자 정치인. 존재의 본질에 대한 고찰을 다룬 시로 유명하다.
44) 원래는 '알맞은'이 바른 표현이지만, 이 시에는 이렇게 적혀 있다. 교과서에는 그대로 '알맞는'으로 실려 있는 경우가 많지만, 간혹 '알맞은'으로 고쳐 적는 경우도 있다. '알맞다'는 동사가 아니라 형용사이기 때문이다.
45) '잊혀지지'는 이중피동의 형태이므로 정확한 표현은 '잊히지'이다. 시나 노래 가사에서 널리 사용되는 시적 허용이다.
46) 이 마지막 문장은 '하나의 의미가 되고 싶다.'인 경우도 있다.
47) 정재찬. 우리가 인생이라고 부르는 것들, 서울: ㈜인플루엔셜, 2023: 233.
48) 정재찬. 우리가 인생이라고 부르는 것들, 서울: ㈜인플루엔셜, 2023: 210-212.
49) 정재찬. 우리가 인생이라고 부르는 것들, 서울: ㈜인플루엔셜, 2023: 221-222.
50) 배정원. 성(性)을 억압하면 병든 사회 된다, 시사저널, 2024. 4. 7.
51) 성은 인간의 모든 것을 포함하는 개념이며, 인권을 기반으로 하는 성교육은 궁극적으로 자신을 알아가고 이해하게 하며, 자신의 몸과 마음에 대한 주도권과 결정권을 갖게 한다. 독일이 성교육을 '민주시민교육'이라 칭하며 성실히 추진하는 이유다.
52) 이성기. 당신은 지금 사랑하는 사람에게 얼마나 충실한가요? , kakao story, 2023. 6. 10.
53) 이성기. 정신적 사랑이냐? 육체적 사랑이냐?, kakao story, 2023. 3. 4.
54) 제우스(Zeús)와 헤라(Hera)는 성행위 때 남녀 중 어느 쪽이 성욕이 더 높게 고조되는 지를 놓고 논쟁하다가 양성신 테이레시아스(Teiresias)에게 중재를 맡겼다. 테이레시아스는 여성의 쾌감이 남성에 비해 아홉 배 내지 열 배 정도 더 세다는 결론을 내렸다.
55) 사람들은 제우스(Zeús)가 신들 중 가장 훌륭하고(ariston) 가장 정의롭다 (dikaiotaton)고 믿고 있다.
56) 인간의 성반응 주기는 인간이 성적 자극을 받을 때의 생리 반응에 대한 4단계 모형이다. 이 모형은 이를 구성하는 순서에 따라 흥분기(Excitement phase), 고조기(Plateau phase), 절정기(Orgasmic phase), 쇠퇴기(Resolution phase)의 단계로 나뉜다. 이 용어들은 1966년 윌리엄 마스터스와 버지니아 존슨의 책 인간의 성반응에서 처음 소개됐다.
57) Maters, William H./Johnson, Virginia E. : Die sexuelle Reaktion. Akademische Verlagsgesellschaft, Frankfurt 1967.
58) Rolf Degen. 오르가슴/최상안 옮김, 경기: ㈜도서출판 한길사, 2007: 19-25.
59) 박선영. 모니카 벨루치를 위한 영화 '사랑도 흥정이 되나요?', 한국일보, 2006. 7. 12.
60) 프랑스 코미디 영화 '사랑도 흥정이 되나요?'는 이 명제를 증명하기 위해 만든 일종의 '화보영화'다. 여배우는 안 예뻐야 되레 뉴스가 되고 개성이 되는 직종이지만, '급'이 다른 미모로 인해 신화적 존재가 된 여배우들은 때때로 스크린을 압도하며 새로운 서사를 창조해내기도 한다. 여배우의 미모로 영화를 품평하는 것은 저열한 비평에 속하나, 벨루치의 아름다움을 소재로 벨루치가 아름답다는 사실을 알리기 위해 만든 영화 '사랑도 흥정이 되나요?'는 적나라하고 뻔뻔하게 그것을 유도한다.

61) 기사단장 시마 코사쿠 :2019년 3월부터 이치진샤의 월간만화잡지 코믹제로섬
   에서 연재되는 만화. 시마 코사쿠가 기억을 잃은 채 이세계로 떨어져 기사단
   장직에 오르는 내용이라고 한다.
62) 종합적인 예술로 음악, 문학, 미술, 무용이 두루 나온다. 배역은 목소리의 높
   이와 종류에 따라 정해지는데, 보통 극의 중심적인 역은 소프라노와 테너인
   경우가 많다.에 많은 노인들이 몰리는 것을 볼 수 있다.
63) 김정일. 가장 사랑하는 사람이 가장 아프게 한다 2, 서울: 도서출판 두리미디
   어, 2007: 222-225..
64) 나민애. 나민애의 시가 깃든 삶-봄, 여름, 가을, 겨울-, 동아일보, 2024. 2. 23.
65) 스쿼시(Squash)는 사방이 벽으로 막힌 코트에서 라켓으로 고무공을 벽에 쳐서
   상대방과 주고받는 실내 스포츠다. 튕기는 공을 주고 받는 게임이다 보니 상
   대방이 받기 어려운 곳으로 공을 보내는 것이 열쇠가 된다. 비슷한 종목으로
   는 라켓볼이 있다.
66) http://www.tdo.com/features/health/0908/. Scientists are exploring aspects of
   female sexuality.
67) Rolf Degen(롤프 데겐). 오르가슴/최상안 옮김, 경기: ㈜도서출판 한길사, 2007
   286-287.
68) 박혜성. 사랑의 기술, 서울: ㈜경향신문사, 2022: 18.
69) 김정일. 가장 사랑하는 사람이 가장 아프게 한다, 서울: 웅진출판주식회사,
   1996: 4-5.
70) 김정일. 가장 사랑하는 사람이 가장 아프게 한다, 서울: 웅진출판주식회사,
   1996: 5-6.
71) 김정일.『가장 사랑하는 사람이 가장 아프게 한다』, 서울: 웅진출판주식회사,
   1996: 112-115.
72) 김정일. 가장 사랑하는 사람이 가장 아프게 한다 2, 서울: 도서출판 두리미디
   어, 2007: 219-221.
73) Rolf Degen(롤프 데겐). 오르가슴/최상안 옮김, 경기: ㈜도서출판 한길사, 2007:
   293.
74) 박혜성. 사랑의 기술, 서울: ㈜경향신문사, 2022: 164.
75) 엄민용. '잔인한 달' 4월은 사랑하기 좋은 때다, 경향신문, 2023. 4. 3.
76) 김정일.『가장 사랑하는 사람이 가장 아프게 한다』, 서울: 웅진출판주식회사,
   1996: 144.
77) Rolf Degen(롤프 데겐). 오르가슴/최상안 옮김, 경기: ㈜도서출판 한길사, 2007:
   243.
78) Eid, Francois: Zitiert nach Forbes.
79) Rolf Degen(롤프 데겐). 오르가슴/최상안 옮김, 경기: ㈜도서출판 한길사, 2007:
   297.
80) Rolf Degen(롤프 데겐). 오르가슴/최상안 옮김, 경기: ㈜도서출판 한길사, 2007:
   299.
81) 김정일. 가장 사랑하는 사람이 가장 아프게 한다, 서울: 웅진출판주식회사,
   1996: 30-34.
82) Rolf Degen(롤프 데겐). 오르가슴/최상안 옮김, 경기: ㈜도서출판 한길사, 2007:
   247.
83) 김정일. 가장 사랑하는 사람이 가장 아프게 한다, 서울: 웅진출판주식회사,

1996: 24-25.

84) 김정일. 가장 사랑하는 사람이 가장 아프게 한다, 서울: 웅진출판주식회사, 1996: 25-26.

85) 정재찬. 우리가 인생이라고 부르는 것들, 서울: ㈜인플루엔셜, 2023: 206-210.

86) Rolf Degen(롤프 데겐). 오르가슴/최상안 옮김, 경기: ㈜도서출판 한길사, 2007: 299.

87) 박혜성. 사랑의 기술, 서울: ㈜경향신문사, 2022: 166.

88) 김정일.『가장 사랑하는 사람이 가장 아프게 한다, 서울: 웅진출판주식회사, 1996: 27-29.

89) 김정일. 가장 사랑하는 사람이 가장 아프게 한다, 서울: 웅진출판주식회사, 1996: 35-40.

90) 年華에서 華는 '빛난다'는 뜻이 아닌 '빛이 들어오는 낮 > 시절'이라는 뜻이다. 중국어사전에는 年華의 동의어로 年光도 실려있다.

91) 이은정. 사랑하는 것이 외로운 것보다 낫다. 경기: 이정서재, 2024: 189-190.

92) 김정일.『가장 사랑하는 사람이 가장 아프게 한다』, 서울: 웅진출판주식회사, 1996: 41-45.

93) 나민애. 나민애의 시가 깃든 삶-어느 날-, 동아일보, 2024. 1. 26.

94) 런던 빈민가에 사는 여섯 명의 혼혈인들, 중하류 계급의 파키스탄 사람들의 삶을 다루면서 대처 정부가 소외시킨 도시 빈민의 구체적인 일상은 과연 어떤 것인지를 섬세하게 묘사하고 있다.

95) Rolf Degen(롤프 데겐). 오르가슴/최상안 옮김, 경기: ㈜도서출판 한길사, 2007: 300-301.

96) 김정일. 가장 사랑하는 사람이 가장 아프게 한다 2, 서울: 도서출판 두리미디어, 2007: 18-20.

97) 이선. 다이애나와 물망초, 경향신문, 다이애나와 물망초, 2023. 5. 16.

98) 김정일. 가장 사랑하는 사람이 가장 아프게 한다, 서울: 웅진출판주식회사, 1996: 58-66.

99) 김정일. 가장 사랑하는 사람이 가장 아프게 한다, 서울: 웅진출판주식회사, 1996: 67-70.

100) 김정일. 가장 사랑하는 사람이 가장 아프게 한다, 서울: 웅진출판주식회사, 1996: 116-118.

101) 호모 사피엔스는 현생인류의 기원이 되는 원시 인류이다. 호모 사피엔스가 출현한 것은 플라이스토세였다. 선사시대에 살았던 이 인류는 평균 1,300㎤의 뇌용적, 거의 수직의 이마 모양, 목근육이 붙는 면적이 비교적 작은 둥근 후두부, 작은 크기의 턱과 이빨, 주걱 모양의 작은 송곳니, 튀어 나온 턱끝, 완전한 직립자세와 보행자세에 적응한 사지 등이 특징이다.

102) 코카나무 잎에서 추출(抽出)되는 흰색의 결정성(結晶性) 알칼로이드. 신경 특히 눈, 코, 인후의 점막을 자극하는 것을 방해하기 때문에 국소 마취제로 쓰인다. 계속하여 복용하면 습관성이 되기 쉬우며 만성 중독을 일으킬 수 있다. 마약으로서 거래나 사용이 법률로 규제되어 있다. 화학식은 $C17H21NO4$이다.

103) 습관성과 중독성이 강한 흰색의 결정체 가루 마약의 하나. 모르핀을 아세트산 무수물(acetic酸無水物)로 처리하여 얻는데, 모르핀보다 아픔을 진정시키는 작용이 크다. 국제적으로 제조, 판매, 소지, 사용이 금지되어 있으며, 의료용으

로 사용하는 것도 금지되어 있다. 화학식은 C21H23NO5이다.

104) Potts, Malcolm/Short, Roger,: Ever since Adam and Eve. The evolution of human sexuality. Cambridag Huiversity Press, Cambridge, 1999.

105) Levine, Roy J.: Human male sexulity: Appetite and arousal, desire and drive. In: Legg, Charles R./Booth, David(Hg.): Appetite. Oxford University Press, Oxford, 1994.

106) 멀리서도 알아 볼 수 있을 정도로 선홍색을 띠고, 독특한 냄새도 풍긴다. 수 컷이 둔감해서 아직도 그 사실을 알아채지 못하고 있으면, 암컷은 수컷 앞에 웅크리고 앉아 엉덩이를 보여준다. 발정이 계속되는 동안 한 달 내내 마음에 드는 수컷과 지내면서 10회까지 교미를 한다.

107) Rolf Degen(롤프 데겐). 오르가슴/최상안 옮김, 경기: ㈜도서출판 한길사, 2007: 38-43.

108) Roberts William A. : Are animals stuck in time? Psychological Bulletin, Bd. 128(2002), S. 473-489.

109) Rolf Degen(롤프 데겐). 오르가슴/최상안 옮김, 경기: ㈜도서출판 한길사, 2007: 46-51.

110) Rolf Degen(롤프 데겐). 오르가슴/최상안 옮김, 경기: ㈜도서출판 한길사, 2007: 55.

111) Rolf Degen(롤프 데겐). 오르가슴/최상안 옮김, 경기: ㈜도서출판 한길사, 2007: 60-61.

112) 주홍 글씨(朱紅--; 간통한 여자에게 그 벌로써 가슴에 간음을 뜻하는 'adultery'의 두자인 'A'를 주홍색으로 달아 주었던 것을 이르는 말이다.

113) 박혜성. 사랑의 기술, 서울: ㈜경향신문사, 2022: 211-212.

114) 박혜성. 사랑의 기술 2, 서울: ㈜경향신문사, 2022: 32-39.

115) 박혜성. 사랑의 기술 2, 서울: ㈜경향신문사, 2022: 259-260.

116) 삼장법사. 인과업보(因果業報)-쉿송. 3302회-. 2024. 2. 29.

117) 김정일. 가장 사랑하는 사람이 가장 아프게 한다, 서울: 웅진출판주식회사, 1996: 198-200.

118) 김정일. 가장 사랑하는 사람이 가장 아프게 한다, 서울: 웅진출판주식회사, 1996: 202-203.

119) 김정일. 가장 사랑하는 사람이 가장 아프게 한다, 서울: 웅진출판주식회사, 1996: 204-207.

120) 김정일. 가장 사랑하는 사람이 가장 아프게 한다, 서울: 웅진출판주식회사, 1996: 208-210.

121) 김훈민. '좀머 씨 이야기'와 라인강의 기적(上), 한국경제, 2011. 3. 4.

122) 김훈민. '좀머 씨 이야기'와 라인강의 기적(下), 2011. 3. 11.

123) 이근미. 파트리크 지스킨트 '좀머 씨 이야기',한국경제. 한경닷컴, 입력 2016. 7. 1.

124) 김정일. 가장 사랑하는 사람이 가장 아프게 한다, 서울: 웅진출판주식회사, 1996: 211-215.

125) 김정일. 가장 사랑하는 사람이 가장 아프게 한다, 서울: 웅진출판주식회사, 1996: 216-217.

126) 김정일. 가장 사랑하는 사람이 가장 아프게 한다, 서울: 웅진출판주식회사, 1996: 218-220.

127) 박혜성. 사랑의 기술 2, 서울: ㈜경향신문사, 2022: 231.
128) Ahncsik. 파니 펑크(Nobody Loves Me), 비정상적 한쌍의 순도 높은 사랑, 후투티, 2024. 2. 18.
129) Rolf Degen(롤프 데겐). 오르가슴/최상안 옮김, 경기: ㈜도서출판 한길사, 2007: 301-302.
130) 김정일. 가장 사랑하는 사람이 가장 아프게 한다, 서울: 웅진출판주식회사, 1996: 178-183.
131) 박은민. 서울국제여성영화제, 아카이브 보라, 작품 소개, 성폭력을 소재로 한 여성영화, SIWFF, 2018. 3. 23.
132) 이진욱. 1987년 지구촌 뒤흔든 문제작 '위험한 정사' 리메이크, CBS노컷뉴스 2023. 5. 10.
133) 리지 캐플란이 맡은 알렉스 포레스트는 댄 갤러거에게 병적으로 집착하며 그를 자기 남자로 소유하기 위해 치명적인 유혹의 덫을 놓는다.
134) 뿐만 아니라 남성들에게도 이 영화가 가져다 준 임팩트가 컸다. 글렌 클로즈가 2008년에 했던 언급에서 "아직도 남성분들이 저에게 와서" 와, "진짜 존나게 무서워서 쫄았다구요!" 라고 하신 분들도 계시고 "제 결혼생활을 구해주셨어요.라고 하시는 분들도 계시더라구요." 라고 했다고.
135) 김정일. 가장 사랑하는 사람이 가장 아프게 한다, 서울: 웅진출판주식회사, 1996: 184-186.
136) 김정일. 가장 사랑하는 사람이 가장 아프게 한다, 서울: 웅진출판주식회사, 1996: 187-189.
137) 김정일. 가장 사랑하는 사람이 가장 아프게 한다, 서울: 웅진출판주식회사, 1996: 190-192.
138) 일본에서는 sexual harassment를 축약하여 セクハラ(세쿠하라)라고 한다.
139) 이와 관련하여 논란이 있는데 피해자에게 수치심을 강요함으로써 피해자가 움츠리게 만든다는 것, 수치심을 느껴야할 측은 잘못을 저지른 가해자라는 지적과 똑같은 말을 들었을때도 수치심이 아니라 분노를 느낄 수도 있는데 한 가지 감정으로만 몰고 가려한다는 비판이 있다. 성희롱 자체를 처벌하는 법은 없지만 모욕죄로 처벌이 가능하다.
140) 국가기관, 지방자치단체, 「초·중등교육법」 제2조, 「고등교육법」 제2조와 그 밖의 다른 법률에 따라 설치된 각급 학교, 「공직자윤리법」 제3조의2제1항에 따른 공직유관단체를 말한다.
141) 예컨대 얼굴을 보고 기분 나쁘게 웃는 것은 성적인 수치심을 주는 행위라기보다는 그냥 기분 나쁜 경우라서 성희롱이 아니다. 하지만 엉덩이를 때리는 행위나 명백히 중요부위를 손가락으로 가리키면서 웃는 것은 피해자가 기분 나쁠 확률이 상대적으로 높기 때문에 성희롱, 어쩌면 성추행이 될 수도 있다. 참고로, 똥침은 성희롱이 아니라 성추행 즉 강제추행이다.
142) 김정일. 가장 사랑하는 사람이 가장 아프게 한다, 서울: 웅진출판주식회사, 1996: 193-197.
143) 정신적 원인에 의해 일어나는 신경증의 하나. 욕구 불만이 쌓여 지각 장애, 운동 마비, 경련 등을 일으키는데 심하면 실신과 기억 상실 등의 증상을 나타낸다. 자기중심적이고 항상 남의 이목을 집중시키기를 바라고, 오기가 있으며

감정의 기복이 심한 증세를 보인다.

144) Music and Lyrics, 미국, 2007. 사랑이 필요한 남자와 사랑에 데인 여자, 두 사람이 만들어가는 특별한 하모니! 한때는 소녀군단을 거느린 팝스타였지만 놀이동산이 유일한 무대가 되어버린 짠내나는 신세 '알렉스' (휴 그랜트) 어느 날 들어온 팝스타의 듀엣 제의는 그에게 더할 나위 없는 기회이지만 자신의 작사, 작곡 실력으로는 무리이기만 하고… 그런 그에게 남다른 작사 재능을 가진 엉뚱발랄 '소피' (드류 베리모어)가 우연히 다가오는데…!

145) 김정일. 가장 사랑하는 사람이 가장 아프게 한다 2, 서울: 도서출판 두리미디어, 2007: 235-240.

146) 김정일. 가장 사랑하는 사람이 가장 아프게 한다, 서울: 웅진출판주식회사, 1996: 46-49.

147) 김정일. 가장 사랑하는 사람이 가장 아프게 한다, 서울: 웅진출판주식회사, 1996: 13-17.

148) 목련(木蓮)은 '연꽃처럼 생긴 아름다운 꽃이 나무에 달린다' 라는 뜻이다. 목련은 봄기운이 살짝 대지에 퍼져나갈 즈음인 3월 중하순경, 잎이 나오기 전의 메말라 보이는 가지에 눈부시게 새하얗고 커다란 꽃을 피운다. 좁고 기다란 여섯 장의 꽃잎이 뒤로 젖혀질 만큼 활짝 핀다.

149) 물론, 무조건 사랑고백만은 가리키는 것은 아니다. 마음 속에 생각하고 있는 것, 혹은 감추어 둔 것을 숨김없이 말한다면, 그것도 고백의 일종이라고 볼 수 있다.

150) 이 책은 연애의 정경(情景)을 관찰하고, 그 안의 정경(政經)을 읽어 낸다. 신자유주의, 자본주의, 세대론, 이데올로기, 페미니즘, 근대성과 탈근대성 같은 개념과 이론을 연애에 접목했다. 과거 50년대부터 현재 이르기까지 청춘들의 연애를 비교 분석하고, 이를 톺아 볼 사료로 대중미디어를 택했다. 과거와는 다른 현대 연애 양태를 정치, 경제, 사회적 관점에서 연구했다. 20대 후반의 젊은 저자가 쓴 《연애 정경》은 누군가 '너희' 를 조망하고 쓴 이야기가 아니라 난파선에 탄 '우리' 가 함께 손을 잡고 들여다본 연애 정경이다.

151) 컬쳐리스트 민지연. 숨 참고 Love dive : 현대인의 '사랑'에 관하여, 아트인사이트, 2023. 05. 15.

152) 박소정, 연애 정경(우리 연애 이래도 괜찮을까?), 스리체어스, 2017

153) 김정일. 가장 사랑하는 사람이 가장 아프게 한다 2, 서울: 도서출판 두리미디어, 2007: 226-233.

154) 정재찬. 우리가 인생이라고 부르는 것들, 서울: ㈜인플루엔셜, 2023: 235.

155) 김정일. 가장 사랑하는 사람이 가장 아프게 한다, 서울: 웅진출판주식회사, 1996: 521-513.

156) 나민애. 나민애의 시가 깃든 삶, 어떤 주례사, 동아일보, 2024년 3월 15일.

157) 한돌. 묵은 잎을 떨궈야 새잎이 싹튼다, 한겨레, 2024. 2. 19.

158) 이 시리즈는 전남 순천사랑어린배움터 촌장 김민해 목사가 발간하는 〈월간 풍경소리〉와 함께 합니다.

159) 서상일. 사랑도 결혼도 가족도 모두 실험 중-울리히 벡 부부의 〈사랑은 지독한, 그러나 너무나 정상적인 혼란〉-, 오마이뉴스, 2007. 03. 21.

160) 이은정. 사랑하는 것이 외로운 것보다 낫다. 경기: 이정서재, 2024: 212-213.

161) 김정일. 가장 사랑하는 사람이 가장 아프게 한다 2, 서울: 도서출판 두리미디어, 2007: 159-161.
162) 정덕희. 밤은 낮보다 짧다, 중앙 M&B, 1999: 173-174.
163) Fritsch, Sibylle/Wolf, Axel: Der schwierige Umgang. mit der Lust. Psychologie beute, August, 2000.
164) Rolf Degen(롤프 데겐). 오르가슴/최상안 옮김, 경기: ㈜도서출판 한길사, 2007: 351-352.
165) 김정일. 가장 사랑하는 사람이 가장 아프게 한다 2, 서울: 도서출판 두리미디어, 2007: 302-303.
166) Hartmann, Uwe: Gegenwart und Zukunft der Lust. Ein Beirtag zu biopsychologischen und klinischen Aspekten sexueller Motivation. Sexuologie Nr. 3/4 2001, S.191-204.
167) Rolf Degen(롤프 데겐). 오르가슴/최상안 옮김, 경기: ㈜도서출판 한길사, 2007: 354.
167) 이정아. 명품 받아야 '진짜 프로포즈' …2030 "가짜사랑 마저 고프다",헤럴드경제, 2023. 12. 7.
167) 가짜 사랑 권하는 사회. 김태형 지음/갈매나무.
167) 이현, 가짜 사랑 권하는 사회, 경향신문, 2023. 12. 8.
167) 최재봉. 가부장제를 배반하는 이성애를 위하여-사랑을 재발명하라-, 한겨레, 2023. 12. 29.
167) 가부장제는 어떻게 우리의 사랑을 망가뜨리나.
167) 에그냠냠. 내안의 브리짓 존스의 일기(Bridget Jones's Diary), 2024. 4. 18. 모나 숄레 지음, 백선희 옮김, 책세상.
167) 송휘수 안치용 신다임 황경서. 주한미군 범죄 중 가장 잔혹한 사건, 오마이뉴스, 2021. 3. 7.
167) 정희진. 의정부시의 '기지촌'에 대한 인식, 경향신문, 2024. 4. 30.

초원의 빛(Splendor in the Grass)

윌리엄 워즈워스(William Wordsworth)

What though the radiance which was once so bright
Be now for ever taken from my sight,
한때 그처럼 찬란했던 광채가
이제 내 눈앞에서 영원히 사라졌다 한들 어떠랴

Though nothing can bring back the hour
Of splendor in the grass, of glory in the flower
초원의 빛, 꽃의 영광어린 시간을
그 어떤 것도 되불러올 수 없다 한들 어떠랴

We will grieve not, rather find
Strength in what remains behind;
우리는 슬퍼하지 않으리, 오히려
뒤에 남은 것에서 힘을 찾으리라

In the primal sympathy
Which having been must ever be;

지금까지 있었고 앞으로도 영원히 있을
본원적인 공감에서

 In the soothing thoughts that spring
Out of human suffering;
인간의 고통으로부터 솟아나
마음을 달래주는 생각에서

In the faith that looks through death,
In years that bring the philosophic mind.
죽음 너머를 보는 신앙에서
그리고 지혜로운 정신을 가져다주는 세월에서

https://blog.daum.net/sang7981?page=2(2021. 4. 15)

영화 『당신이 섹스에 대해 알고 싶었던 모든 것(Everything You Always Wanted to Know About Sex(But Were Afraid to Ask)』에서 오프닝 크레딧과 엔딩 크레딧은 콜 포터의 Let's Misbehave의 음악으로 많은 하얀 토끼를 소개한다.

성적 증진약은 효과가 있는가? (Do Aphrodisiacs Work?)

소도미는 무엇인가? (What is Sodomy?)

왜 어떤 여성은 오르가슴에 못 도달하는가? (Why Do Some Women Have Trouble Reaching an Orgasm?)

여장/남장하는 사람은 동성애자((同性愛)인가? (Are Transvestites Homosexuals?)

변태성욕(變態性慾)은 무엇인가? (What Are Sex Perverts?)

의사와 병원이 실행한 성과 관련된 연구와 실험의 결과는 정확한가? (Are the Findings of Doctors and Clinics Who Do Sexual Research and Experiments Accurate?)

사정은 어떻게 하는가? (What Happens During Ejaculation?)